Y GEIRIADUR SBAENEG

Sbaeneg – Cymraeg
Cymraeg – Sbaeneg

Stephen Phillips

Cyhoeddwyd gan y Ganolfan Astudiaethau Addysg (CAA), Prifysgol Cymru Aberystwyth, Yr Hen Goleg, Aberystwyth, SY23 2AX (http://www.caa.aber.ac.uk). Noddwyd gan Lywodraeth Cynulliad Cymru.

ISBN: 978-1-84521-145-5

Golygydd: Brenda Williams
Dylunydd: Richard Huw Pritchard
Argraffwyr: Gwasg Gomer

Darllenwyr: Siân Powys ac Iona Davies

Diolch hefyd i Dewi Evans a Liliana Williams am eu sylwadau gwerthfawr.

Cynnwys

Byrfoddau

g = gwrywaidd
b = benywaidd
g/b = gwrywaidd neu fenywaidd
ll = lluosog
m = masculino (gwrywaidd)
f = feminino (benywaidd)
pl = plural (lluosog)
adj = adjetivo (ansoddair)
v = verbo (berf)
AmL = America Ladin/América Latina

Mae'r llythrennau a'r rhifau ar ôl *v* yn cyfeirio at y tablau berfau sydd yng nghefn y llyfr.

Rhagair

Paratowyd y geiriadur hwn yn dilyn patrwm yr un Ffrangeg sy'n dwyn y teitl Y Geiriadur Bach: Le Petit Dico. Fe'i bwriadwyd ar gyfer disgyblion ysgolion uwchradd sy'n astudio Sbaeneg at lefel TGAU.

Mae'n cynnwys geirfa sylfaenol ar gyfer gweithgareddau bob dydd ac mae'n ymdrin â meysydd sy'n debygol o fod o ddiddordeb i bobl ifanc yng nghyfnodau allweddol 3 a 4.

Rhoddir rhywfaint o wybodaeth ramadegol am y geiriau fel yr eglurir ar y dudalen gyferbyn.

Cynhwyswyd rhai geiriau o Sbaeneg De-America a allai fod yn ddefnyddiol. Er hynny, prin y gellid awgrymu'r cyfoeth o amrywiadau sy'n bodoli mewn geiriadur cymharol fach fel hwn.

Gobeithio y bydd y geiriadur hwn hefyd o ddefnydd i bobl o bob oed sydd â diddordeb mewn dysgu Sbaeneg waeth ai mewn dosbarthiadau neu drwy weithio gartref ar eu pennau eu hunain.

Patrwm y Geiriadur

Un o'r pethau y sylwir arnynt yn y Geiriadur hwn yw fod y print yn gwahaniaethu rhwng prif eiriau a ffurfiau neu ymadroddion sy'n cynnwys y prif eiriau hynny. Nodir prif eiriau mewn print trwm a ffurfiau neu ymadroddion sy'n eu cynnwys mewn italig.

Nodir cenedl (*m/f* neu *g/b*) enwau a chynhwysir y fannod hefyd yn y Sbaeneg. Defnyddir *un/una* fel rheol oni bai bod hynny'n annaturiol pan ddefnyddir *el/la*. Yn gyffredinol dim ond mewn prif eiriau y dangosir cenedl ac os yw'r un gair yn ymddangos mewn ymadroddion ni nodir cenedl gan fod hynny i'w weld yn union uwchben.

Dylid cymryd bod ansoddeiriau sy'n terfynu ag –o yn newid i –a yn y benywaidd ac yn y blaen. Os nad yw ansoddair yn amrywio o gwbl o ran cenedl na rhif, nodir hynny drwy ddweud [byth yn newid].

Gyda berfau, nodir y berfenw bob tro a rhoddir rhif i ddangos rhediad y ferf yn y presennol. Berfau rheolaidd yw'r rhai sydd ag A o flaen y rhif; mae bôn y rhai sydd â B o flaen y rhif yn amrywio yn dilyn patrwm a'r rhai afreolaidd sydd ag C o flaen y rhif. Gweler y tablau berfau ar y diwedd.

Wrth ymdrin â berfau, penderfynwyd defnyddio e(f)o (= ef/fe/fo/e/o) i geisio cyfleu'n gryno iaith y Gogledd ac iaith y De.

Weithiau ceir esboniad mewn bachau petryal i egluro ym mha gyd-destun y dylid defnyddio gair neu sut i wahaniaethu rhwng ystyron gwahanol i'r un gair.

Sbaeneg – Cymraeg

a	i
a bordo de	ar fwrdd
a causa de	oherwydd; o achos
a eso de	tua
a fines de	ar ddiwedd
a la derecha	ar y dde
a la izquierda	ar y chwith
a la vez	ar yr un pryd
a lo lejos	yn y pellter
a mediados de	yng nghanol
a orillas de	ar lan...
a partir de	o... ymlaen
a partir de ahora	o hyn ymlaen
ir v[C16] *a pie*	cerdded
a principios de	ar ddechrau
a propósito	yn fwriadol; o bwrpas; yn bwrpasol; gyda llaw
a salvo	yn ddiogel; allan o berygl
a tierra	i lawr; i'r llawr; i'r ddaear
a través	ar draws; yn groes
a través de	ar draws; dros; tros; yn groes
a veces	weithiau; ar brydiau
abajo	i lawr â; lawr y grisiau/sta(e)r; ar y gwaelod
hacia abajo	i lawr
más abajo	yn is; is i lawr; isod
un **abanico** *m*	gwyntyll *b*
los **abarrotes** *m pl* [AmL]	bwydydd *ll*
una **abarrotería** *f* [AmL]	siop *b* groser
el **abecedario** *m*	yr wyddor *b*
una **abeja** *f*	gwenynen *b*
una **abertura** *f*	agoriad *g*
un **abeto** *m*	pinwydden *b*
abierto *adj*	ar agor; agored
una **abogada** *f*	cyfreithwraig *b*
un **abogado** *m*	cyfreithiwr *g*
abolir *v*[A3]	diddymu; dileu
abonarse *v*[AD]	tanysgrifio
un **abono** *m*	tanysgrifiad *g*; tocyn *g* tymor; taliad *g*
abrazar *v*[A1]	cofleidio
un **abrazo** *m*	cofleidiad *g*

un **abrelatas** *m*	agorwr *g* tun
abrigarse v^{AD}	cysgodi; llochesu
un **abrigo** *m*	côt *b*
abril *m*	Ebrill *g*
abrir v^{A3}	agor
abrochar v^{A1}	[botymau, dillad] cau
absolutamente	yn hollol; yn gyfangwbl; yn ddiffael
absoluto *adj*	pendant; diamod
en absoluto	ddim o gwbl
una **abuela**	mam-gu *b*; nain *b*
un **abuelo**	tad-cu *g*; taid *g*
los **abuelos**	mam-gu a thad-cu; nain a thaid
aburrido *adj*	wedi diflasu
aburrir v^{A3}	blino; diflasu; syrffedu; 'laru; danto
aburrirse v^{A3D}	bod wedi diflasu; syrffedu; 'laru; danto
acá	yma; fan hyn
acabado *adj*	wedi'i orffen; wedi gorffen
acabar v^{A1}	gorffen; diweddu; dibennu
acabar de (hacer...)	bod newydd (wneud...)
ella acaba de llegar	mae hi newydd gyrraedd
una **academia** *f*	academi *b*; ysgol *b* breifat
ir v^{C16} de **acampada**	gwersylla
acampar v^{A1}	gwersylla
acariciar v^{A1}	anwesu; anwylo; mwytho
acatarrado *adj*	ag annwyd; yn llawn annwyd; anwydog
accesible *adj*	hawdd mynd ato/ati; o fewn cyrraedd
un **acceso** *m*	mynediad *g*
un **accidente** *m*	damwain *b*
por **accidente**	ar ddamwain; yn ddamweiniol
el **aceite** *m*	olew *g*
una **aceituna** *f*	olif *b*
aceptar v^{A1}	derbyn; cymryd
una **acera** *f*	pafin *g*; palmant *g*
acerca de	tua; oddeutu; o gwmpas
acercarse v^{D} **de**	agosáu at; nesáu at; nesu at
el **acero** *m*	dur *g*
un **acertijo** *m*	pos
acogedor *adj*	croesawgar; cyfeillgar
acoger v^{C3}	croesawu; derbyn; rhoi croeso i; rhoi llety i
una **acogida** *f*	croeso; derbyniad

acompañado de	gyda; yng nghwmni
acompañar *v*[A1]	mynd gyda; dod gyda; hebrwng
acontecer *v*[C5]	digwydd
un **acontecimiento** *m*	digwyddiad
acordarse *v*[B1D] **de**	cofio
acostarse *v*[B1D]	mynd i'r gwely
estar *v*[C10] **acostado**	bod yn y gwely; gorwedd
acostumbrado	wedi arfer; wedi cyfarwyddo
una **actitud** *f*	agwedd *b*
una **actividad** *f*	gweithgaredd *g*; prysurdeb *g*
activo *adj*	bywiog; prysur; egnïol; gweithredol
en el acto	yn y fan a'r lle; yn syth; ar unwaith
un **actor** *m*	actor *g*
una **actriz** *f*	actores *b*
una **actuación** *f*	perfformiad *g*; ymddygiad *g*
actual *adj*	presennol; cyfoes; cyfredol
la **actualidad** *f*	presennol; materion cyfoes; newyddion
las actualidades	materion cyfoes
actualmente	nawr; ar hyn o bryd
actuar *v*[C6]	actio
un **acuario** *m*	acwariwm *g*
Acuario	Acwariws; cytser y cariwr dŵr
acudir *v*[A3] **a**	mynd i; dod i; troi at
un **acuerdo** *m*	cytundeb *g*
de acuerdo	iawn; cytuno; o'r gorau
estar v[C10] *de acuerdo*	cytuno; cyd-weld; cyd-fynd
adaptar *v*[A1]	addasu; cymhwyso
adecuado *adj*	addas; cymwys
en el sitio adecuado	yn y lle iawn
adelantado	blaengar; cynnar; buan; [cwrs, lefel] uwch
por adelantado	ymlaen llaw
adelantar *v*[A1]	symud ymlaen; goddiweddyd; gwneud cynnydd
adelantarse v[D]	mynd ymlaen; symud ymlaen; achub y blaen ar
adelante	ymlaen; dewch i mewn!; cariwch ymlaen!
de ahora en adelante	o hyn ymlaen
adelgazar *v*[A1]	colli pwysau; teneuo
además	yn ogystal; hefyd; yn ychwanegol at hynny
adentro	tu fewn; ynddo (ayyb)

la **adición** *f*	bil *g*; ychwanegiad *g*; sym *b* adio
adicional	ychwanegol
adiós	Hwyl!; Da boch (chi!)
la **adivinanza**	rhigwm; pos
adivinar v^{A1}	dyfalu; rhagweld; proffwydo
un **adjetivo** *m*	ansoddair *g*
un **admirador** *m*	edmygwr *g*
una **admiradora** *f*	edmygwraig *b*
admitir v^{A3}	derbyn; caniatáu; gadael i mewn
la **adolescencia** *f*	llencyndod; glasoed; arddegau
un/una **adolescente** *m/f*	un *gb* yn ei (h)arddegau
¿adónde?	i ble?
adonde	ble
una **adormidera** *f*	pabi *g*
adornar v^{A1}	addurno
adrede	o bwrpas; yn bwrpasol; yn fwriadol
la **aduana** *f*	tollau
un **adulto** / una **adulta** *m / f*	oedolyn *g*
una **advertencia** *f*	rhybudd *g*
el **aeróbic** *m*	ymarfer *g* aerobig
un **aerodeslizador** *m*	hofrenfad *g*; hofranlong *b*
un **aeropuerto** *m*	maes *g* awyr
afectar v^{A1}	effeithio
afeitarse v^{D}	eillio; siafio
una **afición** *f*	hobi *g*; ffans *ll*; cefnogwyr *ll*
aficionado a *adj*	hoff o
estar v^{C10} **afiliado a**	bod yn aelod o
afiliarse v^{D} **a**	ymaelodi â
una **aflicción**	trallod *g*
afortunadamente	yn ffodus; drwy drugaredd
afortunado	lwcus; ffortunus; ffodus
África *f*	Affrica *b*
africano *adj*	Affricanaidd; o Affrica
afuera	allan; tu allan
las afueras f pl	maestrefi *ll*; cyrion dinas/tref
agarrar v^{A1}	gafael (yn); cydio (yn)
agarrarse v^{D} *a*	gafael (yn); cydio (yn)
una **agencia** *f*	asiantaeth *b*
una agencia de publicidad	asiantaeth gyhoeddusrwydd
una agencia de viajes	asiantaeth deithio
la **agenda** *f*	dyddiadur *g*; agenda *b*
ágil *adj*	heini; sionc
una **agitación** *f*	cyffro *g*; cynnwrf *g*

agitado	wedi cynhyrfu; cynhyrfus; wedi cyffroi
agitar *v^{A1}*	chwifio; ysgwyd; cynhyrfu; cyffroi; aflonyddu
agitarse v^{D}	cynhyrfu; cyffroi
agosto *m*	Awst *g*
agotado *adj*	wedi blino'n lân; wedi ymlâdd; wedi dod i ben; wedi dibennu
agradable *adj*	dymunol; neis; hyfryd
agradecer *v^{C5}*	diolch
agradecido *adj*	diolchgar
el **agradecimiento** *m*	diolchgarwch
agregar *v^{A1}*	ychwanegu; adio
agresivo *adj*	ymosodol
agrícola *adj*	amaethyddol
el **agua** *f*	dŵr *g*
el agua dulce	dŵr croyw
un agua mineral	dŵr ffynnon; dŵr mwnol
agua mineral con gas	dŵr pefriol
agua mineral sin gas	dŵr llonydd / fflat
el agua potable	dŵr yfed
aguantar *v^{A1}*	dioddef; goddef; dal
no aguanto eso	alla i ddim dioddef hynny; alla i ddim goddef hynny
aguardar *v^{A1}*	aros
agudo *adj*	miniog; siarp; main
un **aguijón** *m*	colyn *g*
un **águila** *f*	eryr *g*
una **aguja** *f*	nodwydd *b*; [ar oriawr] bys *g*
agujerear *v^{A1}*	tyllu
un **agujero** *m*	twll *g*
ahí	yna; yn fan'na; acw
ahí lo tienes	dyna ti
ahora	nawr; rŵan
a partir de ahora	o hyn ymlaen
de ahora en adelante	o hyn ymlaen
ahora mismo	yn syth; ar unwaith
ahorrar *v^{A1}*	cynilo
el **aire** *m*	aer *g*; awyr *b*
al aire	i fyny; lan
al aire libre	yn yr awyr agored; yn yr awyr iach
en el aire	yn yr awyr; yn yr aer
tener v^{C24} *aire*	ymddangos yn

darse v[C8] *un aire a*	edrych yn debyg i
el aire acondicionado	system *b* awyru / dymheru
aislado *adj*	anghysbell; diarffordd; unig
el **ajedrez** *m*	gwyddbwyll *g*
jugar v[B1] *al ajedrez*	chwarae gwyddbwyll
ajetreado *adj*	prysur
el **ajo** *m*	garlleg *g*
ajustado *adj*	tynn
al día	y dydd
tres veces al día	tair gwaith y dydd
al día siguiente	drannoeth
al final de	ar ddiwedd
al lado de	wrth ymyl/ochr; nesa at; yn agos at/i
al principio de	ar ddechrau
una **alabanza** *f*	canmoliaeth *b*; clod *g*
un **alambre** *m*	gwifren *b*; weiren *b*
una **alameda** *f*	rhodfa *b*
alargado	hir; ar ei hyd
un **albañil** *m*	adeiladydd *g*; masiwn *g*; saer *g* maen
un **albaricoque** *m*	bricyllen *b*
un **albergue** *m*	hostel *g/b*
un albergue juvenil	hostel ieuenctid
las **albóndigas** *f pl*	pelenni *ll* cig
un **alboroto** *m*	cynnwrf *g*; cyffro *g*; stŵr *g*
la **alcachofa** *f*	[llysieuyn] march-ysgall *g*
un **alcalde** *m*	maer *g*
una **alcaldesa** *f*	maeres *b*
alcanzable	o fewn cyrraedd; hygyrch
alcanzar *v*[A1]	cyrraedd
un **alcázar** *m*	castell *g*; caer *g*; palas *g*
una **alcoba** *f*	ystafell *b* wely
el **alcohol** *m*	alcohol *g*
alcohólico *adj*	alcoholaidd; meddwol
una **aldea** *f*	pentref *g*
alegrar *v*[A1]	plesio; llonni
me alegra	rwy'n falch
alegre *adj*	llawen; hapus
la **alegría** *f*	llawenydd *g*; miri *g*; difyrrwch *g*; rhialtwch *g*; hwyl *b*
alejado *adj*	pell
alejar	mynd â... i ffwrdd
alemán *adj*	Almaeneg; Almaenig; Almaenaidd; o'r Almaen
Alemania *f*	yr Almaen *b*

	alentar *v*^{B2}	annog; calonogi
una	**alergía** *f*	alergedd *g*
	alérgico *adj*	alergaidd
un	**alfiler** *m*	pin *g*; nodwydd *b*
una	**alfombra** *f*	carped *g*
	algo	rhywbeth
el	**algodón** *m*	cotwm *g*
el	*algodón hidrófilo*	gwlân *g* cotwm
	alguien	rhywun; unrhywun
	algún	[o flaen enw gwrywaidd unigol] rhyw
	alguna	[o flaen enw benywaidd unigol] rhyw
a	*alguna parte*	i rywle
en	*alguna parte*	rhywle
	algunas	rhai [o flaen enw benywaidd lluosog]
	algunas personas	rhai pobl; ambell i berson
	alguno	rhyw; ambell
	algunos	rhai [o flaen enw gwrywaidd lluosog]
a	*algunos metros*	ychydig fetrau i ffwrdd; rhai metrau i ffwrdd
una	**alianza** *f*	cynghrair *b*; modrwy *b* briodas
la	**alimentación** *f*	bwyd *g*
	alimentar *v*^{A1}	bwydo
un	**alimento** *m*	bwyd *g*
	allá	yna; yno; acw
más	*allá de*	tu hwnt i; tu draw i; yr ochr draw i
	allí	yna; yno; acw; yn fan'na
por	*allí*	y ffordd yna / acw
	allí dentro	i mewn yn fann'a / yn hwnna [ayyb]
	allí está ….	dyna ....
un	**alma** *f*	enaid *g*
un	**almacén** *m*	siop *b* fawr; siop adrannol
un	**almacenero** *m* [AmL]	groser *g*; siopwr *g*
una	**almendra** *f*	almon *g*
una	**almohada** *f*	gobennydd *g*
una	**almohadilla** *f*	clustog *b*
	almorzar *v*^{B1}	cael cinio (canol dydd)
un	**almuerzo** *m*	cinio *g* (canol dydd)
	aló [AmL]	[ar y ffôn] helo
un	**alojamiento** *m*	llety *g*
	alojar *v*^{A1}	rhoi llety i
	alojarse v^{D}	aros; cael llety; lletya
el	**alpinismo** *m*	dringo *g*; mynydda *g*
un / una	**alpinista** *m/f*	mynyddwr *g*; mynyddwraig *b*

alquilar *v*[AI]	gosod; rhentu; llogi
alrededor (de)	o gwmpas; o amgylch
alrededor de	o amgylch; o gwmpas; oddeutu; tua
los alrededores m pl	cyffiniau *ll*; ardal *b* o gwmpas/amgylch
una **altitud** *f*	uchder *g*
alto *adj*	uchel; tal
lo alto	brig *g*
lo más alto	brig *g*; pen *g*
una **altura** *f*	uchder *g*
las **alubias** *f pl*	ffa *ll* Ffrengig
alucinante	gwych; bendigedig; ardderchog; ffantastig; grêt
una **alumna** *f*	disgybl *b* (benywaidd)
un **alumno** *m*	disgybl *g* (gwrywaidd)
alunizar	glanio ar y lleuad
alzar *v*[AI]	codi
un **ama** *f* **de casa**	gwraig *b* tŷ
amable *adj*	caredig; hoffus
la **amabilidad** *f*	caredigrwydd *g*; hyfrydwch *g*
un/una **amante** *m / f*	cariad *g/b*
una **amapola** *f*	pabi *g*
amar *v*[AI]	caru
amargo	chwerw; sur
amarillo *adj*	melyn
el (Río) **Amazonas** *m*	(afon) Amazon
ambas	y ddau; y ddwy
un **ambiente** *m*	awyrgylch *g*
ambos	y ddau; y ddwy
una **ambulancia** *f*	ambiwlans *b*
amenazar *v*[AI]	bygwth
la **amenidad** *f*	hyfrydwch *g*
América *f*	America *b*
América del Norte	Gogledd America
América del Sur	De America
americano *adj*	Americanaidd; o America
una **amiga** *f*	ffrind *g*; cyfeilles *b*
una amiga por correspondencia	ffrind llythyru
un **amigo** *m*	ffrind *g*; cyfaill *g*
un amigo por correspondencia	ffrind llythyru
una **amistad** *f*	cyfeillgarwch *g*
amistoso *adj*	cyfeillgar; hawddgar
el **amor** *m*	cariad *g*; serch *g*

una película f *de amor*	ffilm *b* serch
amoroso *adj*	cariadus; hoffus
amplio *adj*	helaeth; llydan; eang; llac
una **ampolla** *f*	swigen *b*
amueblado *adj*	wedi ei (d)dodrefnu
un **ananás** *m*	afal *g* pîn
ancho *adj*	llydan; eang
una **anchoa** *f*	ansiofi *g*; brwyniad *g*; môr frwyniad *g*
anciano *adj*	hen
andar v^{A1}	cerdded
andar bien	mynd yn dda
andar mal	mynd yn wael
algo anda mal	mae rhywbeth o'i le
un **andén** *m*	platfform *g*
los **Andes** *m pl*	mynyddoedd *ll* yr Andes
el **andinismo** *m* [AmL]	dringo *g*; mynydda *g*
andino *adj*	o'r Andes
anduve (o **andar** v^{A1})	cerddais
una **angustia** *f*	trallod *g*; pryder *g*; gofid *g*
un **anillo** *m*	modrwy *b*
animado *adj*	bywiog
un **animal** *m*	anifail *g*
un animal doméstico	anifail anwes
animar v^{A1}	annog; calonogi
¡ánimo!	pob lwc!; cwyd dy galon!
anoche	neithiwr
anochecer v^{C5}	nosi
el anochecer m	min *g* nos
al anochecer	fin nos; gyda'r nos
un **anorak** *m*	anorac *g*
anotar v^{A1}	nodi
una **ansiedad** *f*	pryder *g*; gofid *g*
ansioso *adj*	pryderus; gofidus
antaño	ers talwm
ante	o flaen; yn wyneb
ante todo	yn arbennig; yn enwedig; yn anad dim; yn y lle cyntaf
anteanoche	echnos
anteayer	echdoe
con **antelación**	ymlaen llaw; o flaen llaw
de **antemano**	ymlaen llaw; o flaen llaw
una **antepasada** *f*	hynafiad *g* [benywaidd]
un **antepasado** *m*	cyndad *g*; hynafiad *g* [gwrywaidd]

antes (de)	cyn; o'r blaen
anticuado *adj*	hen ffasiwn
antiguamente	ers talwm; gynt
antiguo *adj*	hen
antipático *adj*	cas
antiséptico *adj*	antiseptig; gwrth-heintiol
anular v^{A1}	canslo
anunciar v^{A1}	cyhoeddi; hysbysebu
un **anuncio** *m*	cyhoeddiad *g*; hysbyseb *b*
añadir v^{A3}	ychwanegu; adio
un **año** *m*	blwyddyn *b*
un año escolar	blwyddyn ysgol
el año nuevo	y flwyddyn newydd
¡Feliz año nuevo!	Blwyddyn Newydd Dda!
¡Feliz año!	Blwyddyn Newydd Dda!
tener v^{C24} *… años*	bod yn .... oed
tengo doce años	rydw i'n ddeuddeg oed
¿Cuántos años tienes?	beth / faint yw / ydy dy oed di?
apagado *adj*	wedi diffodd; dwl
apagar v^{A1}	diffodd; troi i ffwrdd
un **apagón** *m*	toriad *g* yn y cyflenwad trydan
un **aparato** *m*	cyfarpar *g*; peiriant *g*
un **aparcamiento** *m*	maes *g* parcio
aparcar v^{A1}	parcio
aparecer v^{C5}	ymddangos
aparentar v^{A1}	edrych yn; ymddangos
una **aparición** *f*	ymddangosiad *g*
un **apartamento** *m*	fflat *b*
apartar v^{A1}	mynd â ... i ffwrdd
aparte de	ar wahân i; heblaw am; ac eithrio
apasionadamente	yn angerddol; yn nwydus
apasionado *adj*	angerddol; nwydus; brwd(frydig); cynhyrfus
apasionante *adj*	cyffrous; cynhyrfus; gwefreiddiol; gafaelgar
un **apellido** *m*	cyfenw *g*
apenas	prin; go brin; braidd
un **aperitivo** *m*	aperitif *g*; byrbryd *g*
apestar v^{A1}	drewi
apetecer v^{C5}	cael awydd
¿te apetece…?	oes arnat ti awydd…?; wyt ti'n ffansïo…?
un **apetito** *m*	archwaeth *g*; chwant *g*; chwant *g* bwyd

un **aplazamiento** *m*	gohiriad *g*
aplazar v^{A1}	gohirio
aplicado *adj*	diwyd; gweithgar
una **apoplejía** *f*	strôc *b*
aposta	o bwrpas; yn bwrpasol; yn fwriadol
apoyar v^{A1}	cefnogi
apoyarse v^{D}	pwyso [rhoi pwysau ar]
apreciar v^{A1}	gwerthfawrogi
el **aprecio** *m*	gwerthfawrogiad *g*
aprender v^{A2}	dysgu
aprender de memoria	dysgu ar y cof
apresurado *adj*	ar frys; ar hast
apresurarse v^{D}	brysio; hastu; rhuthro
apretado *adj*	tynn
apretar v^{B2}	cydio /gafael (yn dynn) yn; gwasgu; tynhau
aprobar v^{B1}	pasio; cymeradwyo
aprobar un éxamen	pasio arholiad
apropiado *adj*	addas
aprovechar v^{A1}	manteisio ar; gwneud lles i
¡Que aproveche!	mwynha dy fwyd; mwynhewch eich bwyd
aprovecharse v^{D} *de*	manteisio ar; cymryd mantais o
aproximadamente	tua; oddeutu
aproximado *adj*	bras
una **aptitud** *f*	gallu *g*
apuntar v^{A1}	nodi; anelu at; pwyntio at
los **apuros** *m pl*	trybini *g*; trafferthion *ll*
aquel *adj m*	yr... hwnnw
aquella adj f	yr... honno
aquellas	y rheini; y rheina; y rhai acw
aquéllas	y rheini; y rheina; y rhai acw
aquello	hynny; hynna; hwnna
aquellos	y rheiny; y rheina; y rhai acw
aquéllos	y rheiny; y rheina; y rhai acw
aquí	yma
por aquí	y ffordd yma / hyn / hon; yn y cyffiniau
aquí está	dyma
una **árabe** *m / f*	Arab [person]
el árabe m	Arabeg [iaith]
árabe adj	Arabaidd
una **araña** *f*	pry' copyn *g*; corryn *g*

arañar *v*[A1]	crafu; cripio; ysgraffinio
un **árbol** *m*	coeden *b*
un árbol de Navidad	coeden Nadolig
un **archivo** *m*	ffeil *b*
un **arco** *m*	bwa *g*; arch *g*; [AmL] gôl *b* [pêl-droed]
un arco iris	enfys *b*; bwa'r arch
la **arena** *f*	tywod *g*
un **arete** *m*	clustdlws *g*
Argentina *f*	yr Ariannin *b*
argentino *adj*	o'r Ariannin; Archentaidd
árido *adj*	sych; diffrwyth
Aries	Aries; (cytser *g*) yr Hwrdd
la **aritmética** *f*	rhifyddeg *b*
un **armario** *m*	cwpwrdd *g*
un **aroma** *m*	arogl *g*
un **arpa** *f*	telyn *b*
la **arqueología** *f*	archaeoleg *b*
arrancar *v*[A1]	tynnu; tynnu allan; tynnu i ffwrdd; cychwyn
arrancar bien	cychwyn yn dda
arrastrar *v*[A1]	llusgo; tynnu
arrastrarse v[D]	cripio; ymlusgo
arreglado *adj*	taclus; trefnus; cymen
arreglar *v*[A1]	trefnu; setlo; tacluso; cael trefn ar; trwsio
arreglárse v[D]	ymdopi
una **arrendataria** *f*	deiliad *g* [benywaidd]
un **arrendatario** *m*	deiliad *g* [gwrywaidd]
arrepentirse *v*[B7D]	edifarhau
arrestar *v*[A1]	arestio
arriba	i fyny; i fyny'r grisiau; lan; lan sta(e)r / lan (l)loft; uchod; uwchben; uwchlaw
arriba del todo	ar y brig
hacia arriba	i fyny; lan
más arriba	uwch; uchod; uwch i fyny
para arriba	i fyny; lan
arribar *v*[A1] [AmL]	cyrraedd
arriesgado	mentrus
arrogante	ffroenuchel
arrojar *v*[A1]	taflu; lluchio; bwrw; hyrddio
el **arroz** *m*	reis *g*
un **arte** *m*	celf *b*; celdyddyd *b*

las Bellas Artes f pl	y celfyddydau *ll* cain
la **artesanía** *f*	(gwaith) crefft *b*
un **artículo** *m*	erthygl *g*; eitem *b*
un / una **artista** *m / f*	arluniwr *g*; arlunwraig *b*; artist *g*; perfformiwr *g*; perfformwraig *b*
una **arveja** *f* [AmL]	pysen *b*
artístico *adj*	artistig
un **asa** *f*	dolen *b*
asado *adj*	wedi rhostio; rhost
un asado m	rhost *g*; barbeciw *g*
una **ascensión** *f*	esgyniad *g*
un **ascensor** *m*	lifft *g*
¡Qué **asco**!	ych-a-fi!
asegurar v^{A1}	sicrhau
los **aseos** *m pl*	toiledau
asequible *adj*	o fewn cyrraedd
un **asesinato** *m*	llofruddiaeth *b*
así	felly
así así	yn weddol
así no está bien	wnaiff hynny mo'r tro
así que	felly
Asia *f*	Asia *b*
asiático *adj*	Asiaidd
un **asiento** *m*	sedd *b*
una **asignatura** *f*	pwnc *g*
un **asilo** *m*	cartref *g*; lloches *b*
asir v^{A3}	cydio yn; gafael yn
una **asistenta** *f*	morwyn *b*; glanheuwraig *b*
asistir v^{A3} **a**	bod yn bresennol yn; mynd i; mynychu
asociar v^{A1}	cysylltu
asombrado *adj*	yn syn; wedi synnu; wedi rhyfeddu
asombrar v^{A1}	synnu; syfrdanu
asombrarse v^{D}	synnu; rhyfeddu
el **asombro** *m*	syndod *g*
un **aspecto** *m*	agwedd *b*; golwg *g/b*; ymddangosiad *g*
tener v^{C24} *aspecto*	ymddangos; edrych
áspero *adj*	garw
un **aspirador** *m*	sugnydd *g* llwch; hwfer *g*
una **aspiradora** *f*	sugnydd *g* llwch; hwfer *g*
pasar v^{A1} *el aspirador / la aspiradora*	hwfro; glanhau â hwfer
un / una **aspirante** *m / f*	ymgeisydd *g*
una **aspirina** *f*	asbirin *b*

asqueroso *adj*	ffiaidd; gwrthun
un **asta** *f*	polyn *g*
una **astróloga** *f*	astrolegydd *g* [benywaidd]
astrológico *adj*	astrolegol
un **astrólogo** *m*	astrolegydd *g* [gwrywaidd]
un / una **astronauta** *m / f*	gofodwr *g*; gofodwraig *b*
una **astronave** *f*	llong *b* ofod
la **astucia** *f*	craffter *g*; cyfrwystra *g*
astuto *adj*	craff; cyfrwys
un día de **asueto** *m*	diwrnod *g* o wyliau; diwrnod *g* i ffwrdd
atacar *v*[A1]	ymosod ar
atar *v*[A1]	clymu; rhwymo
el **atardecer** *m*	min *g* nos
al atardecer	fin nos; gyda'r nos
un **atasco** *m*	tagfa *b* draffig
la **atención** *f*	sylw *g*; gofal *g*
prestar v[A1] *atención*	talu sylw
un **atentado** *m*	ymosodiad *g*
atentamente	yn astud; [ar ddiwedd llythyr] yn gywir; yr eiddoch yn gywir
(le saluda) atentamente	[ar ddiwedd llythyr] yn gywir; yr eiddoch yn gywir
atento *adj*	astud
aterrador *adj*	brawychus; dychrynllyd; erchyll
aterrizar *v*[A1]	glanio [awyren]
el **Atlántico** *m*	Môr *g* Iwerydd
un **atlas** *m*	atlas *g*
un / una **atleta** *m / f*	athletwr *g*; athletwraig *b*
el **atletismo** *m*	athletau *ll*
una **atmósfera** *f*	atmosffer *g*; awyrgylch *g/b*
un **atorón** *m* [AmL]	tagfa *b* draffig
atornillar *v*[A1]	sgriwio
una **atracción** *f*	atyniad *g*; reid(en) *b*
atracar *v*[A1]	dwyn; lladrata; mygio
un **atraco** *m*	lladrad *g*
atractivo *adj*	deniadol; atyniadol
atraer *v*[C26]	denu
atrás	tu ôl
hacia atrás	wysg y cefn; tuag yn ôl
la parte de atrás	cefn *g*
atrasado *adj*	ar ôl; araf
estar atrasado	bod ar ôl

	Español	Cymraeg
	atravesar v^{A1}	croesi
	atrevido *adj*	beiddgar; mentrus; hy
el	**atrevimiento** *m*	beiddgarwch *g*; hyfdra *g*
la	**audacia** *f*	beiddgarwch *g*
	audaz *adj*	beiddgar; mentrus
un	**aula** *f*	ystafell *b* ddosbarth
	aumentar v^{A1}	cynyddu; tyfu
un	**aumento** *m*	cynnydd *g*; twf *g*; tyfiant *g*
	aun	hyd yn oed
	aún	eto; o hyd
	aún no	ddim eto
	aunque	er
los	**auriculares** *m pl*	clustffonau *ll*
	ausente *adj*	absennol
	Australia *f*	Awstralia *b*
	australiano *adj*	Awstralaidd; o Awstralia
	Austria *f*	Awstria *b*
	austriaco *adj*	Awstriaidd; o Awstria
	auténtico *adj*	gwir; dilys
un	**auto** *m*	car *g*
un	**autobús** *m*	bws *g*
en	*autobús*	ar y / mewn bws
un	**autocar** *m*	bws *g*; coets *b*
en	*autocar*	ar y / mewn bws / coets
un	**autógrafo** *m*	llofnod *g*
una	**autonomía** *f*	datganoli *g*; talaith yn Sbaen sydd â senedd ranbarthol
una	**autopista** *f*	traffordd *b*
un	**autor** *m*	awdur *g*
una	**autora** *f*	awdures *b*
de gran	**autoridad**	awdurdodol
	autoritario *adj*	awdurdodol
un	**autorretrato** *m*	hunanbortread *g*
el	**autoservicio** *g*	hunanwasanaeth *g*
el	**autostop** *m*	bodio *g*
una	**autovía** *f*	priffordd *b*
	avanzar v^{A1}	symud ymlaen; mynd ymlaen; rhoi ymlaen
un	**ave** *f*	aderyn *g*
el	**AVE** *m* (Alta Velocidad Española)	trên *g* cyflym
una	**avellana** *f*	cneuen *b* gyll
una	**avenida** *f*	rhodfa *b*; stryd *b* lydan

una **aventura** *f*	antur *g/b*
una película f *de aventuras*	ffilm *b* antur
una **aventurera** *f*	person *g* mentrus [benywaidd]
un **aventurero** *m*	person *g* mentrus [gwrywaidd]
avergonzarse *v*[BID]	cywilyddio; bod â chywilydd; teimlo embaras
una **avería** *f*	toriad *g* [car]
averiado *adj*	wedi torri [ddim yn gweithio]
averiarse *v*[CIID]	torri [ddim yn gweithio]
un **avestruz** *m*	estrys *g/b*
un **avión** *m*	awyren *b*
en avión	mewn awyren
avisar *v*[AI]	hysbysu; rhybuddio; rhoi gwybod
un **aviso** *m*	hysbysiad *g*; rhybudd *g*
una **avispa** *f*	cacynen *b*; gwenynen *b* feirch
¡Ay!	Aw!
ayer	ddoe
la **ayuda** *f*	cymorth *g*; help *g*
ayudar *v*[AI]	helpu; cynorthwyo
un **ayuntamiento** *m*	neuadd *b* y dref
una **azafata** *f*	stiwardes *b* [awyren]
azteca *adj*	astec
el **azar** *m*	siawns *b*; hap *b*
el **azúcar** *g*	siwgr *g*
azucarado *adj*	gyda / efo / â siwgr; melys
azul *adj*	glas
azul marino	glas tywyll

una **babosa** *f*	malwoden *b*; gwlithen *b*
el **bacalao** *g*	penfras *g*
el **bachillerato** *m*	arholiad ar ddiwedd yr ysgol uwchradd
el **bádminton** *m*	badminton *g*
una **bahía** *f*	bae *g*
bailar v^{AI}	dawnsio
bailar claqué	dawnsio tap
un **bailarín** *m*	dawnsiwr *g*
un bailarín de ballet	dawnsiwr ballet
una **bailarina** *f*	dawnswraig *b*
una bailarina de ballet	dawnswraig bale
un **baile** *m*	dawns *b*
una **bajada** *f*	ffordd *b* i lawr; disgyniad *g*; cwymp *b*; lleihâd *g*; gostyngiad *g*
bajar v^{AI}	mynd i lawr; disgyn; lleihau; gostwng
bajo *adj*	isel; byr
bajo	dan; o dan; yn isel
en voz baja	mewn llais tawel
bajo cero	dan y rhewbwynt
balancear v^{AI}	siglo; cydbwyso
una **balanza** *f*	clorian *g/b*
la **balboa** *f* [AmL]	arian Panama
un **balcón** *m*	balconi *g*
una **balda** *f*	silff *b*
un **balde** *m* [AmL]	bwced *g*
una **ballena** *f*	morfil *g*
un **balón** *m*	pêl *b*
un balón de fútbol	pêl-droed *b*
el **baloncesto** *m*	pêl-fasged *b*
una **banana** *f*	banana *g*
un **bananal** *m* [AmL]	planhigfa *b* fananas
un **banano** *m* [AmL]	coeden *b* fanana
un **banco** *m*	banc *g*; mainc *b*
una **banda** *f*	band *g*
una **bandeja** *f*	hambwrdd *g*
una **bandera** *f*	baner *b*; fflag *b*
un **banquero** *m*	banciwr *g*
un **bañador** *m*	tryncs *ll*; siwt *b* nofio
bañarse v^{D}	nofio; ymdrochi
una **bañera** *f*	bath *g*
un **baño** *m*	bath
un baño de espuma	ewyn *g* ymolchi
los baños de sol	torheulo *g*

un **bar** *m*	bar *g*; tafarn *g/b*
barajar *v*^{A1} las cartas	cymysgu cardiau
barato *adj*	rhad
una **barba** *f*	barf *b*
una **barbacoa** *f*	barbeciw *g*
bárbaro *adj*	barbaraidd
una **barbilla** *f*	gên *b*
una **barca** *f*	cwch *g*; bad *g* [bach]
un **barco** *m*	cwch *g*; bad *g*; llong *b*
un **barman** *m*	dyn *g* y tu ôl i'r bar
una **barra** *f*	bar *g*
una barra de labios	lipstic *g*; minlliw *g*
una barra de pan	torth Ffrengig
una **barraca** *f*	cwt *g*; bwthyn *g*; sied *g*
un **barranco** *m*	ceunant *g*
barrer *v*^{A2}	ysgubo; brwsio
una **barrera** *f*	clwyd *b*; gât *b*; giât *b*; iet *b*; rhwystr *b*
una **barriga** *f*	bol *g*; bola *g*; stumog *b*
un **barril** *m*	casgen *b*
un **barrio** *m*	ardal *b*
el **básket** *m*	pêl-fasged *b*
basta	dyna ddigon
eso basta	dyna ddigon; mae hynny'n ddigon
bastante	digon; braidd; eitha; go; tipyn go lew o; reit
bastante bien	yn weddol; go lew; eitha da; lled dda
bastantes	digon o; nifer go lew o
bastar *v*^{A1}	bod yn ddigon
en **bastardilla**	mewn italig
un **bastón** *m*	ffon *b*; gwialen *b*
la **basura** *f*	sbwriel *g*
un **basurero** *m*	dyn *g* sbwriel / lludw
una **bata** *f*	gŵn *g* llofft / tŷ; oferôl *g/b*; troswisg *b*
una **batalla** *f*	brwydr *b*
un **bate** *m*	bat *g*
una **batería** *f*	batri *g*; drwm *g*; drymiau *ll*; drymiwr *g*; drymwraig *b*; offerynnau *ll* taro
un **baúl** *m* [AmL]	cist *b* car
un **bebé** *m*	baban *g*; babi *g*
beber *v*^{A2}	yfed
una **bebida** *f*	diod *b*

una **becerra** *f*	llo *g* [benywaidd]
un **becerro** *m*	llo *g* [gwrywaidd]
el **beicon** *m*	cig *g* moch
belga *adj*	Belgaidd; o Wlad Belg
Bélgica *f*	Gwlad Belg *b*
bélgico *adj*	Belgaidd; o Wlad Belg
bello *adj*	prydferth; braf; cain
Bellas Artes f pl	y celfyddydau *ll* cain
la **bencina** *f* [AmL]	petrol *g*
una **berenjena** *f*	planhigyn *g* ŵy
las **bermudas** *f pl*	siorts *ll* Bermiwda
una **berza** *f*	bresychen *b*; cabets(i)en *b*
besar *v^{A1}*	cusanu
un **beso** *m*	cusan *g*; sws; cofion cu / annwyl
un beso muy fuerte	cofion cu / annwyl; cusanau *ll* mawr
un beso muy grande	cofion cu / annwyl; cusanau *ll* mawr
besos m pl	cofion cu / annwyl; cusanau *ll* mawr
una **bestia** *f*	bwystfil *g*
una **biblia** *f*	Beibl *g*
una **biblioteca** *f*	llyfrgell *b*
un **bicho** *m*	pryf *g*; trychfil *g*
una **bici** *f*	beic *g*
en bici	ar gefn beic
una **bicicleta** *f*	beic *g*
en bicicleta	ar gefn beic
ir v^{C16} *en bicicleta*	mynd ar gefn beic
montar v^{A1} *en bicicleta*	mynd ar gefn beic
un **bidón** *m*	can *g* olew/dŵr
bien	iawn; yn dda; dim yn ddrwg
(estoy) bien	rydw i'n iawn
está bien	mae'n iawn; fe wnaiff y tro
así no está bien	wnaiff hynny mo'r tro
está todo bien	mae popeth yn iawn
hay algo que no está bien	mae rhywbeth yn bod
muy bien	da iawn
los bienes m pl	nwyddau *ll*
dar la **bienvenida**	croesawu
¡**bienvenido**!	croeso!
un **bife** *m* [AmL]	stecen *b*
los **bigotes** *m pl*	mwstas(h) *g*
bilingüe *adj*	dwyieithog
el **billar** *m*	biliards *ll*
el billar americano	pŵl *g* [gêm]

el billar inglés	snwcer *g*
un **billete** *m*	tocyn *g*; ticed *g*; arian *g* papur
un billete de banco	arian papur
un billete de ida	tocyn unffordd
un billete de ida y vuelta	tocyn dwyffordd
un billete sencillo	tocyn unffordd
el **bingo** *m*	bingo *g*
la **biología** *f*	bioleg *b*
una **bisabuela** *f*	hen nain *b*; hen fam-gu *b*
un **bisabuelo** *m*	hen daid *g*; hen dad-cu *g*
un **bistec** *m*	stecen *b*
un **bizcocho** *m*	cacen *b*
blanco *adj*	gwyn *g*; gwen *b*
un blanco m	bwlch *g*
un **bloc** *m*	llyfr *g* nodiadau; nodiadur *g*
un **bloque** de pisos *m*	bloc *g* o fflatiau
una **blusa** *f*	blows *g/b*
bobo *adj*	twp; hurt
una **boca** *f*	ceg *b*
una **bocacalle** *f*	heol *b*; stryd *b*
un **bocadillo** *m*	brechdan *b*
un **bocata** *m*	brechdan *b*
las **bochas** *f pl*	bowls *ll*
jugar v[B1] *a las bochas*	chwarae bowls
bochornoso *adj*	clòs [tywydd]; yn achosi embaras
una **bocina** *f*	corn *g* [car ayyb]
una **boda** *f*	priodas *b*
una **bodega** *f*	seler *b* (gwin); stordy *g*; storfa *b*
un **bol** *m*	bowlen *b*
una **bola** *f*	pêl *b*
un **boletín** *m*	adroddiad *g*
un boletín de notas	adroddiad ysgol
un boletín trimestral	adroddiad diwedd tymor
un **boleto** *m*	tocyn *g*; ticed *g*
un **boli** *m*	beiro *g*; pen *g* [ysgrifennu]
el **boliche** *m*	bowls *ll*
un **boliche** *m* [AmL]	siop *b* groser
jugar v[B1] *al boliche*	bowlio
un **bolígrafo** *m*	beiro *g*; pen *g* [ysgrifennu]
el **bolívar** *m* [AmL]	arian Venezuela
Bolivia *f*	Bolifia *b*
boliviano *adj*	o Bolifia
una **bolsa** *f*	bag *g*; cwdyn *g*

Español	Cymraeg
una bolsa de agua caliente	potel *b* ddŵr poeth
un **bolsillo** *m*	poced *g*
una **bolsita** *f*	bag *g* bach
un **bolso** *m*	bag *g*; bag llaw
una **bomba** *f*	bom *g*; pwmp *g*
un **bombero** *m*	diffoddwr *g* tân; dyn *g* tân
una **bombilla** *f*	bwlb *b* [golau]
la **bondad** *f*	caredigrwydd *g*
bonaerense *adj*	o Buenos Aires
bonísimo *adj*	blasus; gwych
bonito *adj*	pert; del; teg; tlws
un **boquerón** *m*	ansiofi *g* ffres; brwyniad *g* ffres; môr frwyniad *g* ffres
borde *adj*	cas; anghwrtais; digywilydd
un **borde** *m*	min *g*; ymyl *g*
a **bordo** (de)	ar y llong; ar fwrdd
un **borrador** *m*	braslun *g*
borrar v^{AI}	dileu; cael gwared
un **bosque** *m*	coedwig *b*
un **bosquejo** *m*	braslun *g*
bostezar v^{AI}	agor eich ceg; dylyfu gên
botar v^{AI}	la(w)nsio
las **botas** *f pl*	esgidiau *ll* uchel
un **bote** *m*	can *g*; jar *g*; tun *g*; dingi *g*
una **botella** *f*	potel *b*
un **botiquín** *m* de urgencia	pecyn *g* cymorth cyntaf
un **botón** *m*	botwm *g*
el **box** *m* [AmL]	bocsio *g*; paffio *g*
boxear v^{AI}	bocsio
el **boxeo** *m*	bocsio *g*
las **bragas** *f pl*	nicer *g*
un **brazo** *m*	braich *b*
breve *adj*	byr
el **bricolaje** *m*	crefftau'r cartref
brillante *adj*	disglair
brillar v^{AI}	disgleirio; tywynnu
británico *adj*	Prydeinig
un **broche** *m*	broets *g*
una **broma** *f*	jôc *b*
bromear v^{AI}	cellwair; jocan; jocio
bronceado *adj*	â lliw haul
el bronceado m	lliw *g* haul
un **bronceador** *m*	eli *g* lliw haul

broncearse *v*[D]	torheulo; bolaheulo
una **bruja** *f*	gwrach *b*; dewines *b*
un **brujo** *m*	dewin *g*
una **brújula** *f*	cwmpawd *g*
brusco *adj*	garw
Bruselas	Brwsel
bucear *v*[A1]	plymio
el **buceo** *m*	plymio *g* tanfor / tanddwr
¡buen día! [AmL]	dydd da; bore da; helo
bueno *adj*	da; braf; iawn; blasus; teg; wel
hace buen tiempo	mae'r tywydd yn braf; mae'n braf
¡buen viaje!	Taith dda!
buena gente	pobl *b* garedig, glên
¡buenas noches!	Nos da!
¡buenas tardes!	Prynhawn da!; Noswaith dda!
buenísimo	blasus; gwych
hace bueno	mae'n braf
es bueno en matemáticas	mae e'n dda mewn mathemateg
¡Bueno!	Wel!
bueno, pues…	wel ....
¡Buenos días!	Helo! Dydd da!
un **buey** *m*	bustach *g*; ŷch *g*
una **bufanda** *f*	sgarff *g*
un **buho** *m*	tylluan *b*; gwdihŵ *g*
un **bulbo** *m*	bwlb *g* [planhigyn]
bullir *v*[A3]	berwi
un **bulto** *m*	bwndel *g*
un **buque** *m*	llong *b*
un buque de vapor	stemar *b*
una **burbuja** *f*	swigen *b*
sin burbujas	fflat [diod]
un **burro** *m*	asyn *g*
burro adj	gwirion; hurt
buscar *v*[A1]	chwilio am
la **búsqueda** *f*	helfa *b*; chwiliad *g*
una **butaca** *f*	cadair *b* freichiau
un **buzón** *m*	blwch *g* post

una **caballa** *f* — macrell *g*

un **caballero** *m* — gŵr *g* bonheddig; dyn *g*; marchog *g*

un **caballo** *m* — ceffyl *g*

montar v^{A1} *a caballo* — marchogaeth

una **cabaña** *f* — cwt *g*

los **cabellos** *m pl* — gwallt *g*

una **cabeza** *f* — pen *g*; tu blaen

a la cabeza de — ar ben; ar flaen

cabezota *adj* — ystyfnig; penstiff

cabezudo *adj* — ystyfnig; penstiff

una **cabina** *f* — caban *g*; bwth *g*

una cabina telefónica — ciosg *g* ffôn; caban ffôn

un **cable** *m* — gwifren *b*

echar v^{A1} *un cable a* — rhoi help *g* llaw i

al **cabo** de — ar ddiwedd

llevar v^{A1} *a cabo* — cyflawni

una **cabra** *f* — gafr *b*

los **cacahuetes** *m pl* — cnau *ll* mwnci

el **cacao** *m* — coco *g*

la **cacería** *f* — helfa *b*

una **cacerola** *f* — sosban *b*

cachear *v*^{A1} — chwilio

un **cachondeo** *m* — hwyl *b*

un **cachorro** *m* — ci *g* bach

cada — pob

cada uno / una — pob un

¿Cada cuánto tiempo? — Pa mor aml?

x euros cada uno — x euro yr un

cada vez (que) — bob tro

cada x horas — bob x awr

una **cadena** *f* — cadwyn *b*; sianel *b*

caer(se) *v*$^{C1(D)}$ — cwympo

dejar *v*^{A1} **caer** — gadael i gwympo; gollwng

un **café** *m* — coffi *g*

un café con leche — coffi â llaeth

un café solo — coffi heb laeth

una **cafetera** *f* — pot *g* coffi

una **cafetería** *f* — caffi *g*

una **caída** *f* — cwymp *g*; codwm *g*

una **caja** *f* — bocs *g*; blwch *g*; cist *b*; man *g* talu; til *g*

una caja de ahorros — banc *g* cynilo

una caja de costura — bocs *g* gwnïo

una caja de pastel	tun *g* cacen
una **cajera** *f*	ariannwraig *b*
un **cajero** *m*	ariannwr *g*
un cajero automático	peiriant *g* arian; twll yn y wal
un / una **cajista** *m / f*	cysodydd *g*
un **cajón** *m*	drôr *g*
eso es de cajón	mae hynny'n gwbl amlwg
calado *adj*	gwlyb [diferol]
un **calamar** *m*	sgwid *g*
una **calavera** *f*	penglog *b*
calcar *v*[A1]	amlinellu
hacer *v*[C14] **calceta**	gwau; gweu
un **calcetín** *m*	hosan *b*
una **calculadora** *f*	cyfrifiannell *b*
calcular *v*[A1]	cyfrif; gwneud cyfrif
un **caldo** *m*	cawl *g*; potes *g*
la **calefacción** *f* central	gwres *g* canolog
un **calendario** *m*	calendr *g*
calentar(se) *v*[B2(D)]	gwresogi; cynhesu; twymo
la **calentura** *f*	gwres *g*
tener v[C24] *calentura*	bod â gwres
calenturiento *adj*	â gwres arno / arni
la **calidad** *f*	ansawdd *g*; safon *b*
cálido *adj*	twym; poeth; cynnes; gwresog
caliente *adj*	twym; poeth; cynnes; gwresog
callado *adj*	tawel; distaw; tawedog
callarse *v*[D]	tewi; distewi
¡cállate!	cau / caea dy geg, ben!
una **calle** *f*	heol *b*; stryd *b*; ffordd *b*; lôn *b*
una calle de dirección única	stryd unffordd
una calle mayor	stryd fawr
una calle principal	stryd fawr
un **callejón** *m*	lôn *b* gul
una **callejuela** *f*	lôn *b* gul
los **callos** *m pl*	treip *g*
la **calma** *f*	llonyddwch; heddwch *g*; tawelwch *g*
¡calmáos!	peidiwch â chynhyrfu!
calmar *v*[A1]	tawelu; setlo
calmarse v[D]	setlo; ymdawelu
¡cálmate!	paid â chynhyrfu!
calmo *adj*	llonydd; tawel
el **calor** *m*	gwres *g*
hace calor	mae'n dwym; mae'n boeth

tener v[C24] *calor*	bod yn dwym; bod yn boeth
tengo calor	rydw i'n dwym; rydw i'n boeth
caluroso *adj*	twym; poeth; cynnes; gwresog
calvo *adj*	moel
los **calzados** *m pl*	esgidiau *ll*
calzar *v*[A1]	gwisgo [esgidiau]
¿qué número calza?	pa faint (esgidiau) ydych chi'n eu gwisgo?
un **calzón** *m*	clos *g* pen-glin
los **calzoncillos** *m pl*	trôns *ll*
una **cama** *f*	gwely *g*
ir v[C16] *a la cama*	mynd i'r gwely
una cama de campaña	gwely *g* cynfas / plygu
una cama plegable	gwely *g* cynfas / plygu
una **cámara** *f*	camera *g*
un **cámara** *m*	dyn *g* camera
una **camarera** *f*	gweinyddes *b*
un **camarero** *m*	gweinydd *g*
los **camarones** *m pl*	corgimychiaid *ll*
cambiar *v*[A1]	newid
cambiar v[A1] *de sitio*	symud
un **cambio** *m*	newid *g*
un **camello** *m*	camel *g*
caminar *v*[A1]	cerdded
una **caminata** *f*	tro *g*; crwydr *g*; taith *b* gerdded
un **camino** *m*	ffordd *b*; llwybr *g*; lôn *b*; trac *g*
en camino	ar y ffordd
ponerse en camino v[C18D]	cychwyn
un **camión** *m*	lori *b*
una **camioneta** *f*	fan *b*
una **camisa** *f*	crys *g*
una camisa de dormir	crys nos
una **camiseta** *f*	crys T
un **campamento** *m*	gwersyll *g*
una **campana** *f*	cloch *b*
un **campeón** *m*	pencampwr *g*
una **campeona** *f*	pencampwraig *b*
un **campeonato** *m*	pencampwriaeth *b*
una **campesina** *f*	gweithwraig *b* fferm; ffermwraig *b*; gwraig *b* o'r wlad
un **campesino** *m*	gwas *g* fferm; gweithiwr *g* fferm; ffermwr *g*; gwladwr *g*
el **camping** *m*	gwersyll *g*; gwersylla *g*

hacer v[C14] *camping*	gwersylla
ir v[C16] *de camping*	gwersylla
un camping para caravanas	gwersyll *g* carafanau; maes *g* carafannau
un **campo** *m*	cae *g*; gwlad *b*; cefn *g* gwlad; maes *g*
en el campo	yng nghefn gwlad / yn y wlad
un campo deportivo	maes chwaraeon
un **camposanto** *m*	mynwent *b*
Canadá *m*	Canada *b*
canadiense *adj*	Canadaidd; o Ganada
un **canal** *m*	camlas *g*; sianel *b*
el Canal de la Mancha	y Sianel *b*; Môr *g* Udd
una **canasta** *f*	basged *b*
una **cancela** *f*	clwyd *b*; gât *b*; iet *b*
cancelar *v*[A1]	canslo
Cáncer *m*	Canser *g*; cytser *g* y Cranc *g*
una **cancha** *f*	cwrt *g* (tennis); cae (pêl-droed); cwrs (golff)
una cancha de tenis	cwrt tennis
una **canción** *f*	cân *b*
una **candidata** *f*	ymgeisydd *g* [benywaidd]
un **candidato** *m*	ymgeisydd *g* [gwrywaidd]
los **canelonis** *m pl*	cannelloni
un **cangrejo** *m*	cranc *g*
una **canica** *f*	marblen *b*
un **caniche** *m*	pŵdl *g*
canjear *v*[A1]	cyfnewid; ffeirio
una **canoa** *f*	canŵ *g*
ir v[C16] *en canoa*	canŵio
cansado *adj*	wedi blino; blinedig
el **cansancio** *m*	blinder
cansar(se) *v*[A1(D)]	blino
un / una **cantante** *m / f*	canwr *g*; cantor *g*; cantores *b*
cantar *v*[A1]	canu
el **cante jondo** *m*	canu fflamenco
una **cantidad** *f*	nifer *g/b*
cantidad de	llawer iawn o
una **cantina** *f*	ffreutur *g*; cantîn *g*; [AmL] bar *g*
un **canto** *m*	canu *g*
una **caña** *f*	gwydraid *g* bach o gwrw
una caña de pesca	gwialen *b* bysgota
una **cañería** *f*	pibell *b*
un **cañón** *m*	ceunant *g*

el **caos** *m*	anhrefn *g*
una **capa** *f*	haen(en) *b*; clogyn *g*
la capa de ozono	yr haen osôn
la **capacidad** *f*	gallu *g*
capacitado *adj*	cymwys
un **caparazón** *m*	cragen *b*
capaz *adj*	galluog; abl; cymwys
una **capital** *f*	prifddinas *b*
un **capitán** *m*	capten *g*
un **capítulo** *m*	pennod *b*
caprichoso *adj*	mympwyol; penchwiban
Capricornio *m*	Capricorn; cytser *g* yr Afr *b*
una **cara** *f*	wyneb *g*; ochr *b*; tu blaen
de cara a	yn wynebu; yn wyneb
un **caracol** *m*	malw(od)en *b*
de caracol	troellog [grisiau]
un **carácter** *m*	cymeriad *g*
de carácter ...	â natur ....
un **carámbano** *m*	cloch *b* iâ; pibonwy *g*
un **caramelo** *m*	losin *g*; fferen *b*; da-da *g*
una **caravana** *f*	carafan *b*
un **cardenal** *m*	clais *g*
una **carencia** *f*	prinder *g*; diffyg *g*
cargar *v*[A1]	llwytho
el **Caribe** *v*	Y Caribî
una **caricatura** *f*	digriflun *g*; gwawdlun *g*
un **carnaval** *m*	carnifal *g*
la **carne** *f*	cig *g*
la carne de cerdo	cig mochyn; porc *g*
la carne de cordero	cig dafad / gwedder
tener v[C24] *carne de gallina*	bod yn groen gwydd
la carne de puerco	cig mochyn; porc *g*
la carne de vaca	cig eidion
la carne picada	briwgig *g*
un **carné** *m*	cerdyn *g* [swyddogol]
un carné de identidad	prawf *g* adnabyddiaeth
el **carnero** *m*	hwrdd *g*; maharen
un **carnet** de *m* conducir	trwydded *b* yrru
un **carnet** de *m* identidad	cerdyn *g* adnabyddiaeth
una **carnicera** *f*	cigydd *g* [benywaidd]
una **carnicería** *f*	siop *b* gig
un **carnicero** *m*	cigydd *g* [gwrywaidd]
carioca *adj*	o Rio de Janeiro

caro *adj*	drud; costus
una **carpa** *f* [AmL]	pabell *b*
una **carpeta** *f*	ffeil *g*
una **carrera** *f*	ras *b*; gyrfa *b*
un **carrete** *m*	ffilm *b* [ar gyfer camera]
una **carretera** *f*	heol *b*; ffordd *b*; ffordd *b* fawr
una carretera principal	priffordd *b*
un **carril** *m*	lôn *b*
un carril de bicicleta	lôn seiclo
un **carrito** *m*	troli *g*
un **carro** *m*	cart *g*; tanc *g*; [AmL] car *g*
una **carta** *f*	llythyr *g*; cerdyn *g*; bwydlen *b*
cartearse *v*[D]	llythyru
un **cartel** *m*	poster *g*
una **cartera** *f*	waled *b*; bag *g* dogfennau; postmones *b*
un **cartero** *m*	postmon *g*
una **cartilla** *f*	llyfr *g* banc
una cartilla de notas	adroddiad *g* ysgol
una **casa** *f*	tŷ *g*
a casa	adref
a mi casa	i'm tŷ i
en casa	gartref
en mi casa	yn fy nhŷ i
en su casa	yn ei dŷ ef; yn eich tŷ chi; yn eu tŷ nhw
en tu casa	yn dy dŷ di
a casa de ...	i dŷ ....
en casa de ...	yn nhŷ ...
una casa solariega	plasty *g*
casado *adj*	priod
casar(se) *v*[AI(D)]	priodi
una **cascada** *f*	rhaeadr *b*
una **cáscara** *f*	cragen *b*; plisgyn *g*; pil *g*
un **casco** *m*	helmed *b*; carn *g* [ceffyl];
una **caseta** de perro *f*	cwt *g* ci [lle mae'n byw]
un **casete** *m*	chwaraeydd *g* casetiau; recordydd *g* tâp
una **casete** *f*	casét *g*
casi	bron
casi nunca	prin byth
una **casilla** *f*	sgwâr *g* [gwyddbwyll]
una **casita** *f*	bwthyn *g*
un **caso** *m*	achos *g*
hacer v[C14] *caso*	talu sylw

la **caspa** *f* — cen *g*
una **cassette** *f* — casét *g*
una **castaña** *f* — castan *b*
un **castaño** *m* — castanwydden *b*
castaño adj — brown
castellano *adj* — o Castilla
el castellano m — Sbaeneg; iaith Castilla
Castilla *f* — talaith yng nghanol Sbaen
un **castillo** *m* — castell *g*
un **castor** *m* — afanc *g*
una **casualidad** *f* — siawns *b*
por casualidad — trwy ddamwain; ar siawns
una **cata** *f* — blasu *g*
una cata de vinos — blasu gwin
catalán *adj* — Catalaneg; Catalanaidd; o Gatalonia
Cataluña *f* — Catalonia *b*
catar *v*[A1] — profi; blasu
una **catarata** *f* — rhaeadr *b*
un **catarro** *m* — annwyd *g*
una **catástrofe** *f* — trychineb *g/b*
catastrófico *adj* — trychinebus
una **catedral** *f* — eglwys *b* gadeiriol
una **categoría** *f* — categori *g*; dosbarth *g*
categórico *adj* — pendant
el **catequismo** *m* — holwyddoreg *b*
catorce — un deg pedwar / pedair; pedwar / pedair ar ddeg
el **caucho** *m* — rwber *g*
una **causa** *f* — achos *g*
a causa — o achos; oherwydd
por causa — o achos; oherwydd
causar *v*[A1] — achosi; peri
cauteloso *adj* — gofalus
una **cava** *f* — seler *b* win
el cava m — gwin *g* pefriol o Sbaen
una **caverna** *f* — ogof *b*
la **caza** *f* — hela *g*
una caza del tesoro — helfa *b* drysor
cazar *v*[A1] — hela
un / una **cazatalentos** *m / f* — sgowt *g*
un **cazo** *m* — sosban *b*; lletwad *b*
una **cazuela** *f* — pot *g*
un **CD** *m* — crynoddisg *b*

CD-ROM *m*	CD-ROM *g*
una **cebolla** *f*	winwnsyn *g*; nionyn *g*
las **cebolletas** *f pl*	sibwns *ll*
las **cebollinas** *f pl*	sibwns *ll*
los **cebollinos** *m pl*	sibwns *ll*
una **cebra** *f*	sebra *g*
un paso m *de cebra*	croesfan *b* sebra
ceder v^{A2}	ildio
ceder v^{A2} *el paso*	ildio ffordd
un **cederom** *m*	CD-ROM *g*
una **ceja** *f*	ael *b*
una **celebración** *f*	dathliad *g*
celebrar v^{A1}	dathlu
célebre *adj*	enwog; adnabyddus
celoso *adj*	cenfigennus; eiddigeddus; brwd
un **cementerio** *m*	mynwent *b*
una **cena** *f*	cinio *g*; swper *g*
cenar v^{A1}	cael cinio / swper; ciniawa
la **ceniza** *f*	lludw *g*; llwch *g*
un **centavo** *m*	arian a ddefnyddir mewn nifer o wledydd yn Ne America
centelleante *adj*	pefriol
centenares de	cannoedd o
la **centésima** parte *f*	canfed ran *b*
un **centésimo** *m*	canfed ran *b*
un **centímetro** *m*	centimetr *g*
un **céntimo**	arian a ddefnyddir yn Sbaen (100 céntimo = 1 ewro) ac mewn nifer o wledydd yn Ne America
un **centro** *m*	canolfan *b*
un centro comercial	canolfan siopa
en el centro de ...	yng nghanol ...
el centro de la ciudad	canol *g* y ddinas / dref
el centro del pueblo	canol *g* y dref / pentref
un centro polideportivo	canolfan chwaraeon
centroamericano *adj*	o America Ganol
cepillar v^{A1}	brwsio
un **cepillo** *m*	brws *g*
una **cerámica** *f*	crochenwaith [y grefft] *b*; darn *g* o grochenwaith
cerca (de)	yn agos (at); ar bwys; yn y cyffiniau; ger; gerllaw; wrth; yn ymyl
cercano *adj*	agos; clòs

un **cerdo** *m*	mochyn *g*
la carne f *de cerdo*	cig *g* mochyn
un **cereal** *m*	grawnfwyd *g*
un **cerebro** *m*	ymennydd *g*
una **ceremonia** *f*	seremoni *b*; defod *b*
una **cereza** *f*	ceiriosen *b*
una **cerilla** *f*	matsien *b*
un **cero** *m*	dim *g*; sero *g*
cerrado *adj*	wedi cau; ar gau
cerrado con llave	wedi cloi; ar glo; dan glo
una **cerradura** *f*	clo *g*
cerrar *v*[B2]	cau
cerrar con llave	cloi
un **cerro** *m*	bryn *g*
un **certificado** *m*	tystysgrif *b*
una **cerveza** *f*	cwrw *g*
una cerveza de barril	cwrw casgen
cesar *v*[A1]	peidio; stopio; rhoi'r gorau i
sin cesar	byth a hefyd / beunydd
un **césped** *m*	lawnt *b*
una **cesta** *f*	basged *b*
un **chacarero** *m* [AmL]	ffermwr *g*
la **chacina** *f*	cig *g* oer
una **chacinería** *f*	siop *b* gig oer
una **chacra** *f* [AmL]	fferm *b* fach
un **chaleco** *m*	gwasgod *b*
un chaleco salvavidas	siaced *b* achub bywyd
los **chalotes** *m pl*	sibwns *ll*; sialots *ll*
el **champán** *m*	siampaen *g*
un **champú** *m*	siampŵ *g*
un **chándal** *m*	tracwisg *b*
una **chapa** *f*	bathodyn *g*
una **chaqueta** *f*	siaced *b*; côt *b*
una chaqueta de punto	cardigan *b*
una **charca** *f*	pwll *g*
una **charcutería** *f*	delicatessen *g*
una **charla** *f*	sgwrs *b*; ymgom *gb*
charlar *v*[A1]	sgwrsio; ymgomio; clebran, cloncan
chasquear *v*[A1]	clecian
un **chaval** *m*	bachgen *g*; hogyn *g*
una **chavala** *f*	merch *b*; geneth *b*; hogan *b*; lodes *b*
un **cheque** *m*	siec *b*
un cheque de viajero	siec deithio

chévere *adj* [AmL]	gwych; bendigedig; ardderchog; ffantastig; grêt
una **chica** *f*	merch *b*; geneth *b*; hogan *b*; lodes *b*; morwyn *b*
un **chico** *m*	bachgen *g*; hogyn *g*; crwt *g*
la **chicha** *f* [AmL]	diod feddwol wedi ei gwneud o gorn
un **chícharo** *m* [AmL]	pysen *b*
me **chifla**....	rydwi'n dwlu ar...; rydwi'n dotio at ....
chiflado *adj*	(dim) hanner call; gwallgof
Chile *m*	Chile *b*
un chile m	chili *g* [bwyd]
chileno *adj*	o Chile
chillón *adj*	llachar; main [llais]
una **chimenea** *f*	lle *g* tân; simnai *b*
un **chimpancé** *m*	simpansî *g*
China *f*	Tseina *b*
chinchar *v*[A1]	poeni
chino *adj*	o Tseina; Tsieineaidd
un **chipirón**	sgwid *g* bach
Chipre *f*	Ynys *b* Cyprus
un **chisme** *m*	bechingalw *g* / betinglaw *g*; peth *g*; pethma *g* / pethne *g*; cleber *g*; clonc *g*
chispeante *adj*	pefriol; ffraeth
¡**Chist**!	taw!; tewch!; ust!
un **chiste** *m*	jôc *b*
chistoso *adj*	doniol; ysmala
¡**Chitón**!	taw!; tewch!; ust!
chocante *adj*	ysgytwol
el **chocolate** *m*	siocled *g*
un **chocolate** *m*	diod *b* siocled
un **chófer** *m*	gyrrwr *g*
un **chollo** *m*	bargen *b*
una **chomba** *f* [AmL]	siwmper *b*
una **chompa** *f* [AmL]	siwmper *b*
un **choque** *m*	damwain *b* [car ayyb]; sioc *g/b*; ysgytiad *g*; ysgytwad *g*
un **chorizo** *m*	selsigen *b*
una **choza** *f*	bwthyn *g*; bwth *g*
un **chubasco** *m*	cawod *g* [o law]
un **chubasquero** *f*	côt *b* law
un **chuche** *m*	losin *g*; fferen *b*; da-da *g*
una **chuchería** *f*	losin *g*; fferen *b*; da-da *g*

una **chuleta** *f*	golwyth *g*; cytled *g*
un **chupachups** *m*	lolipop *g*
chupar v^{A1}	sugno
un **churrasco** *m*	stecen *b* farbeciw
un **churro** *m*	toes wedi ei ffrio a'i orchuddio â siwgr. Bwyteir i frecwast.
un **chuzo** *m*	pig *g*; gwayffon *b*; colyn *g*
caen chuzos de punta	mae'n arllwys y glaw; mae'n pistyllu'r glaw
el **ciclismo** *m*	seiclo *g*; beicio *g*
hacer v^{C14} *ciclismo*	seiclo; mynd ar gefn beic; beicio
un / una **ciclista** *m / f*	seiclwr *g*; seiclwraig *b*; beiciwr *g*; beicwraig *b*
un **ciclomotor** *m*	moped *g*; beic modur *g*
ciego *adj*	dall
el **cielo** *m*	awyr *b*; nef(oedd) *b*; wybren *b*
cien	cant; can
la **ciencia** *f*	gwyddoniaeth *b*
una **científica** *f*	gwyddonwraig *b*
científico *adj*	gwyddonol
un **científico** *m*	gwyddonydd *g*
ciento	cant; can
cientos de m pl	cannoedd o
ciertas *f pl*	rhai
cierto *adj*	siŵr; sicr; cywir; pendant; rhyw
por cierto	yn bendant
ciertos m pl	rhai
un **ciervo** *m*	carw *g*
un **cigarrillo** *m*	sigarét *b*
un **cigarro** *m*	sigarét *b*
una **cima** *f*	brig *g*; copa *g*
en la cima de	ar ben; ar gopa
cinco	pump; pum
cincuenta	hanner cant; pum deg
un **cine** *m*	sinema *b*
hacer v^{C14} *cine*	bod yn actor / actores; gwneud ffilmiau
una **cinta** *f*	rhuban *g*; tâp *g*; casét *g*
una **cintura** *f*	gwasg *g/b* [canol y corff]
un **cinturón** *m*	gwregys *g*
un cinturón de seguridad	gwregys diogelwch
un **ciprés** *m*	cypreswydden *b*
un **circo** *m*	syrcas *b*

un **circuito** *m*	cylchdaith *b*; trac *g*
una **circulación** *f*	cylchrediad *g*; symudiad *g*; trafnidiaeth *b* [ffordd]
circular *v*[AI]	mynd; symud; cylchredeg
un **círculo** *m*	cylch *g*
una **ciruela** *f*	eirinen *b*
un **cirujano** / una **cirujana** *m* / *f*	llawfeddyg *g*
un **cisne** *m*	alarch *g*
una **cita** *f*	apwyntiad *g*; cyfarfod *g*; dyfyniad *g*
una **ciudad** *f*	dinas *b*; tref *b*
una **ciudadana** *f*	dinesydd *g* [benywaidd]
un **ciudadano** *m*	dinesydd *g* [gwrywaidd]
una **ciudadela** *f*	caer *b*
el **claqué** *m*	dawnsio *g* tap
clarear *v*[AI]	goleuo
un **clarinete** *m*	clarinet *g*
claro *adj*	clir; golau; amlwg; siŵr iawn; wrth gwrs
eso es / está **claro**	mae hynny'n amlwg
un **claro** *m*	cyfnod *g* heulog
una **clase** *f*	dosbarth *g*; gwers *b*; ystafell *b* ddosbarth; math *g*; teip *g*
en clase	yn y dosbarth; yn y wers
clásico *adj*	clasurol
una **clave** *f*	allwedd *b*
una palabra f *clave*	allweddair *g*
un **clavel** *m*	carnasiwn *b*
una **clavija** *f*	plwg *g*; soced *b* drydan
un **clavo** *m*	hoelen *b*
un **claxon** *m*	corn *g* (car)
un / una **cliente** *m* / *f*	cwsmer *g*
un **clima** *m*	hinsawdd *b*
la **climatización** *f*	system *b* awyru / dymheru
un **clip** *m*	clip *g* papur
un **club** *m*	clwb *g*
un club de admiradores	clwb cefnogwyr
un club de fans	clwb cefnogwyr
un club de judo	clwb jiwdo
un club juvenil	clwb ieuenctid
un club nocturno	clwb nos
un **cobayo** / una **cobaya** *m* / *f*	mochyn *g* cwta
un **cobertizo** *m*	cwt *g* [sied]

un **cobertor** *m*	cwrlid *g*
una **cobija** *f* [AmL]	blanced *b*
cobrar v^{A1}	newid [arian]; codi [arian]; ennill [arian]
una **coca-cola** *f*	coca-cola *g*
cocer v^{C2}	coginio
cocer a fuego lento	mudferwi
¿Qué se cuece aquí?	Beth sy'n mynd ymlaen yma?
un **coche** *m*	car *g*; coets *b*
en coche	yn y car; mewn car
un coche cama	coets gysgu [trên]
un coche comedor	coets fwyta [trên]
cocido *adj*	wedi ei goginio
un cocido m	stiw *g*
una **cocina** *f*	cegin *b*; coginio *g*; ffwrn *b*; popty *g*; stôf *b*
una cocina de butano	ffwrn / stôf bwten
una cocina de gas	ffwrn / stôf nwy
cocinar v^{A1}	coginio
una **cocinera** *f*	cogyddes *b*
un **cocinero** *m*	cogydd *g*
un **coco** *m*	cneuen *b* goco
un **cocotero** *m*	palmwydden *b* goco
un **código** *m*	cod *g*
el código de la circulación	rheolau'r ffordd
un código postal	cod post
un **codo** *m*	penelin *g/b*
una **codorniz** *f*	sofliar *b*
una **cofradía** *f*	brawdoliaeth *b*
coger v^{C3}	cymryd; dal; cipio; cydio yn; gafael yn
un **cohete** *m*	roced *b*
un **cojín** *m*	clustog *b*
un **col** *m*	bresychen *b*; cabets(i)en *b*
una **cola** *f*	cynffon *b*; cwt *g/b*; glud; ciw *g*
hacer v^{C14} *cola*	ciwio
la **colada** *f*	golch *g* [dillad]
hacer v^{C14} *la colada*	golchi dillad
un **colchón** *m*	matres *g/b*
un colchón de aire	gwely *g* aer
un colchón inflable	gwely *g* aer
una **colección** *f*	casgliad *g*
coleccionar v^{A1}	casglu
un **colectivo** *m* [AmL]	bws *g*

un / una **colega** *m / f*	cyd-weithiwr *g*; cyd-weithwraig *b*; ffrind *g*
un **colegial** *m*	disgybl *g* [mewn ysgol]; bachgen *g* ysgol
una **colegiala** *f*	disgybl *g* [mewn ysgol]; merch *b* ysgol
un **colegio** *m*	ysgol *b*; coleg *g*
colgar v^{B1}	hongian [dillad]; rhoi'r ffôn i lawr
una **coliflor** *f*	blodfresychen *b*
una **colina** *f*	bryn *g*
un **collar** *m*	mwclis *ll*; coler *g/b*
colocar v^{A1}	lleoli; rhoi; gosod; dodi
Colombia *f*	Colombia *b*
colombiano *adj*	o Golombia
el **colón** *m* [AmL]	arian Costa Rica ac El Salvador
una **colonia** de vacaciones *f*	gwersyll *g* gwyliau
una **colonia** de veraneo *f*	gwersyll *g* gwyliau
un **color** *m* (weithiau una color *f*)	lliw *g*
color naranja	oren
colorear v^{A1}	lliwio
una **columna** *f*	colofn *b*
columpiar v^{A1}	siglo
un **columpio** *m*	siglen *b*
un **combate** *m*	gornest *b*; ymryson *g*; brwydr *b*
una **combinación** *f*	cyfuniad *g*; pais *b*
un **comedor** *m*	ystafell *b* fwyta; ffreutur *b*; cantîn *g*
un **comentario** *m*	sylwebaeth *b*; sylw *g*
comenzar v^{B2}	dechrau; cychwyn
comer v^{A2}	bwyta; cael cinio
dar v^{C8} *de comer a*	bwydo
un / una **comerciante** *m / f*	masnachwr *g* / masnachwraig *b*
un **comercio** *m*	busnes *g*; masnach *g*
los **comestibles** *m pl*	bwydydd *ll*
una **cometa** *f*	barcut *g*
un **cómic** *m*	comic *g*
una **comida** *f*	bwyd *g*; cinio *g*; pryd *g* [bwyd]
una comida en el campo	picnic *g*
un **comienzo** *m*	dechrau *g*; dechreuad *g*
al comienzo	ar y dechrau
comilón *adj*	barus
me importa un **comino**	(does) dim ots gen i
una **comisaría** *f*	swyddfa *b* heddlu

una **comisión** *f*	bwrdd *g* [gweinyddol]; pwyllgor *g*; comisiwn *g*
como	fel
como siempre	fel bob amser
¿cómo?	sut?
¿Cómo es?	sut un yw e / ydy e(f)o?
¿Cómo está?	Sut mae ef /hi? Sut ydych chi?
¿Cómo están?	Sut maen nhw? Sut ydych chi?
¿Cómo estás?	Sut wyt ti?
¿Cómo estáis?	Sut ydych chi?
¿Cómo no?	Wrth gwrs; siŵr iawn
¿Cómo te llamas?	Beth yw/ ydy dy enw di?
cómodamente	yn gyfforddus
cómodo *adj*	cyfforddus
un **compact** *m*	cryno-ddisg *b*
una **compañera** *f*	ffrind *g*; partner *g* [benywaidd]
un **compañero** *m*	ffrind *g*; partner *g* [gwrywaidd]
una **compañía** *f*	cwmni *g*
una **comparación** *f*	cymhariaeth *b*
comparar v^{A1} con	cymharu â
un **compartimiento** *m*	cerbydran *b*
compartir v^{A3}	rhannu
la **competencia** *f*	cystadleuaeth *b*
una **competición** *f*	cystadleuaeth *b*; ymryson *g* [gornest]
un **competidor** *m*	cystadleuydd *g* [gwrywaidd]
una **competidora** *f*	cystadleuydd *g* [benywaidd]
complacer v^{C5}	plesio
complejo *adj*	cymhleth
completamente	yn gyfan gwbl; yn llwyr; yn hollol
completo *adj*	cyfan; hollol; cyflawn; llawn; llwyr
complicado *adj*	cymhleth
un **comportamiento** *m*	ymddygiad *g*
comportarse v^{D}	ymddwyn; bihafio
un **compositor** *m*	cyfansoddwr *g*
una **compositora** *f*	cyfansoddwraig *b*
una **compota** *f*	saws *g* ffrwythau
una compota de manzana	saws afalau
hacer v^{C14} la **compra**	siopa
comprar v^{A1}	prynu
hacer v^{C14} *las compras*	siopa
ir v^{C16} *de compras*	siopa
comprender v^{A2}	deall
la **comprensión** *f*	dealltwriaeth *b*

un **comprimido** *m*	tabled *b*
comprobar v^{B1}	gwirio; profi
un **computador** *m*	cyfrifiadur *g*
una **computadora** *f*	cyfrifiadur *g*
común *adj*	cyffredin
poco común	anghyffredin; prin
un **comunicado** *m*	bwletin *g*
comunicar v^{A1}	cyfathrebu
comunicarse v^{D} *con*	cyfathrebu â; cysylltu â
una **comunidad** *f*	cymuned *b*
la Comunidad Económica Europea	y Gymuned Economaidd Ewropeaidd
con	gyda
decir v^{C9} *adiós con la mano*	codi llaw [ffarwelio]
con mucho gusto	â phleser; gyda phleser
con permiso	gyda chaniatâd; os gwelwch yn dda; esgusodwch fi
¿Con qué frecuencia?	Pa mor aml?
con respecto a	ynghylch; ynglŷn â
una **concejala** *f*	cynghorydd *g* [benywaidd]
un **concejal** *m*	cynghorydd *g* [gwrywaidd]
concernir v^{B7}	bod a wnelo â; ymwneud â
una **concha** *f*	cragen *b*
concienzudo *adj*	cydwybodol
un **concierto** *m*	cyngerdd *g*
una **conclusión** *f*	casgliad *g*
en conclusión	i gloi
concurrido *adj*	prysur; llawn [lle]
un / una **concursante** *m / f*	cystadleuydd *g*
un **concurso** *m*	cystadleuaeth *b*; cwis *g*; gornest *g*; ymryson *g*
un **conde** *m*	iarll *g*
condenar v^{A1}	condemnio; collfarnu
una **condesa** *f*	iarlles *b*
una **condición** *f*	amod *g/b*; cyflwr *g*
conducir v^{C4}	gyrru; arwain; llywio
la **conducta** *f*	ymddygiad *g*
un **conductor** *m*	gyrrwr *g*
una **conductora** *f*	gyrwraig *b*
conectar v^{A1}	cysylltu
una **conejera** *f*	cwt *g* cwningen [lle mae'n byw]
un **conejillo** de Indias *m*	mochyn *g* cwta
un **conejo** *m*	cwningen *b*

la **confianza** *f*	ymddiriedaeth *b*; hyder *g*; ffydd *b*
confiar *v*[C11] en	ymddiried yn
la **confitería** *f*	siop *b* losin; siop *b* fferins
una **confitura** *f*	jam *g*
confrontar *v*[A1]	wynebu
confundido *adj*	ffwndrus; wedi drysu
confundir *v*[A3]	drysu
la **confusión** *f*	dryswch *g*; penbleth *g/b*
confuso *adj*	wedi drysu; ffwndrus; cymysglyd
un **congelador** *m*	rhewgell *b*
congelar(se) *v*[A1(D)]	rhewi
un **conjunto** *m*	band *g*; cwbl *g*; cyfan *g*
una **conmoción** *f*	cynnwrf *g*; ysgytiad *g*
el **Cono Sur** *m* [AmL]	gwledydd mwyaf deheuol America Ladin
conocer *v*[C5]	adnabod; dod i adnabod
llegar v[A1] *a conocer*	dod i adnabod
una **conocida** *f*	cydnabod *b*; ffrind *g* [benywaidd]
un **conocido** *m*	cydnabod *g*; ffrind *g* [gwrywaidd]
el **conocimiento** *m*	adnabyddiaeth *b*; gwybodaeth *b*
los conocimientos m pl	gwybodaeth *b*; dysg *b*
una **conquista** *f*	concwest *b*
una **consecuencia** *f*	canlyniad *g*
conseguir *v*[B5]	cael; llwyddo; cyflawni; sicrhau
un **consejo** *m*	cyngor *g*; bwrdd *g* [cwmni]
consentir *v*[B7]	cytuno; caniatáu; difetha [plentyn]
un / una **conserje** *m / f*	gofalwr *g*; gofalwraig *b*
una **conserjería** *f*	swyddfa *b* gofalwr
una **conserva** *f*	jam *g*; picl *g*; bwyd *g* cadw
en conserva	mewn tun
conservar *v*[A1]	cadw
un **conservatorio** *m*	academi *b* gerdd
considerar *v*[A1]	ystyried; meddwl
por **consiguiente**	felly; oherwydd hynny; yn sgil hynny; o ganlyniad
una **consigna** *f*	swyddfa *b* gadael bagiau
consistir *v*[A3] en	cynnwys
el **consomé** *m*	cawl *g*
constante *adj*	cyson; gwastad
una **constelación** *f*	cytser *g*
una **costilla** *f*	asen *b*
un **constipado** *m*	annwyd *g*
(estar) constipado	bod ag/yn llawn annwyd

un **constructor** *m*	adeiladydd *g* [gwrywaidd]
una **constructora** *f*	adeiladydd *g* [benywaidd]
construido *adj*	wedi ei adeiladu
construir v^{C15}	adeiladu; codi; llunio
una **consulta** *f*	meddygfa *b*
un libro m *de consulta*	cyfeirlyfr *g*
consultar v^{A1}	ymgynghori â
un **consultorio** *m*	meddygfa *b*
un consultorio sentimental	tudalen *g*/*b* broblemau [cylchgrawn, ayyb]
un **consumidor** *m*	defnyddiwr *g*
una **consumidora** *f*	defnyddwraig *b*
la **contaminación** *f*	llygredd *g*
contaminado *adj*	wedi ei lygru
contaminante *adj*	llygrol
contaminar v^{A1}	llygru
contar v^{B1}	cyfrif; rhifo; dweud; adrodd
contemplar v^{A1}	gwylio; edrych ar; ystyried
contemporáneo *adj*	cyfoes
contener v^{C24}	cynnwys; dal
el **contenido** *m*	cynnwys *g*
contento *adj*	hapus; bodlon; balch
una **contestación** *f*	ateb *g*; ymateb *g*
contestar v^{A1}	ateb; ymateb
una **contienda** *f*	gornest *b*; brwydr *b*; gwrthdrawiad *g*
un **continente** *m*	cyfandir *g*
una **continuación** *f*	parhad *g*
continuamente	yn barhaol; byth a hefyd; byth a beunydd; yn wastad; o hyd
continuar v^{C6}	parhau; para; dal (ymlaen)
continuará	i'w barhau
continuo *adj*	parhaol; di-baid; di-dor
un **contorno** *m*	amlinell *b*
contra	yn erbyn
un **contrabajo** *m*	bas *g* dwbl
contrario *adj*	cyferbyn
lo contrario m	gwrthwyneb *g*
al contrario	i'r gwrthwyneb
de lo contrario	fel arall
todo lo contrario	i'r gwrthwyneb
contribuir v^{C15}	cyfrannu
un **control** *m* de pasaportes	rheolaeth *g* pasborts
conveniente *adj*	cyfleus

convenir *v*^{C28}	siwtio; bod yn hwylus
un **convento** *m*	lleiandy *g*; mynachdy *g*
una **conversación** *f*	sgwrs *b*; ymgom *g/b*
convertirse *v*^{B7D} en	troi yn; dod yn; mynd yn; newid i
convidar *v*^{A1}	gwahodd
una **copa** *f*	gwydryn *g*; cwpan *g/b* [chwaraeon]
la Copa del Mundo	Cwpan y Byd
tomar v^{A1} *una copa*	cael diod
ir v^{C16} *de copas*	mynd am ddiod
tomar v^{A1} *unas copas*	mynd am ddiod
una **copia** *f*	copi *g*
copiar *v*^{A1}	copïo
un **corazón** *m*	calon *b*
una **corbata** *f*	tei *g*
un **corcho** *m*	corcyn *g*
un **cordel** *m*	llinyn *g*; cordyn *g*
un **cordero** *m*	oen *g*; cig *g* oen; cig *g* dafad / gwedder
un **córner** *m*	cornel *g* [pêl-droed]
un **coro** *m*	côr *g*
correcto *adj*	cywir; iawn
un **corredor** *m*	coridor *g*; rhedwr *g*
una **corredora** *f*	rhedwraig *b*
corregir *v*^{C7}	cywiro
el **correo** *m*	post *g*
el correo electrónico	e-bost
correos *m*	swyddfa'r post
correr *v*^{A2}	rhedeg
una amiga *f* por **correspondencia**	ffrind *g* llythyru [benywaidd]
un amigo *m* por **correspondencia**	ffrind *g* llythyru [gwrywaidd]
mantener v^{C24} *correspondencia con*	llythyru; ysgrifennu at
corresponder *v*^{A2}	cyfateb
correspondiente *adj*	cyfatebol; priodol
una **corrida** *f*	gornest *b* ymladd teirw
corriente *adj*	arferol; cyffredin
una **corriente** *f*	llif *g*; cerrynt *g*
un **cortacésped** *m*	peiriant *g* torri gwair / glaswellt / porfa
cortado *adj*	wedi ei dorri; wedi torri
un **cortado** *m*	coffi *g* ag ychydig o laeth
un **cortaplumas** *m*	cyllell *b* boced
cortar *v*^{A1}	torri; torri allan; tocio
un **corte** *m*	embaras *g*

me da corte	Mae'n achosi embaras i fi; Rydwi'n llawn embaras
una **corte** *f*	llys *g*
un **cortejo** *m*	gorymdaith *g*
cortés *adj*	cwrtais
cortésmente	yn gwrtais
una **corteza** *f*	rhisgl *g*; crystyn *g*; croen *g*
una **cortina** *f*	llen *b*; cyrten *g*
corto *adj*	byr
me viene corto	mae'n rhy fyr i fi [dillad]
una **cosa** *f*	peth *g*
eso es cosa mía	fy musnes i yw hynny
una **cosecha** *f*	cynhaeaf *g*
cosechar v^{A1}	cynaeafu
coser v^{A2}	gwnïo
una **costa** *f*	arfordir *g*
un **costado** *m*	ochr *b*; tu *g*
costar v^{B1}	costio
costarricense *adj*	o Costa Rica
costarriqueño *adj*	o Costa Rica
el **coste** *m*	cost *b*
una **costilla** *f*	asen *b*
costoso *adj*	costus; drud
una **costumbre** *f*	arfer *g/b*; arferiad *g*; defod *b*
de costumbre	fel arfer; yn ôl yr arfer
la **costura** *f*	(gwaith) gwnïo
un **costurero** *m*	bocs *g* gwnïo
cotidiano *adj*	dyddiol; beunyddiol
un **cráneo** *m*	penglog *b*
un **creador** *m*	creawdwr *g*; gwneuthurydd *g* [gwrywaidd]
una **creadora** *f*	gwneuthurydd *g* [benywaidd]
crear v^{A1}	creu; llunio
crecer v^{C5}	tyfu; cynyddu; prifio
el **crecimiento** *m*	twf *g*; tyfiant *g*; cynnydd *g*
creer v^{A2}	credu; meddwl
una **crema** *f*	hufen *g*
una **criada** *f*	morwyn *b*
un **criado** *m*	gwas *g*
criar v^{C11}	codi; magu
el **cricket** *m*	criced *g*
un **crimen** *m*	trosedd *b*
un / una **criminal** *m / f*	troseddwr *g* / troseddwraig *b*

un **cristal** *m*	gwydr *g*; ffenestr *b*
cristiano *adj*	Cristnogol
Cristo *m*	Crist *g*
criticar *v*[AI]	beirniadu; gweld bai ar; lladd ar
un **croissan** / **croissant** *m*	croissant *g*
un **croquis** *m*	braslun *g*
un **cruce** *m*	croesffordd *b*
un **crucero** *m*	mordaith *b* [bleser]
un **crucigrama** *m*	croesair *g*
cruel *adj*	creulon
una **cruz** *f*	croes *b*
la Cruz Roja	y Groes Goch
cruzar *v*[AI]	croesi
un **cuaderno** *m*	llyfr *g* nodiadau; llyfr *g* ysgol; llyfr *g* ysgrifennu; nodiadur *g*
un cuaderno de borrador	braslyfr *g*
cuadrado *adj*	sgwâr
un cuadrado m	sgwâr *g*
una **cuadrícula** *f*	grid *g*
un cuadro *m*	darlun *g*; llun *g*
a cuadros	sgwarog
la **cuajada** *f*	llaeth *g* sur; llaeth *g* wedi cawsu; siwncet *g* [pwdin]
cuál	pa
¿cuál?	pa?
el cual	yr hwn; yr hon
la cual	yr hwn; yr hon
¿cuáles?	pa rai?
los / las cuales	y rhai
cualificado *adj*	cymwys; cymwysedig
cualquier *adj*	unrhyw
cualquier cosa	unrhyw beth
cuando	pan
de vez en cuando	o bryd i'w gilydd; o dro i dro; bob hyn a hyn
¿cuándo?	pryd?
¿**cuánto**?	faint?; sawl?
¿cuántas veces?	sawl gwaith?
cuanto antes	cyn gynted â phosibl; cyn gynted ag y bo modd
¿cada cuánto tiempo?	pa mor aml?
¿cuántos?	faint?; sawl?
¿cuántos años tienes?	faint yw / ydy dy oed di?

¿a cuántos estamos?	beth yw / ydy'r dyddiad?
cuarenta	pedwar deg; deugain
un **cuarto** *m*	chwarter *g*; ystafell *b*
menos cuarto	chwarter i
y cuarto	chwarter wedi
un cuarto de baño	ystafell *b* ymolchi
un cuarto de hora	chwarter awr
cuatro	pedwar; pedair
un **cubalibre** *m*	rum neu gin â coca cola
cubano *adj*	o Cuba
un **cubata** *m*	rum neu gin â coca cola
una **cubierta** *f*	gorchudd *g*; clawr *g*
cubierto *adj*	wedi ei orchuddio
un **cubierto** *m*	lle *g* wrth y bwrdd / y ford
los cubiertos m pl	cyllyll a ffyrc
un **cubito** de hielo *m*	ciwb *g* rhew / iâ
un **cubo** *m*	bwced *g/b*
un cubo de la basura	bin *g* sbwriel
cubrir *v*[A3]	gorchuddio
una **cuchara** *f*	llwy *b*
una cuchara sopera	llwy *b* gawl / bwdin
una **cucharada** *f*	llwyaid *b*
una **cucharadita** *f*	llwy *b* de
un **cucharón** *m*	lletwad *b*
cuchichear *v*[A1]	sibrwd
un **cuchillo** *m*	cyllell *g*
un **cuclillo** *m*	cwcw *b*; cog *b*
un **cuco** *m*	cwcw *b*; cog *b*
un **cuello** *m*	gwddf *g* / gwddw *g*
un **cuenco** *m*	bowlen *b*; dysgl
una **cuenta** *f*	bil *g*; cyfrif *g*
darse *v*[C8D] **cuenta**	sylweddoli; sylwi
a fin de cuentas	wedi'r cwbl; yn y pen draw
un **cuento** *m*	stori *b*; chwedl *b*
una **cuerda** *f*	cortyn *g*; llinyn *g*; rhaff *g*
un **cuerno** *m*	corn *g*
el **cuero** *m*	lledr *g*
de cuero	wedi'i wneud o ledr
un **cuerpo** *m*	corff *g*
un **cuervo** *m*	brân *b*
una **cuesta** *f*	llethr *b*; ffordd *b* i lawr
una **cuestión** *f*	cwestiwn *g*; mater *g*
un **cuestionario** *m*	holiadur *g*

una **cueva** *f*	ogof *b*
el **cuidado** *m*	gofal *g*
con cuidado	yn ofalus
llevar v[A1] *cuidado*	bod yn ofalus
tener v[C24] *cuidado*	bod yn ofalus
¡cuidado!	bydd(wch) yn ofalus!; gan bwyll
cuidadosamente	yn ofalus
cuidadoso	gofalus
cuidar *v*[A1] (de)	gofalu am; edrych ar ôl
una **culebra** *f*	neidr *b*
un **culebrón** *m*	opera *b* sebon
un **culo** *m*	pen-ôl *g*
los **culotes** *m pl*	siorts *ll* beicio /seiclo
la **culpa** *f*	bai *g*
cultivar *v*[A1]	tyfu [planhigion]; trin y tir
una **cumbre** *f*	copa *g*; brig *g*
un **cumple** *m*	pen-blwydd *g*
un **cumpleaños** *m*	pen-blwydd *g*
cumplir *v*[A3]	gweithredu; cadw at [addewid]; gwasanaethu; cwblhau
un **cupón** *m*	cwpon *g*
un **cura** *m*	ficer *g*; offeiriad *g*
la **curiosidad** *f*	chwilfrydedd *g*
curioso *adj*	chwilfrydig; rhyfedd
una **curita** *f* [AmL]	plastr *g* [ar glwyf]
el **curre** *m*	gwaith *g*
en **cursiva**	mewn italig
un **curso** *m*	cwrs *g*; dosbarth *g*; blwyddyn [ysgol]
haciendo un curso	ar gwrs
un curso de formación	cwrs hyfforddi
una **curva** *f*	tro *g* yn y ffordd; trofa *b*
con curvas	troellog
cuyo	yr hwn / yr hon / y rhai

dado	wedi rhoi
han dado las ocho	mae hi wedi taro wyth o'r gloch
una **dama** *f*	boneddiges *b*; dynes *b*
las damas f pl	drafftiau *ll* [gêm]
damas y caballeros	foneddigion *ll* a boneddigesau *ll*
danés *adj*	Danaidd; o Ddenmarc
el **daño** *m*	niwed *g*; loes *g*; difrod *g*
hacer v[C14] *daño a*	brifo; dolurio; gwneud dolur i; gwneud loes i; niweidio
una **danza** *f*	dawns *b*; dawnsio *g*
danzar *v*[A1]	dawnsio
dar *v*[C8]	rhoi; taro [cloc]
me da igual	dim ots gen i
da igual	(does) dim ots
se le dan bien las matemáticas	mae e'n dda mewn mathemateg
dar con	dod ar draws; taro ar
dar el callo	gweithio'n galed
dar las gracias	diolch
dar un paseo	mynd am dro
dar una vuelta	mynd am dro
darse v[C8D] *por vencido*	ildio; rhoi i fyny
darse v[C8D] *prisa*	brysio; rhuthro; hastu
los **dardos** *m pl*	dartiau *ll*
los **datos** *m pl*	manylion *ll*; gwybodaeth *b,* data *g*
de	o; oddi wrth
de acuerdo	cytuno; iawn; o'r gorau
estar v[C10] *de acuerdo*	cytuno
de ahora en adelante	o hyn ymlaen
¿de dónde?	o ble
de enfrente	cyferbyn
de hecho	yn wir; mewn gwirionedd
de la parte de	ar ran; yn enw; gan
de lejos	o bell
de muy lejos	o bell iawn
de nada	croeso; peidiwch â sôn
de prisa	ar frys; ar hast; yn gyflym
de pronto	yn sydyn
de repente	yn sydyn
de verdad	mewn gwirionedd
de vez en cuando	o bryd i'w gilydd; o dro i dro; bob hyn a hyn
debajo de	dan; o dan
un **debate** *m*	dadl *b*

debatir v^{A3}	dadlau
debe	rhaid iddo; rhaid iddi; rhaid ei fod / bod
ella debe	rhaid iddo; rhaid iddi; rhaid ei fod / bod
ellas deben	rhaid iddynt; rhaid eu bod
ellos deben	rhaid iddynt; rhaid eu bod
deber v^{A2}	bod rhaid; gorfod
los **deberes** *m pl*	gwaith *g* cartref
debería	dylwn i; dylech chi; dylai fe/fo / hi
debía	bu rhaid i mi / chi /iddo fe / fo / iddi hi; roeddwn i fod i; roeddech chi i fod i; roedd ef / o / hi i fod i
débil *adj*	gwan; llesg; llipa
yo debo	rhaid i fi /mi; rhaid fy mod
debo… libras a	mae arnaf ... o bunnoedd i ...
decidir v^{A3}	penderfynu
decidirse v^{A3D} *a*	penderfynu
decir v^{C9}	dweud
a decir verdad	a dweud y gwir; a bod yn onest
es decir	hynny yw / ydy
una **decisión** *f*	penderfyniad
declarar v^{A1}	cyhoeddi; mynegi; datgelu; datgan
decorar v^{A1}	addurno
dedicarse v^{D} a	ymroi i; gweithio fel; bod yn [swydd]
volver a dedicarse a	ailafael yn
un **dedo** *m*	bys *g*
un dedo del pie	bys troed
un dedo gordo	bawd *g*
un dedo gordo del pie	bawd [troed]
un dedo índice	bys blaen; bys yr uwd
un **defecto** *m*	nam *g*; diffyg *g*
defender v^{B3}	amddiffyn; diogelu
una **defensa** *f*	amddiffyniad *g*
un / una **defensa** derecho / a *m / f*	cefnwr *g* de / cefnwraig *b* dde
un / una **defensa** izquierdo / a *m / f*	cefnwr *g* chwith / cefnwraig *b* chwith
definitivo *adj*	pendant; terfynol
deformado *adj*	afluniaidd
deforme *adj*	afluniaidd
degustar v^{A1}	blasu; profi
dejar v^{A1}	gadael; stopio; rhoi'r gorau i; peidio; benthyca; rhoi benthyg
dejar caer	gollwng; gadael i gwympo
dejar de	stopio; rhoi'r gorau i; peidio
dejar en el suelo	rhoi i lawr; rhoi ar y llawr

un **delantal** *m*	ffedog *b*
delante (de)	o flaen
una **delantera** *f*	cefnwraig *b*
un **delantero** *m*	cefnwr *g*
deletrear v^{A1}	sillafu
un **delfín** *m*	dolffin *g*
delgado *adj*	tenau
deliberadamente	yn fwriadol; o bwrpas
delicioso *adj*	blasus; danteithiol
las **demás** *f pl*	y lleill
lo demás	y gweddill
los demás m pl	y lleill
demasiado	rhy; gormod
demorarse v^{D}	oedi
denso *adj*	trwchus; dwys
un / una **dentista** *m / f*	deintydd *g*
dentro	i mewn; tu mewn; i mewn yn fan'na / yn hwnna [ayyb]; tu mewn iddo [ayyb]
dentro de	tu mewn i; yn; o fewn; ymhen
dentro de poco	cyn bo hir
un **departamento** *m*	adran *b*; [AmL] fflat *g*
depende	mae (hynny)'n dibynnu
depender v^{A2}	dibynnu
una **dependienta** *f*	dynes *b* siop
un **dependiente** *m*	dyn *g* siop
el **deporte** *m*	chwaraeon *ll*
los deportes acuáticos	chwaraeon dŵr
deportista *adj*	yn hoff o / yn ymwneud â chwaraeon
deportivo *adj*	yn ymwneud â chwaraeon
un **depósito** *m*	tanc *g*; blaendal *g*; stordy *g*
una **depresión** *f*	digalondid *g*; iselder *g* ysbryd
deprimido *adj*	isel; digalon; fflat
la **derecha** *f*	y (llaw) dde *b*
a la derecha	ar y dde; i'r dde
derecho *adj*	syth; syth ymlaen; yn sefyll
ponerse v^{C18D} *derecho*	ymsythu
siga todo derecho	ewch yn syth yn eich blaen
un derecho m	hawl *b*
derramar v^{A1}	tywallt
un **derrame** *m* cerebral	strôc *b*
derretir(se) $v^{B5(D)}$	toddi; dadlaith; dadmer
derribar v^{A1}	dymchwel(yd)

derrochador *adj*	gwastraffus
derrochar *v*[A1]	gwastraffu
un **derroche** *m*	gwastraff *g*
desabrochar *v*[A1]	datod
desafortunadamente	yn anffodus
desafortunado *adj*	anfodus; anlwcus
desagradable *adj*	annymunol; cas; annifyr
el **desaliento** *m*	digalondid *g*
el **desánimo** *m*	digalondid *g*
desaparecer *v*[C5]	diflannu
desaparecido *adj*	wedi diflannu
un **desastre** *m*	trychineb *g/b*; llanast *g*
desastroso *adj*	trychinebus
desatar *v*[A1]	datod; tynnu'n rhydd
desayunar *v*[A1]	cael brecwast
un **desayuno** *m*	brecwast *g*
un **descafeinado** *m*	coffi *g* heb gaffein
descansar *v*[A1]	gorffwys
un **descanso** *m*	saib *b*; seibiant *g*; gorffwys *g*; hoe *b*; egwyl *b*
una **descarga** *f*	sioc *g/b*; dadlwythiad *g*; lawr-lwythiad *g*
descargar *v*[A1]	lawr-lwytho; dadlwytho
un **descenso** *m*	cwymp *g*; disgyniad *g*; ffordd *b* i lawr
descifrar *v*[A1]	datrys; dehongli
descolgar *v*[B1]	codi (ffôn)
desconfiado *adj*	amheus; drwgdybus
desconfiar *v*[C11]	drwgdybio; amau
descongelar(se) *v*[A1(D)]	dadrewi; dadmer; dadlaith
una **desconocida** *f*	merch ddieithr *b*
un **desconocido** *m*	dieithryn *g*
desconocido adj	anadnabyddus; anhysbys; dieithr
descontento *adj*	anfodlon; anhapus
descortés *adj*	anghwrtais; digywilydd
describir *v*[A3]	disgrifio
una **descripción** *f*	disgrifiad *g*
descubrir *v*[A3]	darganfod
un **descuento** *m*	gostyngiad *g*
descuidado *adj*	blêr; anniben; di-ofal; llac; esgeulus
desde	ers; er; o
desde entonces	ers hynny
desde hace	ers; er
desde hace un año	ers blwyddyn

	desde lejos	o bell
	desde luego	wrth gwrs
	desde muy lejos	o bell iawn
	desdichado *adj*	anlwcus; anffodus; truenus
	desear v^{A1}	dymuno; bod eisiau
	desembarcar v^{A1}	gadael llong; dadlwytho
un	**desembolso** *m*	tâl *g*; taliad *g*
un	*desembolso inicial*	blaendal *g*; ernes *b*
	desempleado *adj*	di-waith
un	*desempleado* m / *una desempleada* f	person *g* di-waith
el	**desempleo** *m*	di-weithdra *g*
un	**deseo** *m*	awydd *g*; chwant *g*
	deseoso *adj*	awyddus
	desértico *adj*	diffaith
la	**desesperación** *f*	anobaith *g*
	desesperado *adj*	anobeithiol
la	**desesperanza** *f*	anobaith *g*
	desfavorecido *adj*	difreintiedig
un	**desfile** *m*	gorymdaith *b*
un	*desfile de modelos*	sioe *b* ffasiwn
	desgastarse v^{D}	treulio [dillad ayyb]
una	**desgracia** *f*	anffawd *b*; anlwc *b*; trybini *g*
por	*desgracia*	yn anffodus; gwaetha'r modd
	desgraciadamente	yn anffodus; yn anlwcus; gwaetha'r modd
	desgraciado *adj*	anffodus; anlwcus; truenus
	deshacer(se) $v^{C14(D)}$	chwalu
	deshacer las maletas	dadbacio
	deshacerse de	cael gwared â; gwaredu
	deshelarse v^{B2D}	dadlaith; dadmer
un	**desierto** *m*	anialwch *g*; diffeithwch *g*
	desierto adj	diffaith
	desinflar v^{A1}	gollwng gwynt o
	desleal *adj*	anffyddlon; ffals
	deslizar v^{A1}	llithro
	desnudo *adj*	noeth; moel
	desocupado *adj*	segur; di-waith; gwag [lle, sedd]
la	**desocupación** *f* [AmL]	diweithdra *g*
la	**desorden** *f*	annibendod *g*; blerwch *g*; anhrefn *g*; llanast *g*
un	**despacho** *m*	swyddfa *b*
	despacio	araf; yn araf

una **despedida** *f*	ffarwél *g/b*
despedir *v*[B5]	ffarwelio â; diswyddo
un **despegue** *m*	esgyniad *g*
despejar(se) *v*[A1(D)]	clirio
desperdiciar *v*[A1]	gwastraffu
el **desperdicio** *m*	gwastraff
los desperdicios	gwastraff *g*; sbwriel *g*
un **despertador** *m*	cloc *g* larwm
despertar(se) *v*[B2(D)]	dihuno; deffro
despistado *adj*	anghofus; â phen yn y gwynt
un **desplantador** *m*	trywel *g*
desplumar *v*[A1]	pluo; plufio
después	wedyn; yn nes ymlaen; yna
después de	ar ôl
destacado *adj*	amlwg; pwysig; enwog; o fri; blaengar
desterrar *v*[B2]	alltudio
un **destino** *m*	ffawd *b*; tynged *b*; pen *g* y daith
con destino a	(sydd) yn mynd i
un **desván** *m*	atig *g*; ystafell *b* do / yn y to
una **desventaja** *f*	anfantais *b*
un **desvío** *m*	dargyfeiriad *g*; gwyriad *g*
un **detalle** *m*	manylyn *g*; cymwynas *b*; anrheg *b*
detener *v*[C24]	stopio; arestio; atal
detenerse v[C24D]	stopio; aros; sefyll
detestable *adj*	ffiaidd; gwrthun
detestar *v*[A1]	casáu; ffieiddio
detrás	tu ôl
detrás de	tu ôl i
devolver *v*[B4]	rhoi'n ôl; dychwelyd; dod â ... yn ôl; taflu'n ôl; mynd â ... yn ôl; chwydu; cyfogi; taflu i fyny
un **día** *m*	dydd *g*; diwrnod *g*
al día	fesul dydd
buenos días	bore da; dydd da
cada segundo día	bob yn eilddydd
quince días	pythefnos *g/b*
por día	y dydd
todo el día	drwy'r dydd
todos los días	bob dydd
el día de Año Nuevo	dydd Calan
el día de mi santo	dydd sant (mae rhai Sbaenwyr yn dathlu dydd y Sant sydd â'r un enw â nhw)

un día de asueto	diwrnod i ffwrdd o'r gwaith
un día de éstos	rhyw ddiwrnod / ddydd; un o'r dyddiau 'ma
un dia de fiesta	dydd gŵyl; diwrnod ffair
el día de Navidad	dydd Nadolig
el día de Todos los Santos	Calan *g* Gaeaf
un día feriado	dydd gŵyl y banc; dydd gŵyl; diwrnod ffair
un día festivo	dydd gŵyl y banc; dydd gŵyl; diwrnod ffair
un día laborable	diwrnod gwaith
un día libre	diwrnod i ffwrdd o'r gwaith
un día sí y otro no	bob yn eilddydd
al día siguiente	drannoeth
un **diagrama** *m*	diagram *g*
un **dialecto** *m*	tafodiaith *b*
un **diámetro** *m*	diamedr *g*
diario *adj*	dyddiol
un diario m	papur *g* newydd
dibujar v^{AI}	arlunio; tynnu llun
un **dibujo** *m*	llun *g*; patrwm *g*
el dibujo m	arlunio *g*
los dibujos animados	cartŵn *g*
un **diccionario** *m*	geiriadur *g*
diciembre *m*	Rhagfyr *g*
diecinueve	un deg naw; pedwar / pedair ar bymtheg
dieciocho	un deg wyth; deunaw
dieciséis	un deg chwech; un ar bymtheg
diecisiete	un deg saith; dau ar bymtheg; dwy ar bymtheg
un **diente** *m*	dant *g*
lavarse v^{D} *los dientes*	brwsio dannedd
diestro *adj*	(yn defnyddio) llaw dde; medrus; deheuig; craff
una **dieta** *f*	deiet *g*
estar v^{C10} *a dieta*	bod ar ddeiet
ponerse v^{C18D} *a dieta*	mynd ar ddeiet
diez	deg
una **diferencia** *f*	gwahaniaeth *g*
diferente *adj*	gwahanol
diferentemente	yn wahanol
difícil *adj*	anodd; llet(ch)with; trafferthus

una **dificultad** *f*	anhawster *g*; problem *b*
difunto *adj*	wedi marw; diweddar
diga	dwedwch
¡dígame!	Helo! [ar y ffôn]
¡No me digas!	tewch!; Peidiwch â dweud!
la **dignidad** *f*	urddas *b*
digno *adj*	urdddasol; teilwng; haeddiannol
¡**dime**!	Helo! [ar y ffôn]
diminuto *adj*	bychan iawn; mân; pitw
Dinamarca *f*	Denmarc *g*
dinámico *adj*	dynamig
el **dinero** *m*	arian *g*; pres *g*
un **dios** *m*	duw *g*
¡Dios mío!	Mawredd!; Duwcs annwyl!
una **diosa** *f*	duwies *b*
una **dirección** *f*	cyfeiriad *g*
una calle de dirección única	stryd *b* un ffordd
directamente	yn union(gyrchol); yn syth; ar ei union
directo *adj*	union(gyrchol); byw [darllediad]
en directo	yn fyw [darllediad]
un **director** *m*	prifathro *g*; cyfarwyddwr *g*; pennaeth *g*; rheolwr *g*
una **directora** *f*	prifathrawes *b*; cyfarwyddwraig *b*; pennaeth *g*; rheolwraig *b*
dirigir v^{C12}	llywio; rhedeg; rheoli
una **discapacidad** *f*	anabledd *g*
discapacitado *adj*	anabl
un **disco** *m*	record *gb*; cryno-ddisg *b*; disg *b*; disgen *b*
un disco compacto	cryno-dddisg *b*
una **discoteca** *f*	disgo *g*
una **discusión** *f*	trafodaeth *b*; dadl *b*; ffrae *g*; anghydfod *g*
discutir v^{A3}	trafod; dadlau; ffraeo
un **diseñador** *m*	dylunydd *g* [gwrywaidd]
una **diseñadora** *f*	dylunydd *g* [benywaidd]
diseñar v^{A1}	dylunio; llunio
disfrazarse v^{D}	gwisgo i fyny
disfrutar (de) v^{A1}	mwynhau
disparar v^{A1}	saethu; tanio
dispersar(se) $v^{A1(D)}$	chwalu; gwasgaru
una **disputa** *f*	anghydfod *g*; cweryl *g*; ffrae *b*; dadl *b*

un **disquete** *m*	disg *b* gyfrifiadur
una **distancia** *f*	pellter *g*
distintamente	yn wahanol
un **distintivo** *m*	bathodyn *g*
distinto *adj*	gwahanol
de modo distinto	yn wahanol
una **distracción** *f*	difyrrwch *g*; adloniant *g*; hobi *g*; diffyg *g* sylw
distraído *adj*	breuddwydiol; â'r meddwl ymhell
un **disturbio** *m*	terfysg *g*
una **diversión** *f*	difyrrwch *g*; hwyl *b*; hobi *g*
diverso *adj*	gwahanol; amryw
divertido *adj*	difyr; doniol; digrif; ysmala
divertir *v*[B7]	diddanu; difyrru
divertirse v[B7D]	mwynhau eich hunan; cael hwyl
dividir *v*[A3]	rhannu
una **divisa** *f*	arian *g* breiniol
divorciado *adj*	wedi ysgaru
divorciar(se) *v*[A1(D)]	ysgaru
DNI *m* (documento nacional de identidad)	cerdyn *g* adnabyddiaeth
doblar *v*[A1]	plygu; troi [cornel]; dyblu
doble *adj*	dwbl
doce	deuddeg; un deg dau; un deg dwy
las **doce** y media	hanner awr wedi deuddeg
una **docena** *f*	dwsin *g*
un **doctor** *m*	doctor *g*; meddyg *g* [gwrywaidd]
una **doctora** *f*	doctor *g*; meddyg *g* [benywaidd]
un **documental** *m*	ffilm *b* ddogfen; rhaglen *b* ddogfen
un **dólar** *m*	dolar
doler *v*[B4]	brifo; gwneud dolur; dolurio
un **dolor** *m*	dolur *g*; poen *g*
doloroso *adj*	dolurus; poenus
un **domicilio** *m*	cartref *g*
dominar *v*[A1]	rheoli
domingo *m*	dydd *g* Sul
dominicano *adj*	o Weriniaeth Dominica
don	Mr; y Bonwr
doña	Mrs; Madam; y Foneddiges
donde	ble; lle
¿**dónde**?	ble?
¿a dónde?	i ble?
¿de dónde?	o ble?

dopado *adj*	yn / wedi cymryd cyffur(iau)
dorado *adj*	euraid; euraidd
dormido *adj*	yn cysgu
dormir *v*[B8]	cysgu
sin dormir	di-gwsg; heb gysgu
dormirse v[B8D]	mynd i gysgu
un **dormitorio** *m*	ystafell *b* wely
un **dorso** *m*	cefn *g*; tu *g* chwith
dos	dau; dwy
las dos	y ddau; y ddwy
los dos	y ddau; y ddwy
son las dos	mae'n ddau o'r gloch
dotado *adj*	talentog; dawnus; galluog
una **droga** *f*	cyffur
drogado *adj*	yn / wedi cymryd cyffur(iau)
una **ducha** *f*	cawod *b*
tomar v[A1] *una ducha*	cael cawod
ducharse *v*[D]	cael cawod
una **duda** *f*	amheuaeth *b*
sin duda	heb amheuaeth; heb os; yn bendant; yn sicr
dudar *v*[A1]	amau; oedi; petruso
dudar en	petruso
dudoso *adj*	amheus
duele	brifo; gwneud dolur
me duele	mae'n brifo; mae gen i ddolur
me duele la cabeza	mae gen i gur pen / mae pen tost gyda fi
una **dueña** *f*	perchennog *g* [benywaidd]
una dueña de un puesto	stondinwraig *b*
un **dueño** *m*	perchennog *g* [gwrywaidd]
un dueño de un puesto	stondinwr *g*
el **Duero** m	afon yn Sbaen
dulce *adj*	melys; addfwyn; meddal; tyner; mwyn
los dulces m pl	melysion *ll*; pethau *ll* melys
dulcemente	yn felys; yn fwyn; yn dyner
un **duque** *m*	dug *g*
una **duquesa** *f*	duges *b*
una **duración** *f*	hyd *g*
durante	yn ystod; am
durar *v*[A1]	para; parhau
duro *adj*	caled; stiff

e	a [o flaen geiriau sy'n dechrau ag 'i' neu 'hi' ond nid 'hie']
el **Ebro** *m*	afon yng ngogledd Sbaen
echado *adj*	yn gorwedd
echar v^{AI}	taflu; lluchio; arllwys; tywallt; hyrddio; diswyddo
echar al aire	taflu i fyny
echar de menos	gweld eisiau; gweld colli
me echa de menos	mae e'n gweld fy ngholli; mae e'n gweld fy eisiau
echar humo	mygu
echar para atrás	taflu'n ôl
echar (al correo)	postio
echar una carta	postio llythyr
echar una mano	rhoi help llaw i
echar una siesta	cael cyntun
echar un sueñecito	cael cyntun
echarse v^{D}	gorwedd
la **ecología** *f*	ecoleg *b*
económico *adj*	economaidd; darbodus; cynnil
el **ecuador** *m*	y cyhydedd *g*
Ecuador *m*	Ecuador *b*
ecuatoriano *adj*	o Ecuador *b*
la **edad** *f*	oed *g*; oedran *b*
un **edificio** *m*	adeilad *g*
la **educación** *f*	addysg *b*; magwraeth *b*
la educación física	addysg gorfforol
la educación religiosa	addysg grefyddol
educar v^{AI}	magu; codi; addysgu
efectivamente	yn wir; mewn gwirionedd
el **efectivo** *m*	arian *g* parod
en **efecto**	yn wir; mewn gwirionedd
los **efectos sonoros** *m pl*	effeithiau *ll* sain
efectuar v^{C6}	cyflawni
egoísta *adj*	hunanol
¿**eh**?	y?; sut?
un **ejemplo** *m*	enghraifft *b*; esiampl *b*
por ejemplo	er enghraifft
un **ejercicio** *m*	ymarfer(iad) *g*
un **ejército** *m*	byddin *b*
el	y
él	fe; fo; hi
el cual	yr hwn; yr hon

el que	yr hwn; yr hon
elaborar *v*[A1]	llunio; cynhyrchu; creu
una **elección** f	dewis *g*; etholiad *g*
la **electricidad** *f*	trydan *g*
un / una **electricista** *m* / *f*	trydanydd *g*
eléctrico *adj*	trydanol
los **electrodomésticos** *m pl*	offer trydanol [yn y cartref]
un **electrotrén** *m*	trên *g* trydanol
elegante *adj*	trwsiadus; ffasiynol; cain
elegido	wedi ei (d)dewis; wedi ei (h)ethol
elegir *v*[C7]	dewis; ethol; dethol
un **elenco** *m* [AmL]	tîm *g*
elevado *adj*	uchel
un **elevador** *m* [AmL]	lifft
eliminar *v*[A1]	gwaredu; cael gwared ar / o
una **elite** *f*	y goreuon *ll*
de elite	dethol
ella	hi; fe; fo
ellas	nhw
ellos	nhw
los **elogios** *m pl*	canmoliaeth *b*; cymeradwyaeth *b*; clod *g*
un **email** *m*	e-bost *g*
una **embajada** *f*	llysgenhadaeth *b*
embalar *v*[A1]	pacio
un **embalse** *m*	cronfa *b*
embarazoso *adj*	yn achosi embaras
embarcar *v*[A1]	mynd ar [fwrdd]
un **embotellamiento** *m*	tagfa *b*
un **embutido** *m*	selsigen *b*
una **emoción** *f*	emosiwn *g*; teimlad *g*; cyffro *g*; gwefr *b*
emocionante *adj*	cyffrous; cynhyrfus; gwefreiddiol
un **empalme** *m*	cysylltiad *g* [trên]
una **empanada** *f*	pastai *b*
una **empanadilla** *f*	pastai *b* fach
empapado *adj*	gwlyb diferol
empaquetar *v*[A1]	pacio
un **emparedado** *m*	brechdan *b*
empezar *v*[B2]	dechrau; cychwyn; mynd ati
empezar bien	dechrau / cycyhwyn yn dda
empinado *adj*	serth
una **empleada** *f*	gweithwraig *b* gyflogedig

un **empleado** *m*	gweithiwr *g* cyflogedig
emplear *v*[A1]	defnyddio; cyflogi
un **empleo** *m*	swydd *b*; gwaith *g*; defnydd *g*
empollar *v*[A1]	gweithio'n galed [ysgol]; swotio
un **emporio** *m* [AmL]	siop *b* fawr / adrannol
una **empresa** *f*	cwmni *g*; busnes *g*; menter *b*
empujar *v*[A1]	gwthio
en	yn; ar
en avión	mewn awyren
en camino	ar y ffordd
en efecto	yn wir; mewn gwirionedd
en medio de	yng nghanol
en particular	yn arbennig; yn enwedig
en punto	yn union; ar ei ben
en seguida	yn syth; ar unwaith
en tren	mewn trên
en venta	ar werth
las **enaguas** *f pl*	pais *b*
enamorado *adj*	mewn cariad
una **enana** *f*	coraches *b*
un **enano** *m*	corrach *g*
el **encaje** *m*	les *g*
encantar *v*[A1]	dwlu; dotio; gwirioni
me encanta ...	rydwi'n dwlu ar....; rydwi'n dotio at...
encantado *adj*	wrth fy modd, dy fodd ayyb
encantador *adj*	cyfareddol; hudolus
un **encanto** *m*	cyfaredd *b*
una **encargada** de la limpieza *f*	glanheuwraig *b*
encargar *v*[A1]	archebu
encargarse *v*[D] de	delio â; edrych ar ôl; gofalu am; bod yn gyfrifol am
un **encargo** *m*	archeb *b*; gwaith *g*; swydd *b*
encender *v*[B3]	cynnau; rhoi ymlaen; tanio; troi ymlaen
encerar *v*[A1]	cwyro; sgleinio; rhoi sglein ar
un **enchufe** *m*	plwg *g*; soced *b* drydan
encima (de)	ar ben; uwchben; uwchlaw
por encima de	dros; tros
encontrar *v*[B1]	dod o hyd i; cael hyd i; darganfod
encontrarse *v*[B1D]	bod; bod wedi ei leoli
encontrarse v[B1D] *con*	cwrdd â; cyfarfod â
una **encrucijada** *f*	croesfan *b*; croesffordd *b*
una **encuadernación** *f*	rhwymiad *g*

	encuadernar v^{A1}	rhwymo
una	**encuesta** *f*	arolwg *g* barn
	enderezar(se) $v^{A1(D)}$	sythu; unioni; ymsythu
una	**energía** *f*	egni *g*; ynni *g*
	enérgico *adj*	egnïol; sionc
	enero *m*	Ionawr *g*
	enfadar v^{A1}	digio; blino; mynd ar nerfau rhywun; gwylltio
	enfadado *adj*	crac; dig; blin
	enfadarse v^{D}	colli tymer; gwylltio
	enfatizar v^{A1}	pwysleisio
una	**enfermedad** *f*	salwch *g*; afiechyd *g*; clefyd *g*
una	**enfermera** *f*	nyrs *b* [benywaidd]
un	**enfermero** *m*	nyrs *g* [gwrywaidd]
	enfermo *adj*	sâl; tost
(de)	**enfrente**	cyferbyn
	enfrente de	gyferbyn â
	enfriar(se) $v^{A1(D)}$	oeri
	engañar v^{A1}	twyllo; camarwain
	engrasar v^{A1}	iro
	engullir v^{A3}	llowcio
	¡**enhorabuena**!	llongyfarchiadau!
un	**enjambre** *m*	haid *b*
un	**enlace** *m*	cysylltiad *g*
	enlazar v^{A1}	cysylltu
	enojado *adj*	dig; blin; crac
	enojar v^{A1}	digio; blino; mynd ar nerfau rhywun; gwylltio
	enojarse v^{D}	colli tymer; gwylltio
	enorme *adj*	anferth; enfawr
	enormemente	yn fawr iawn; yn arw; yn ddirfawr
una	**ensalada** *f*	salad *g*
	ensayar v^{A1}	ymarfer; profi
un	**ensayo** *m*	ymarfer *g*; rihyrsal *g*; prawf *g*; arbrawf *g*; traethawd *g*
	enseguida	yn syth; ar unwaith
la	**enseñanza** *f*	addysg *b*
	enseñar v^{A1}	dangos; dysgu; addysgu
	ensuciar v^{A1}	baeddu; trochi; difwyno
	entender v^{B3}	deall
el	**entendimiento** *m*	dealltwriaeth *b*
	entero *adj*	cyflawn; cyfan; holl
un	**entierro** *m*	angladd *g/b*; cynhebrwng *g*
	entonces	yna; wedyn; y pryd hwnnw; felly

un	**entorno** *m*	ardal *b* o amgylch; cyffiniau *ll*; amgylchedd *g*
una	**entrada** *f*	mynedfa *b*; mynediad *g*; tocyn *g*; ticed *g*; cwrs cyntaf pryd
	entrar v^{A1}	dod i mewn; mynd i mewn; dod â … i mewn
	entrar a robar en...	torri i mewn i ...
	entre	rhwng; ymhlith; ymysg
	entre tanto	yn y cyfamser
	entregar v^{A1}	rhoi; cyflwyno
una	**entrega** *f*	rhifyn *g*; rhaglen *b* [mewn cyfres]
una novela por	*entregas*	nofel *b* gyfres
el	**entremés** *m*	cwrs cyntaf pryd
un	**entrenador** *m*	hyfforddwr *g*
una	**entrenadora** *f*	hyfforddwraig *b*
	entrenar v^{A1}	hyfforddi; ymarfer
	entrenarse v^{D}	hyfforddi
	entretener v^{C24}	diddanu; difyrru; cadw (yn ôl)
	entretenerse v^{C24D}	oedi; eich difyrru / diddanu eich hunan
el	**entretenimiento** *m*	adloniant *g*
una	**entrevista** *f*	cyfweliad *g*
	entrevistar v^{A1}	cyfweld â
	entumecido *adj*	diffrwyth
	entusiasmar v^{A1}	cyffroi; ysbrydoli
	entusiasta *adj*	brwd; brwdfrydig
	enviar v^{C11}	anfon; danfon
	envidioso *adj*	cenfigennus; eiddigeddus
	envolver v^{B4}	lapio; pacio
una	**época** *f*	cyfnod *g*; oes *b*
	equilibrado *adj*	cytbwys
un	**equilibrio** *m*	cydbwysedd *g*
el	**equipaje** *m*	bagiau *ll* [teithio]
un	**equipo** *m*	tîm *g*; cyfarpar *g*; offer *ll*
un	*equipo estereofónico*	stereo *g*
la	**equitación** *f*	marchogaeth *g*
	equivocarse v^{D}	gwneud camgymeriad; bod yn anghywir; camgymryd
	era	roedd; oedd
yo	*era*	roeddwn i
	érase una vez	un tro roedd ... [dechrau stori]
(tú)	**eres**	rwyt ti; wyt
un	**erizo** *m*	draenog *g*

un **error** *m* — camgymeriad *g*; gwall *g*
por error — trwy gamgymeriad
es — yw; ydy; mae e; mae o; mae hi
él es — mae e; mae o; mae hi
ella es — mae hi; mae e; mae o
usted es — rydych chi
esa — y(r) ...honno; y(r) ... hwnnw; y(r)...acw
ésa — honno; hwnnw
esas — y .... hynny
ésas — y rheina; y rheiny
esbelto *adj* — tenau; main
esbozar v^{A1} — amlinellu; braslunio
un **esbozo** *m* — braslun *g*
un **escabeche** *m* — marinâd *g*; picl *g*
un **escabel** *m* — stôl *b*
una **escalada** *f* — dringo *g*; esgyniad *g*
escalar v^{A1} — dringo; esgyn
una **escalera** *f* — grisiau *ll*; ysgol *b*
una escalera de mano — ysgol *b* [y gellir ei chludo]
una escalera mecánica — grisiau *ll* symudol
una escalera móvil — grisiau *ll* symudol
un **escalofrío** *m* — ias *b*; cryndod *g*
un **escalón** *m* — gris *g*
escampar v^{A1} — clirio [tywydd]
escandaloso *adj* — gwarthus; dychrynllyd; cywilyddus
escapar(se) $v^{A1(D)}$ — dianc; rhedeg i ffwrdd
un **escaparate** *m* — ffenestr *b* siop
escarpado *adj* — serth
escaso *adj* — prin
la **escayola** *f* — plastr *g* [ar fraich, coes wedi ei thorri]
una **escena** *f* — golygfa *b*
una **esclava** *f* — caethferch *b*
un **esclavo** *m* — caethwas *g*
una **escoba** *f* — ysgubell *b*; ysgub *b*
una **escobilla** *f* — brws *g*
escocés *adj* — Albanaidd
Escocia *f* — Yr Alban *b*
escoger v^{C3} — dewis; pigo
escogido *adj* — wedi ei (d)dewis
escolar *adj* — ysgol; addysgol
un año escolar — blwyddyn *b* ysgol
esconder(se) $v^{A2(D)}$ — cuddio; cwato

una **escopeta** *f*	gwn *g*; dryll *g*
Escorpión *m*	cytser *g* y Sgorpion *g*
escotado *adj*	â gwddf isel [dilledyn]
escribir v^{A3}	ysgrifennu
escribir a máquina	teipio
escribirse v^{A3D}	llythyru; cael ei ysgrifennu; cael ei sillafu
un **escritorio** *m*	desg *b*
la **escritura** *f*	ysgrifen *b*; llawysgrifen *b*
escuchar v^{A1}	gwrando; clywed
un **escudo** *m*	tarian *b*; arfbais *b*
una **escuela** *f*	ysgol *b*
una escuela infantil	ysgol feithrin
una escuela nocturna	ysgol nos
una escuela primaria	ysgol gynradd
una escuela secundaria	ysgol uwchradd
escupir v^{A3}	poeri
un **escúter** *m*	sgŵter *g*
ese	y(r) ... hwnnw; y(r) ... honno; y(r) ... acw
ése	hwnnw; honno
una **esfera** *f*	sffêr *g*; cylch *g*; maes *g*; glôb *g*
una esfera terrestre	glôb *g*
un **esfuerzo** *m*	ymdrech *b*
la **esgrima** *f*	cleddyfa *g*
un **eslogan** *m*	arwyddair *g*
ESO (Educación Secundaria Obligatoria)	cyfnod o addysg uwchradd orfodol (12 – 16 oed)
eso	hwnnw; hynny
esos	y(r) ... hynny; y rhai acw
ésos	y rhai hynny; y rhai acw
un **espacio** *m*	gofod *g*; lle *g*
una **espalda** *f*	cefn *g*
España *f*	Sbaen *b*
español *adj*	Sbaeneg; Sbaenaidd; o Sbaen
espantoso *adj*	dychrynllyd; brawychus; ofnadwy
una **espátula** *f*	sbatiwla *b*
especial *adj*	arbennig; neilltuol
especialmente	yn arbennig; yn neilltuol; yn enwedig
no especialmente	dim yn arbennig
las **especias** *f pl*	sbeisys *ll*
una **especie** *f*	math *g*; rhywogaeth *b*
un **espectáculo** *m*	sioe *b*; adloniant *g*; golygfa *b*

un **espectador** *m*	gwyliwr *g*
una **espectadora** *f*	gwylwraig *b*
los **espectadores** *m pl*	torf *b*; gwylwyr *ll*
un **espejo** *m*	drych *g*; gwydr *g*
la **espeleología** *f*	ogofa *g*
una **esperanza** *f*	gobaith *g*
esperar *v*[A1]	aros; disgwyl; gobeithio
espere un momento	aros/arhoswch funud
espeso *adj*	trwchus
un / una **espía** *m / f*	ysbïwr / ysbïwraig *g/b*
las **espinacas** *f pl*	sbinaits *g*
una **espinilla** *f*	ploryn *g*
el **espionaje** *m*	ysbïo *g*
un **espíritu** *m*	ysbryd *g*; meddwl *g*
espléndido *adj*	godidog; ysblennydd
un **esplendor** *m*	ysblander *g*; gogoniant *g*
el **espliego** *m*	lafant *g*
una **esponja** *f*	sbwng *g*
una **esposa** *f*	gwraig *b*
un **esposo** *m*	gŵr *g*
los esposos m pl	pâr *g* priod; gŵr a gwraig
esprintar *v*[A1]	gwibio
una **espuma** *f*	ewyn *g*
un **esqueleto** *m*	sgerbwd *g*
un **esquema** *m*	cynllun *g*; braslun *g*; diagram *g*;
el **esquí** *m*	sgio *g*
hacer v[C14] *esquí*	sgio
el esquí náutico	sgio dŵr
esquiar *v*[C11]	sgio
esquilar *v*[A1]	cneifio
una **esquina** *f*	cornel *g/b*
esta	y(r) ... hon; y(r) ... hwn; y(r) ... yma
esta mañana	y bore 'ma
esta noche	heno
esta tarde	y prynhawn yma; heno
ésta	hon; hwn
está	mae; yw; ydy
no está	mae e(f)o allan
usted está	rydych chi
estaba	roeddwn i; roedd e / fo / hi; roeddech chi
yo estaba	roeddwn i
estable *adj*	sefydlog

	Español	Cymraeg
	establecer *v*[C5]	sefydlu
	establecerse v[C5D]	ymgartrefu
	establecido *adj*	sefydlog; wedi ei sefydlu
una	**estaca** *f*	post(yn) *g*
una	**estación** *f*	gorsaf *b*
una	*estación de autobuses*	gorsaf fysiau
una	*estación de esquí*	canolfan *b* sgïo
una	*estación de metro*	gorsaf drenau tanddaearol
una	*estación de servicio*	gorsaf betrol
una	*estación espacial*	gorsaf ofod
	estacionar *v*[A1]	parcio
un	**estadio** *m*	stadiwm *b*
un	**estado** *m*	cyflwr *g*; gwladwriaeth *b*
los	*Estados Unidos* m pl	Yr Unol Daleithiau *ll*
	estafar *v*[A1]	twyllo
(vosotros/vosotras)	**estáis**	rydych chi
	estallar *v*[A1]	ffrwydro
(nosotros/nosotras)	**estamos**	rydyn ni
	estamos a dos de mayo	y dyddiad heddiw yw'r ail o Fai
	estampar *v*[A1]	stampio
(ellos/ellas)	**están**	maen nhw
(ustedes)	**están**	rydych chi
una	**estancia** *f*	arhosiad *g*; [AmL] fferm *b*
un	**estanco** *m*	siop *b* faco
un	**estándar** *m*	safon *b*
un	**estanque** *m*	pwll *g*
un	**estante** *m*	silff *b*
una	**estantería** *f*	silffoedd *ll*; cwpwrdd *g* llyfrau
	estar *v*[C10]	bod
	estar bien	bod yn iawn
	estar de acuerdo	cytuno
	estar de pie	sefyll
	estar mal	bod yn wael
	estar sentado	bod yn eistedd / ar ei eistedd
	estas	y(r) ... hyn; y(r) ... yma
	éstas	y rhain
(tú)	**estás**	rwyt ti
una	**estatua** *f*	cerflun *g*; cerfddelw *b*
la	**estatura** *f*	taldra *g*
	este	y(r) ... hwn; y(r) ... hon; y(r) ... yma
	éste	hwn; hon
	estéril *adj*	diffrwyth; anffrwythlon
	esterilizado *adj*	wedi ei ddi-heintio

el **estiércol** *m*	tom *b*; tail *g*
un **estilo** *m*	dull *g*; arddull *g/b*; steil *g*
estimado *adj*	annwyl
estimado señor	annwyl syr
estimada señora	annwyl fadam
esto	hwn; hon; hyn
un **estofado** *m*	stiw *g*
un **estómago** *m*	stumog *b*; bol(a) *g*
estornudar v^{A1}	tisian
estos	y(r) ... hyn; y(r) ... yma
éstos	y rhain
(yo) **estoy**	rydw i
estrechar(se) $v^{A1(D)}$ la mano	ysgwyd llaw
estrecho *adj*	tynn; cul
un estrecho m	culfor *g*
una **estrella** *f*	seren *b*
un **estremecimiento** *m*	cryndod *g*
un **estribillo** *m*	cytgan *g/b*
perder v^{B3} los **estribos**	colli tymer; gwylltio
estricto *adj*	llym
una **estrofa** *f*	pennill *g*
estropear v^{A1}	difetha; andwyo; niweidio
un **estuche** *m*	cas *g*; casyn *g*
un estuche para lápices	cas pensiliau
un / una **estudiante** *m / f*	myfyriwr *g* / myfyrwraig *b*
estudiar v^{A1}	astudio
un **estudio** *m*	astudiaeth *b*; stiwdio *b*; stydi *b*
estupendo *adj*	gwych; bendigedig; ardderchog; ffantastig; grêt
estúpido *adj*	twp; hurt; dwl; ffôl; gwirion
(yo) **estuve**	roeddwn i
eterno *adj*	tragwyddol
una **etiqueta** *f*	label *g*; sticer *g*
un **eurocheque** *m*	ewrosiec *b*
Europa *f*	Ewrop *b*
europeo *adj*	Ewropeaidd
un **euro** *m*	ewro *g*
a x euros	x ewro yr un
Euskadi *f*	Gwlad *b* y Basg
euskaldún *adj*	Basgeg; Basgaidd; yn siarad Basgeg
un euskaldún / una euskalduna m / f	siaradwr *g* / siaradwraig *b* Basgeg
euskera *m*	Basgeg; yr iaith Fasgeg

evadir v^{A3}	osgoi
evadirse v^{A3D}	dianc
evaluar v^{C6}	asesu; pwyso a mesur
una **evasión** *f*	dihangfa *b*
evidente *adj*	amlwg
evitar v^{A1}	osgoi; arbed
ex-	cyn-
exactamente	yn hollol; yn union; i'r dim
exacto *adj*	iawn; union; cywir
exagerar v^{A1}	gor-ddweud; gorliwio; gorwneud
un **examen** *m*	arholiad *g*; prawf *g*
examinar v^{A1}	archwilio; arholi
excepcional *adj*	hynod; anghyffredin
excepto	ar wahân i; heblaw (am); ond; ac eithrio
una **excitación** *f*	cyffro *g*; cynnwrf *g*
excitado *adj*	cynhyrfus; wedi ei gyffroi / chyffroi; wedi ei gynhyrfu / chynhyrfu
excitante *adj*	gwefreiddiol; cynhyrfus; cyffrous
excitar(se) $v^{A1(D)}$	cynhyrfu; cyffroi
exclusivo *adj*	dethol
los **excrementos** *m pl*	tom *b*; cachu *g*; tail *g*
una **excursión** *f*	gwibdaith *b*; trip *g*; tro *g*; crwydr *g*
hacer v^{C14} *una excursión*	mynd ar wibdaith; mynd ar drip; mynd am dro
una excursión a pie	taith *b* gerdded; tro
una excursión en bicicleta	tro / taith / trip ar gefn beic
una excursión en poney	taith *b* ferlota
un / una **excursionista** *m / f*	cerddwr *g* / cerddwraig *b*; gwibdeithiwr *g* / gwibdeithwraig *b*
excusar v^{A1}	esgusodi
existir v^{A3}	bod; bodoli
un **éxito** *m*	llwyddiant *g*
tener v^{C24} *éxito*	llwyddo
exitoso *adj*	llwyddiannus
un **expediente** *m*	ffeil *b*
un **expendio** *m* [AmL]	siop *b* fach
una **experiencia** *f*	profiad *g*
una experiencia laboral	profiad gwaith
un **experimento** *m*	arbrawf *g*
explicar v^{A1}	egluro; esbonio
un **explorador** *m*	fforiwr *g*; sgowt *g* [gwrywaidd]
una **exploradora** *f*	fforwraig *b*; sgowt *g* [benywaidd]

una **explosión** *f*	ffwydriad *g*
explosionar v^{A1}	ffrwydro
explotar v^{A1}	ffrwydro; ecsploetio
exponer v^{C18}	arddangos; gosod allan
una **exposición** *f*	arddangosfa *b*
expresar v^{A1}	mynegi
una **expresión** *f*	mynegiant *g*
expuesto a *adj*	agored i [yr elfennau, peryglon ayyb]; peryglus
expuesto al viento	gwyntog [lle]
extender v^{B3}	taenu; lledaenu
extendido *adj*	wedi ymestyn; cyffredin; eang
una **extensión** *f*	hyd *g*; hyd a lled
un **exterior** *m*	tu *g* allan
extrañar v^{A1}	colli; gweld eisiau; synnu; rhyfeddu
extrañarse v^{D}	synnu; rhyfeddu
extranjero *adj*	estron(ol); tramor
al extranjero	i wlad dramor
en el extranjero	(mewn gwlad) dramor
extraño *adj*	od; rhyfedd; dieithr
extraordinariamente	yn hynod o; yn rhyfeddol o
extraordinario *adj*	hynod; anghyffredin; rhyfeddol
extraviarse v^{D}	mynd ar goll
extremo *adj*	eithafol
un extremo m	pen *g*; pen eithaf
extrovertido *adj*	allblyg

la **fabada** *f*	math o stiw
una **fábrica** *f*	ffatri *b*; gweithle *g*
la **fabricación** *f*	gwneuthuriad *g*
un / una **fabricante** *m* / *f*	gwneuthurydd *g*
fabricar *v*[A1]	cynhyrchu; gwneud; llunio
fabuloso *adj*	gwych; bendigedig; ardderchog; ffantastig; grêt
una **fachada** *f*	(tu) blaen; ffasâd *g*
fácil *adj*	hawdd; rhwydd
fácilmente	yn hawdd; yn rhwydd
una **falda** *f*	sgert *b*
fallar *v*[A1]	methu
Fallas *f pl*	gŵyl (fiesta) fawr Valencia
fallecer *v*[C5]	marw
fallecido *adj*	wedi marw
falso *adj*	anghywir; ffug; ffals
una **falta** *f*	prinder *g*; diffyg *g*; gwall *g*; camgymeriad *g*
hace falta	mae eisiau; mae angen; mae rhaid
falta(n) ...	mae prinder ...; does dim ....; does dim digon o...
hacer v[C14] *falta*	bod eisiau; bod angen
hacer v[C14] *una falta*	gwneud camgymeriad
faltar v[A1]	bod yn eisiau; bod yn brin; bod yn fyr o...
me falta dinero	rydw i'n brin o arian
me faltan dos libras	rydw i 2 bunt yn brin
faltar a	methu; colli; sarhau
una **familia** *f*	teulu *g*; tylwyth *g*
familiar *adj*	cyfarwydd; teuluol
famoso *adj*	enwog; adnabyddus
ser *v*[C23] un **fanático** de	dwlu ar; gwirioni ar
un **fandango** *m*	math o gerddoriaeth neu ddawns
una **fanta** *f* de naranja	pop *g* oren
un **fantasma** *m*	ysbryd *g*; drychiolaeth *b*
fantástico *adj*	gwych; bendigedig; ardderchog; ffantastig; grêt
una **farmacia** *f*	fferyllfa *b*; siop *b* fferyllydd
un **faro** *m*	golau *g* blaen [car, ayyb]; goleudy *g*
fastidiar *v*[A1]	blino; poeni; poenydio
un **fastidio** *m*	niwsans *g*; poen *g*/*b*; poendod *g*
fastidioso *adj*	trafferthus; blinderus
fatal *adj*	marwol; drwg; ofnadwy

una **fauna** *f*	anifeiliaid *g* gwyllt
un **favor** *m*	cymwynas *b*; ffafr *b*
por favor	os gwelwch yn dda; os gweli di'n dda
favorito *adj*	hoff
un favorito / *una favorita* m / f	ffefryn *g*
un **fax** *m*	ffacs *g*
febrero *m*	Chwefror *g*
febril *adj*	â gwres arno / arni
una **fecha** *f*	dyddiad *g*
¿qué fecha es?	beth yw / ydy'r dyddiad?
una fecha de nacimiento	dyddiad geni
¡**Felices** Navidades!	Nadolig Llawen!
¡**Felices** Pascuas!	Nadolig Llawen!
la **felicidad** *f*	hapusrwydd *g*
¡**felicidades**!	Llongyfarchiadau!
felicitaciones *f pl*	llongyfarchiadau
felicitar v^{AI}	llongyfarch
feliz *adj*	hapus
¡feliz año nuevo!	Blwyddyn Newydd Dda!
¡Feliz año!	Blwyddyn Newydd Dda!
feliz cumpleaños	Penblwydd Hapus
¡Feliz Navidad!	Nadolig Llawen
feo *adj*	salw; hyll
una **feria** *f*	ffair *b*; gŵyl *b*
un día **feriado** *m*	dydd *b* gŵyl (y banc)
feroz *adj*	ffyrnig
una **ferretería** *f*	siop *b* nwyddau haearn
un **ferrocarril** *m*	rheilffordd *b*
festejar v^{AI}	dathlu
un día **festivo** *m*	dydd *b* gŵyl (y banc)
las **fiambres** *f pl*	cig *g* oer
fiarse v^{CIID} de	ymddiried yn
una **ficha** *f*	ffeil *g*; darn *g* chwarae [gêm fwrdd]
una ficha de dómino	darn domino
los **fideos** *m pl*	nwdlau *ll*; pasta
una **fiebre** *f*	twymyn *b*; gwres *g*
tener v^{C24} *fiebre*	bod â gwres
fiel *adj*	ffyddlon
el **fieltro** *m*	ffelt *g*
el **fierro** *m* [AmL]	haearn *g*
una **fiesta** *f*	gŵyl *b*; parti *g*
un día m *de fiesta*	dydd *b* gŵyl (y banc)

¡Felices fiestas!	Nadolig Llawen!
figurarse v^{D}	dychmygu
fijarse v^{D} (en)	sylwi (ar)
fijo *adj*	sefydlog; diysgog; cadarn
una **fila** *f*	llinell *b*; rhes *b*; rheng *b*
la **filatelia** *f*	casglu *g* stampiau
un **filete** *m*	stecen *b*
un **film** *m*	ffilm *b*
un **filme** *m*	ffilm *b*
un **filo** *m*	min *g*; llafn *g*
un **fin** *m*	diwedd *g*
por fin	o'r diwedd; yn y diwedd
al fin de...	ar ddiwedd ...
a fin de cuentas	yn y diwedd; yn y pen draw
un fin de semana	penwythnos *g*
al fin y al cabo	wedi'r cwbl
final *adj*	olaf; terfynol; pendant
un final m	diwedd *g*; diweddglo *g*; rownd *b* olaf
al final de ...	ar ddiwedd ...
una **finalidad** *f*	nod *g/b*
finalmente	yn y diwedd
una **finca** *f*	stad *b*
a **fines** de...	ar diwedd ...
fingir v^{C12}	esgus; cymryd ar
fino *adj*	main; tenau; cynnil; cwrtais
una **firma** *f*	cwmni *g*; busnes *g*; llofnod *g*
firmar v^{A1}	arwyddo; llofnodi
la **física** *f*	ffiseg *b*
físico *adj*	corfforol
flamante *adj*	newydd sbon
el **flamenco** *m*	fflamenco [cerddoriaeth a dawns]
un **flan** *m*	crème caramel [pwdin]
una **flauta** *f*	ffliwt *b*
una flauta dulce	recorder *g*
una **flecha** *f*	saeth *b*
flojo *adj*	gwan; llac; llesg; llipa; gwael; [AmL] diog; dioglyd
una **flor** *f*	blodyn *g*
un **florero** *m*	ffiol *b*; pot *g* blodyn
una **floristería** *f*	siop *b* flodau
un **flotador** *m*	fflôt *g*
flotar v^{A1}	arnofio
fluorescente *adj*	fflworoleuol

una **foca** *f*	morlo *g*
folklórico *adj*	gwerinol; gwerin
un **folleto** *m*	llyfryn *g*; pamffled *g*
un **follón** *m*	cynnwrf *g*; cyffro *g*; stŵr *g*
fomentar *v*[A1]	datblygu; hyrwyddo; rhoi hwb i
un **fondo** *m*	gwaelod *g*; bôn *g*; cefn *g*
en el fondo	yn y gwaelod; yn y bôn; yn y cefn
al fondo de ...	ar waelod ...
un **fono** *m* [AmL]	(rhif) ffôn *g*
el **footing** *m*	loncian *g*; jogio *g*
una **forastera** *f*	merch *b* ddieithr
un **forastero** *m*	dieithryn *g*
una **forma** *f*	ffordd *b*; siâp *g*; ffurf *b*; modd *g*
de todas formas	fodd bynnag; beth bynnag; ta waeth; sut bynnag; ta beth
en forma	ffit
en plena forma	ffit iawn
en forma de ...	yn siâp...; yn ffurf ...
una **formación** *f*	hyfforddiant *g*
formar *v*[A1]	ffurfio; hyfforddi
un **formulario** *m*	ffurflen *b*
un **forofo** / una **forofa** *m* / *f*	cefnogwr *g* / cefnogwraig *b*; ffan *g*/*b*
una **fortaleza** *f*	caer *b*; cryfder *g*
forzar *v*[B1] a	gorfodi i; treisio
un **fósforo** *m* [AmL]	matsien *b*
una **foto** *f*	llun *g*; ffotograff *g*
hacer v[C14] *una foto*	tynnu llun
hacer v[C14] *fotos*	tynnu lluniau
una **fotógrafa** *f*	ffotograffydd *g* [benywaidd]
una **fotografía** *f*	ffotograff *g*
fotografiar *v*[A1]	tynnu llun(iau)
un **fotógrafo** *m*	ffotograffydd *g* [gwrywaidd]
una **fotonovela** *f*	stori *b* ddarluniau; stori *b* mewn darluniau
un **foulard** *m*	sgarff *b*
fracasar *v*[A1]	methu
un **fracaso** *m*	methiant *g*
frágil *adj*	bregus; brau
una **frambuesa** *f*	afanen *b*; mafonen *b*
francamente	yn wir; yn wirioneddol; a bod yn onest
francés *adj*	Ffrangeg; Ffrengig
un francés m	Ffrancwr *g*
una francesa f	Ffrances *b*

Francia *f*	Ffrainc *b*
franco *adj*	gonest
la **franela** *f*	gwlanen *b*
una **frase** *f*	brawddeg *b*
un **frasquito** *m*	ffiol *b*
la **fraternidad** *f*	brawdgawrch *g*; brawdoliaeth *b*
una **frazada** *b* [AmL]	blanced *g*
la **frecuencia** *f*	amlder
¿Con qué frecuencia?	Pa mor aml?
frecuente *adj*	aml; mynych; cyffredin
poco frecuente	anaml; anghyffredin
frecuentemente	yn aml
un **fregadero** *m*	sinc *b*
fregar v^{B2} los platos	golchi'r llestri
frenar v^{A1}	brecio
un **freno** *m*	brêc *g*
la **frente** *f*	talcen *b*
frente a	yn wynebu
una **fresa** *f*	mefusen *b*
fresco *adj*	ffres
un **frigorífico** *m*	oergell *b*
un **frijol** *m*	ffeuen *b*
frío *adj*	oer
hace frío	mae'n oer
tener v^{C24} *frío*	bod yn oer
tengo frío	rydw i'n oer
frito	wedi'i ffrio
una **frontera** *f*	ffin *b*
una **fruta** *f*	ffrwyth *g*
una **frutería** *f*	siop *b* ffrwythau
un **fruto** *m*	ffrwyth *g*
un **fuego** *m*	tân *g*
prender v^{A2} *fuego*	mynd ar dân
los fuegos artificiales	tân gwyllt
cocer v^{C2} *a fuego lento*	mudferwi
hervir v^{B7} *a fuego lento*	mudferwi
una **fuente** *f*	ffynnon *b*; bowlen *b*
fuera	allan; tu allan; i ffwrdd
fuera de servicio	dim yn gweithio [peiriant]
fuerte *adj*	cryf; uchel [sŵn]; llachar
un **fuerte** *m*	caer *b*
fuertemente	yn gryf; yn uchel
la **fuerza** *f*	cryfder *g*; nerth *g*

una **fuga** *f*	dihangfa *b*
fugarse v^{D}	rhedeg i ffwrdd; dianc
(yo) **fui**	fe es i; euthum
(no) **fumador**	(ddim yn) ysmygu (trên ayyb)
un **fumador** *m*	ysmygwr *g*; smociwr *g*
una **fumadora** *f*	ysmygwraig *b*; smocwraig *b*
fumar v^{AI}	ysmygu; smocio
una **función** *f*	perfformiad *g*; sesiwn *g/b*; sioe *b*
funcionar v^{AI}	gweithio [peiriant]
una **funcionaria** *f*	gwas *g* sifil [benywaidd]
un **funcionario** *m*	gwas *g* sifil [gwrywaidd]
una **funda** *f*	cas *g*
fundar v^{AI}	sefydlu
fundir(se) $^{A3(D)}$	toddi
un **funeral** *m*	angladd *g/b*; cynhebrwng *g*
un **funicular** *m*	rheilffordd *b* halio
una **furgoneta** *f*	fan *b*
furioso *adj*	cynddeiriog; ffyrnig; gwyllt
un **fusil** *m*	dryll *g*; gwn *g*
fusilar v^{AI}	saethu
el **fútbol** *m*	pêl-droed *b*
el fútbol sala	pêl-droed dan do
el futbolín m	pêl-droed bwrdd
un / una futbolista m / f	chwaraewr *g* / chwaraewraig *b* pêl-droed
futuro *adj*	dyfodol
un futuro m	dyfodol *g*

una **gabardina** *f*	côt (law) *b*
las **gafas** *f pl*	sbectol *b*
las gafas de sol	sbectol haul
una **galería** *f*	oriel *b*; arcêd *g/b*
una galería de arte	oriel gelf
Gales *m*	Cymru *b*
galés *adj*	Cymraeg; Cymreig
un galés m	Cymro *g*
una galesa f	Cymraes *b*
Galicia *f*	Galicia *b* (talaith yng ngogledd-orllewin Sbaen)
gallego *adj*	o Galicia
gallego m	iaith Galicia
una **galleta** *f*	bisgeden *b*; clatsien *b*
una **gallina** *f*	iâr *b*
tener v[C24] *carne de gallina*	bod yn groen gŵydd
un **gallinero** *m*	cwt *g* ieir
un **gallo** *m*	ceiliog *g*
galopar *v*[A1]	carlamu
una **gamba** *f*	corgimwch *g*
una **gamberra** *f*	hwligan *g*; fandal *g* [benywaidd]
un **gamberro** *m*	hwligan *g*; fandal *g* [gwrywaidd]
una **gana** *f*	chwant *g*; dymuniad *g*
tener v[C24] *ganas de*	dymuno; bod eisiau; ffansïo; bod yn awyddus i
un **ganador** *m*	enillydd *g* [gwrywaidd]
una **ganadora** *f*	enillydd *g* [benywaidd]
ganar *v*[A1]	ennill
ganarse v[D] *la vida*	ennill bywoliaeth
una **ganga** *f*	bargen *b*
un **garaje** *m*	garej *b*
un **garbanzo** *m*	gwygbysen *b*
una **garganta** *f*	gwddf *g*; gwddw *g*; llwnc *g*
una **garra** *f*	pawen *b*
un **gas** *m*	nwy *g*
sin gas	llonydd; fflat [diod]
la **gaseosa** *f*	pop *g*; lemwnêd *g*
gaseoso *adj*	pefriol
el **gasóleo** *m*	diesel *g*
la **gasolina** *f*	petrol *g*
una **gasolinera** *f*	gorsaf *b* betrol; garej *b* betrol
gastar *v*[A1]	gwario
los **gastos** *m pl*	gwariant *g*; treuliau *ll*; costau *ll*

una **gata** *f*	cath *b* fanw
un **gatito** *m*	cath *b* fach
un **gato** *m*	cath *b*
una **gaviota** *f*	gwylan *b*
gazpacho *m*	cawl *m* llysiau oer
una **gemela** *f*	gefeilles *b*
un **gemelo** *m*	gefell *g*
los **gemelos** *m pl*	ysbienddrych *g*
Géminis *m*	Gemini; cytser *g* y Gefeilliaid *ll*
general *adj*	cyffredin; cyffredinol
un general m	cadfridog *g*
en general	fel arfer; yn gyffredinol
Generalitat *f*	senedd Cataluña; senedd Valencia
generalmente	fel arfer; yn gyffredinol
un **género** *m*	math *g*; teip *g*
los **géneros** *m pl*	nwyddau *ll*
generoso *adj*	hael
la **genética** *f*	geneteg *b*
genial *adj*	gwych; bendigedig; ardderchog; ffantastig; grêt
un **genio** *m*	athrylith *b*; tymer *b*
la **gente** *f*	pobl *b*
buena gente	pobl hoffus / neis / ffein(d)
la **geografía** *f*	daearyddiaeth *b*
un **gerbo** *m*	jerbil *g*
un / una **gerente** *m / f*	rheolwr *g*; rheolwraig *b*
un **gesto** *m*	amnaid *g*; arwydd *g*
un / una **gigante** *m / f*	cawr *g*; cawres *b*
la **gimnasia** *f*	gymnasteg *b*
un **gimnasio** *m*	campfa *b*
girar *v*[A1]	troi
un **giro** postal *m*	archeb *b* bost
un **globo** *m*	balŵn *b*; glôb *g*
la **gloria** *f*	gogoniant *g*; clod *g*
glotón *adj*	barus; trachwantus
gobernar *v*[B2]	llywodraethu; llywio; rheoli
un **gobierno** *m*	llywodraeth *b*
un **gofre** *m*	waffl *b*
un **gol** *m*	gôl *b*
una **golondrina** *f*	gwennol *b*
una **golosina** *f*	losin *g*; da-da *g*; fferen *b*
goloso *adj*	barus; â dant melys
un **golpe** *m*	ergyd *g/b*

golpear *v*[A1]	taro; bwrw; curo
una **goma** *f*	rwber *g*; rhwbiwr *g*
gordo *adj*	tew; trwchus
el Gordo m	gwobr fawr loteri'r Nadolig [yn Sbaen]
un **gorila** *m*	gorila *g*
una **gorra** *f*	cap *g*
un **gozo** *m*	pleser *g*; mwynhad *g*
una **grabación** *f*	recordiad *g*
una **grabadora** *f*	recordydd *g* tâp
grabar *v*[A1]	recordio
gracias (a)	diolch (i)
dar v[C8] *las gracias a*	diolch i
¡gracias a Dios!	diolch byth!
gracioso *adj*	doniol; difyr; digrif; smala; ysmala
un **grado** *m*	gradd *b*; gris *g*
gradual *adj*	graddol
gradualmente	yn raddol
una **gráfica** *f*	graff *g*; diagram *g*
un **gráfico** *m*	graff *g*
una **gramática** *f*	gramadeg *b*
un **gramo** *m*	gram *g*
Gran Bretaña *f*	Prydain *b* Fawr
grande *adj*	mawr
me viene grande	mae'n rhy fawr i fi [dillad]
grandes almacenes *m pl*	siopau mawr, aml-adrannol
un **granero** *m*	ysgubor *b*
un **granizado** *m*	diod wedi rhewi
una **granja** *f*	fferm *b*
una **granjera** *f*	ffermwraig *b*
un **granjero** *m*	ffermwr *g*
un **grano** *m*	gronyn *g*; grawn *g*; had *g*; ploryn *g*
un **granuja** *m*	gwalch *g*; cnaf *g*; dihiryn *g*
una **grasa** *f*	braster *g*; saim *g*
grasiento *adj*	seimllyd; bras
gratis *adj* [byth yn newid]	am ddim
la **gratitud** *f*	gwerthfawrogiad *g*; diolchgarwch *g*
gratuito *adj*	am ddim
grave *adj*	difrifol
Grecia *f*	(Gwlad) Groeg *b*
griego *adj*	o Wlad Groeg; Groegaidd
un **grifo** *m*	tap *g*; [AmL] gorsaf *b* betrol
la **gripe** *f*	ffliw *g*
gris *adj*	llwyd; dwl [dydd, tywydd]

gritar *v*[AI]	gweiddi
las **grosellas negras** *f pl*	cyrens *ll* duon
las **grosellas rojas** *f pl*	cyrens *ll* cochion
grosero *adj*	anghwrtais; digywilydd
grueso *adj*	trwchus; tew
gruñón *adj*	grwgnachlyd; cwynfanllyd
un **grupo** *m*	grŵp *g*; band *g*; cylch *g*; parti *g*
un grupo escolar	grŵp ysgol
una **gruta** *f*	ogof *b*
el **Guadalquivir** *m*	afon yn ne Sbaen
un **guante** *m*	maneg *b*
un guante de boxeo	maneg focsio
guapo *adj*	golygus; pert
un **guardapolvo** *m*	oferôl *g/b*; troswisg *b*
guardar *v*[AI]	rhoi i gadw; cadw
un **guardarropa** *m*	ystafell *b* gotiau; cwpwrdd *g* dillad
una **guardería** *f*	cylch *g* meithrin
un / una **guardia** *m / f*	ceidwad *g*; plismon *g* / plismones *b*
un / una guardia civil m / f	plismon *g* / plismones *b*
la Guardia Civil	y Gwarchodlu Sifil
guarro *adj*	moch(ynn)aidd
guatemalteco *adj*	o Guatemala
guay *adj* [byth yn newid]	gwych; bendigedig; ardderchog; ffantastig; grêt
una **guerra** *f*	rhyfel *g/b*
un / una **guía** *m / f*	tywysydd *g*; arweinydd *g*
una **guía** *f*	teithlyfr *g*
una guía telefónica	llyfr *g* ffôn
una **guindilla** *f*	chili *g*
un **guisado** *m*	stiw *g*
los **guisantes** *m pl*	pys *ll*
los guisantes de olor	pys gleision
guisar *v*[AI]	coginio
una **guitarra** *f*	gitâr *g/b*
un **gusano** *m*	cynrhonyn *g*; mwydyn *g*; abwydyn *g*; pryf *g*
gustar *v*[AI]	plesio; bod yn ddeniadol i; hoffi; mwynhau
eso me gusta	rydw i'n hoffi hwnna
me gusta	rydw i'n ei ffansïo fe / hi; rydw i'n mwynhau ...
me gustaría	(fe / mi) hoffwn i
un **gusto** *m*	blas *g*; chwaeth *b*

una **haba** *f*	ffeuen *b*
la **Habana** *f*	Hafana [prifddinas Cuba]
una **habanera** *f*	math o gân
las **habas** *f pl*	ffa *ll*
haber *v*[C13]	bod wedi
había ...	roedd (yna) ...
había que ...	bu rhaid ...
una **habichuela** *f*	ffeuen *b*
las habichuelas	ffa *ll*
una **habitación** *f*	ystafell *b* [wely]; llofft *b*
un / una **habitante** *m* / *f*	trigolyn *g*
habitual *adj*	arferol
hablador *adj*	siaradus
hablar *v*[A1]	siarad; sgwrsio; ymgomio
hablar de	siarad am; sôn am; trafod
hace ...	... yn ôl [amser]
hace calor	mae'n dwym; mae'n boeth
hace frío	mae'n oer
hace mucho tiempo	ers talwm; sbel yn ôl; amser maith yn ôl
hace poco	yn ddiweddar
hace sol	mae'n heulog
me hace tilín	rydw i'n ei ffansïo (fe / hi)
hace tres años	dair blynedd yn ôl
hace viento	mae'n wyntog
hacer *v*[C14]	gwneud
hacer calceta	gwau; gweu
hacer camping	gwersylla
hacer caso	talu sylw
hacer daño a	brifo; dolurio; gwneud niwed / loes i
hacer el surf	syrffio
hacer el tonto	actio / chwarae'r ffŵl; bod yn wirion; bod yn dwp
hacer entrar	dod / mynd â .... mewn
hacer falta	bod angen
hacer fotos	tynnu lluniau
hacer las compras	siopa
hacer pasar	dod / mynd â .... mewn
hacer preguntas	gofyn cwestiynau
hacer punto	gwau; gweu
hacer retroceder	symud yn ôl / nôl
hacer odar	rholio
hacer tonterías	gwneud pethau twp; gwneud pethau dwl; gwneud pethau gwirion

hacer una foto	tynnu llun
hacer vela	hwylio
hacerse v[C14D]	mynd / dod yn
hacia	tua
hacia abajo	i fyny; lan
hacia atrás	tuag yn ôl; wysg y cefn
una **hacienda** *f*	stad *b*
haitiano *adj*	o Haiti
un **halcón** *m*	gwalch *g*
un **hall** *m*	cyntedd *g*
hallar *v*[A1]	dod o hyd i; cael hyd i; darganfod
hallarse *v*[D]	bod; bod wedi ei leoli
el **hambre** *f*	newyn *g*; chwant *g* bwyd
tener v[C24] *hambre*	bod eisiau bwyd
la **hambruna** *f*	newyn *b*
una **hamburguesa** *f*	hambyrgyr *g*
un **hámster** *m*	bochdew *g*; hamster *g*
una **harina** *f*	blawd *g*; fflŵr *g*
harto *adj*	wedi cael digon; wedi bwyta digon; wedi danto; wedi syrffedu
estoy harto	rydw i wedi cael digon; rydw i wedi cael llond bol(a); rydw i wedi danto
hasta	tan; nes bod; hyd at; hyd yn oed
hasta ahora	wela'i di/chi cyn hir; tan toc
hasta la vista	wela i di/chi!
hasta luego	hwyl; hwyl fawr; wela'i di/chi (cyn hir); ta-ta
hasta mañana	wela'i di/chi yfory
hasta que	nes
un **hastial** *m*	talcen *g* [tŷ]
hay	mae (yna)
hay algo mal	mae rhywbeth yn bod
hay algo que no está bien	mae rhywbeth yn bod
hay que	mae angen; mae rhaid
he (o **haber** *v*[C13])	rydw i wedi
he aquí ...	dyma ...
una **hebilla** *f*	bwcl *g*
una **hechicera** *f*	dewines *b*; gwrach *b*
un **hechicero** *m*	dewin *g*
hecho	wedi gwneud
de hecho	yn wir
hecho polvo	wedi ymlâdd; wedi blino'n lân
un **helado** *m*	hufen iâ *g*

una **heladera** *f* [AmL]	oergell *b*
helar(se) *v*[B2(D)]	rhewi
un **helicóptero** *m*	hofrennydd *g*
una **herida** *f*	briw *g*; clwyf *g*; anaf *g*
herido *adj*	wedi ei anafu; wedi ei glwyfo
una **hermana** *f*	chwaer *b*
hermanar *v*[A1]	gefeillio
una **hermanastra** *f*	llyschwaer *b*; hanner chwaer *b*
un **hermanastro** *m*	llysfrawd *g*; hanner brawd *g*
una **hermandad** *f*	brawdoliaeth *b*; brawdgarwch *g*
un **hermano** *m*	brawd *g*
hermoso *adj*	prydferth; hardd; cain; braf; hyfryd
un **héroe** *m*	arwr *g*
una **heroína** *f*	arwres *b*
las **herramientas** *f pl*	offer *ll*; cyfarpar *g*
un **hervidor** *m*	tegell *g*
hervir *v*[B7]	berwi
hervir a fuego lento	mudferwi
el **hielo** *m*	iâ *g*; rhew *g*
la **hierba** *f*	glaswellt *g*; porfa *b*; gwair *g*
una mala hierba	chwynnyn *g*
la **hierbabuena** *f*	mintys *g*
un **hierbajo** *m*	chwynnyn *g*
el **hierro** *m*	haearn *g*
una **hija** *f*	merch *b*
una hija única	unig ferch
un **hijo** *m*	mab *g*
un hijo único	unig fab
una **hilera** *f*	rhes *b*; llinell *b*; rheng *b*
un **hilo** *m*	edau *b*
hacer *v*[C14] **hincapié** en	pwysleisio; tanlinellu
un / una **hincha** *m / f*	ffan *g/b*; cefnogwr *g* / cefnogwraig *b*
una **hinchazón** *f*	chwydd *g*
hindú *adj*	Hindŵaidd; Indiaidd; o'r India
hipar *v*[A1]	igian
el **hipo** *m*	yr ig *b*
un **hipódromo** *m*	maes *g* rasio ceffylau
un **hipopótamo** *m*	hipopotamws *g*
hirviendo	yn berwi
el agua está hirviendo	mae'r dŵr yn berwi
Hispanoamérica *f*	America *b* Ladin
hispanoamericano *adj*	o America Ladin
una **historia** *f*	hanes *b*

histórico *adj*	hanesyddol
una **historieta** *f*	stribed *g* cartŵn
un **hobby** *m*	hobi *g*
un **hogar** *m*	aelwyd *g*; cartref *g*; lle *g* tân
una **hoja** *f*	deilen *b*; taflen *b*; tudalen *b*; darn *g* o bapur
una hoja de donaciones	ffurflen *b* noddi / nawdd
una hoja de pedido	ffurflen *b* archeb
la **hojalata** *f*	tun *g*
¡**hola**!	helo!; heia!; s'mâi!; shw 'mae!
holandés *adj*	Iseldiraidd / Iseldirol; o'r Iseldiroedd
holgado *adj*	llac
holgazanear *v*[AI]	diogi; sefyllian
un **hombre** *m*	dyn *g*; gŵr *g*
un hombre de negocios	dyn busnes; gŵr busnes
un **hombro** *m*	ysgwydd *b*
Honduras *f*	Hondwras
hondureño *adj*	o Hondwras
honrado *adj*	gonest
una **hora** *f*	awr *b*; amser *g*; apwyntiad *g*
ya es hora de…	mae'n (hen) bryd ...
¿Qué hora es?	faint o'r gloch yw / ydy hi?
una hora y media	awr a hanner
media hora	hanner awr
¡ya era hora!	Roedd hi'n hen bryd!
¿A qué hora?	Am faint o'r gloch?
cada x horas	bob x awr
las horas puntas	oriau *ll* brig
un **horario** *m*	amserlen *b*
una **horca** *f*	fforch *b*
la **horchata** (de chufas) *f*	diod wedi ei gwneud o gnau
horizontal *adj*	ar draws; llorwedd
una **hormiga** *f*	morgrugyn *g*
un **horno** *m*	ffwrn *b*; popty *g*; stof *b*
un **horóscopo** *m*	horosgop *g*
una **horquilla** *f*	fforch *b*; pin *g* gwallt; clip *g* gwallt
horrendo *adj*	ofnadwy; dychrynllyd
horrible *adj*	ofnadwy; dychrynllyd
un **horror** *m*	arswyd *g*
horroroso *adj*	ofnadwy; dychrynllyd
las **hortalizas** *f pl*	llysiau *ll*
hospedarse *v*[D]	aros; lletya
un **hospital** *m*	ysbyty *g*

un **hostal** *m*	hostel *b*
hostil *adj*	gwrthwynebol; gelyniaethus
un **hot dog** *m*	selsgi *g*
un **hotel** *m*	gwesty *g*
una **hotelera** *f*	gwestywraig *b*
un **hotelero** *m*	gwestywr *g*
hoy	heddiw
un **hoyo** *m*	twll *g*
hubo que	bu rhaid
una **hucha** *f*	cadw-mi-gei *g*
hueco *adj*	gwag
un hueco m	bwlch *g*
una **huelga** *f*	streic *g*
ponerse v[C18D] *en huelga*	mynd ar streic; streicio
una **huella** *f*	ôl *g* troed
un **huerto** *m*	gardd *b*
un **hueso** *m*	asgwrn *g*
un **huevo** *m*	ŵy *g*
una **huida** *f*	dihangfa *b*
huir *v*[C15]	ffoi; cilio; rhedeg i ffwrdd; dianc
humanitario *adj*	dyngarol
humano *adj*	dynol
húmedo *adj*	llaith; gwlyb
el **humo** *m*	mwg *g*
un **humor** *m*	tymer *b*; hwyl *b*; hiwmor *g*
de buen humor	mewn hwyliau da; mewn tymer dda
de mal humor	mewn hwyliau drwg; mewn tymer ddrwg; drwg ei hwyliau
húngaro *adj*	Hwngaraidd; o Hwngari
Hungría *f*	Hwngari *b*
huraño *adj*	swil; anghymdeithasol

iberoamericano *adj*	o America Ladin
de **ida**	unffordd; sengl [tocyn]
una **idea** *f*	syniad *g*
ideal *adj*	delfrydol
un carnet de **identidad** *m*	cerdyn *g* adnabyddiaeth
identificar v^{A1}	adnabod
un **idioma** *m*	iaith *b*
idiota *adj*	twp; dwl; ffôl; gwirion; hurt
un / una **idiota** *m / f*	twp(s)yn *g* / twp(s)en *b*; ffŵl *g*
una **iglesia** *f*	eglwys *b*
igual *adj*	cyfartal; yr un fath
da igual	(does) dim ots
me da igual	(does) dim ots gen i
igual que	(yn union) fel
la **igualdad** *f*	cydraddoldeb *g*
igualmente	yn gyfartal; a thi(thau); a chi(thau); hefyd; yn ogystal
la **iluminación** *f*	golau *g*
iluminar v^{A1}	goleuo
ilustrar v^{A1}	darlunio
una **imagen** *f*	llun *g*; delwedd *b*
imaginario *adj*	dychmygol
imaginarse v^{D}	dychmygu
imbécil *adj*	twp; dwl; ffôl; gwirion; hurt
un / una imbécil m / f	twp(s)yn *g* / twp(s)en *b*; ffŵl *g*
imitar v^{A1}	copïo; dynwared; efelychu
impactante *adj*	trawiadol; gafaelgar
impedir v^{B5}	rhwystro; atal; stopio
un **imperdible** *m*	pin *g* cau / dwbl
un **impermeable** *m*	côt / cot *b* law
la **importancia** *f*	pwysigrwydd *g*
importante *adj*	pwysig
importar v^{A1}	bod o bwys
no importa	(does) dim ots
no importa cuál...	(does) dim ots pa ...
no importa qué	(does) dim ots (pa) beth
no me importa un comino	(does) dim ots gen i
un **importe** *m*	cyfanswm *g*
imposible *adj*	amhosibl
una **impresión** *f*	argraff *b*
impresionante *adj*	trawiadol
impresionar v^{A1}	creu argraff; gwneud argraff ar
una **impresora** *f*	argraffydd *g* [peiriant]

imprimir *v*^{A3}	argraffu
un **impuesto** *m*	treth *b*
incendiarse *v*^{D}	mynd ar dân
un **incendio** *m*	tân *g*
un **incidente** *m*	digwyddiad *g*
inclinar(se) *v*$^{A1(D)}$	plygu; gwyro
incluido *adj*	wedi ei gynnwys; yn cynnwys
incluso	yn cynnwys
la **incomodidad** *f*	anghyfleuster *g*
incómodo *adj*	anghyffyrddus
la **inconveniencia** *f*	anghyfleuster *g*
inconveniente *adj*	anghyfleus
incorrecto *adj*	anghywir
increíble *adj*	anhygoel; anghredadwy
increíblemente	yn anhygoel (o); yn hynod o
independiente *adj*	annibynnol
India *f*	India *b*
indiano *adj*	o America
una **indicación** *f*	cliw *g*; arwydd *g*/*b*; awgrym *g*; amnaid *g*
una indicación con la cabeza	amnaid *g*
indicar *v*^{A1}	dangos; dynodi; arwyddo; awgrymu; amneidio
un **indicio** *m*	arwydd *g*; cliw *g*; awgrym *g*
indio *adj*	Indiaidd; o India
un / una **indio / india** *m / f*	Indiad *g*; brodor o America
individual *adj*	sengl [gwely, ystafell]
una **industria** *f*	diwydiant *g*
inesperado *adj*	annisgwyl; sydyn
una **infancia** *f*	plentynod *g*
una **infanta** *f*	tywysoges *b*
un **infante** *m*	tywysog *g*
la **infelicidad** *f*	anhapusrwydd *g*
infeliz *adj*	anhapus
inferior *adj*	israddol; is; gwael
infiel *adj*	anffyddlon
un **infierno** *m*	uffern *b*
una **influencia** *f*	dylanwad *g*
influir *v*^{C15} en	dylanwadu ar
la **información** *f*	hysbysrwydd *b*; gwybodaeth *b*
informar *v*^{A1}	hysbysu; rhoi gwybod
la **informática** *f*	astudiaethau cyfrifiadurol; rhaglennydd *g*

un **informático** *m*	rhaglennydd *g*
los **informativos** *m pl*	newyddion *ll*
un **informe** *m*	adroddiad *g*
una **infusión** *f*	te *g* [perlysiau]
una **ingeniera** *f*	peiriannydd *g* [benywaidd]
un **ingeniero** *m*	peiriannydd *g* [gwrywaidd]
Inglaterra *f*	Lloegr *b*
inglés *adj*	Saesneg; Seisnig
un **inglés** *m*	Sais *g*
una **inglesa** *f*	Saesnes *b*
los **ingredientes** *m pl*	cynhwysion *ll*; [AmL] byrbrydau *ll*
ingresar v^{A1} en	ymuno â; mynd i mewn i
una **injusticia** *f*	cam *g*; annhegwch *g*; anghyfiawnder *g*
inmediatamente	ar unwaith; yn syth
inmenso *adj*	enfawr; anferth
inmóvil *adj*	llonydd
la **inmovilidad** *f*	llonyddwch *g*
inoportuno *adj*	anghyfleus
inquietarse v^{D}	poeni; gofidio; pryderu; becso
inquieto *adj*	gofidus; pryderus; aflonydd; anesmwyth
inscribir(se) $v^{A3(D)}$	cofrestru
una **inscripción** *f*	cofrestriad *g*
un **insecto** *m*	pryf *g*; trychfil *g*
una **insignia** *f*	bathodyn *g*
insípido *adj*	di-flas; di-gymeriad
insolente *adj*	anghwrtais; digywilydd
insomne *adj*	yn methu cysgu; di-gwsg
insoportable *adj*	annioddefol
inspeccionar v^{A1}	arolygu; archwilio
un **inspector** *m*	arolygwr *g*; archwiliwr *g*
una **inspectora** *f*	arolygwraig *b*; archwilwraig *b*
inspirar v^{A1}	symbylu; ysbrydoli
instalarse v^{D}	ymgartrefu
un **instante** *m*	eiliad *g/b*; moment *b*
instintivamente	yn reddfol
instintivo *adj*	greddfol
un **instituto** *m*	ysgol *b* (uwchradd); sefydliad *g*
una **instrucción** *f*	cyfarwyddyd *g*; hyfforddiant *g*
un **instrumento** *m*	offeryn *g*
integral *adj*	llwyr; cyflawn; annatod
intelectual *adj*	ymenyddol; deallusol
inteligente *adj*	deallus; clyfar; galluog

una **intención** *f*	bwriad *g*
tener v^{C24} *la intención*	bwriadu; meddwl; golygu
intentar *v*^{A1}	ceisio; trio
un **intercambio** *m*	cyfnewid *g*; taith *b* gyfnewid
hacer v^{C14} *un intercambio*	mynd ar daith gyfnewid
un **interés** *m*	diddordeb *g*
interesante *adj*	diddorol
interesar *v*^{A1}	diddori
interesarse v^{D} *(por)*	ymddiddori (yn, mewn)
un **interior** *m*	tu *g* mewn
en el interior de	tu mewn i
un **intermedio** *m*	egwyl *b*
una **interna** *f*	disgybl *g* preswyl [benywaidd]
un **internado** *m*	ysgol *b* breswyl
el **internet** *m*	rhyngrwyd *b*
un **interno** *m*	disgybl *g* preswyl [gwrywaidd]
una **interpretación** *f*	dehongliad *g*; perfformiad *g*
interpretar *v*^{A1}	dehongli; perfformio
un / una **intérprete** *m / f*	cyfieithydd ar y pryd *g*; lladmerydd *g*; dehonglydd *g*; perfformiwr *g*; perfformwraig *b*
un **interrogatorio** *m*	holiad *g*
interurbano *adj*	rhyng-drefol [trên ayyb]
un **intervalo** *m*	cyfnod *g*; bwlch *g*
un intervalo soleado	cyfnod heulog
una **intervención** (quirúrgica) *f*	llawdriniaeth *b*
el **inti** *m*	arian Peru
íntimo *adj*	clòs; agos
intolerable *adj*	annioddefol
intranquilo *adj*	aflonydd; anesmwyth
intrépido *adj*	mentrus; beiddgar; anturus
introducir *v*^{C4}	cyflwyno; dod â ... i mewn
inútil *adj*	anobeithiol; da i ddim; diffaith
una **investigación** *f*	ymchwiliad *g*
las investigaciones	ymchwil *g*
un **invierno** *m*	gaeaf *g*
en invierno	yn y gaeaf
una **invitación** *f*	gwahoddiad *g*
una tarjeta de invitación	cerdyn *g* gwahoddiad
una **invitada** *f*	gwestai *g* [benywaidd]
invitado *adj*	wedi ei (g)wahodd
un **invitado** *m*	gwestai *g* [gwrywaidd]
invitar *v*^{A1}	gwahodd

una **inyección** *f*	pigiad *g*
inyectar *v*[A1]	chwistrellu; rhoi pigiad i
ir *v*[C16]	mynd
ir de acampada	gwersylla
ir de camping	gwersylla
ir de compras	mynd i siopa
ir de copas	mynd am ddiod
ir de paseo	mynd am dro
ir de tiendas	mynd i siopa
ir de vacaciones	mynd ar wyliau
ir hacia atrás	mynd wysg y cefn
ir hacia delante	mynd ymlaen
Irlanda *f*	Iwerddon *b*
Irlanda del Norte	Gogledd *g* Iwerddon
irlandés *adj*	Gwyddeleg; Gwyddelig
un irlandés m	Gwyddel *g*
una irlandesa f	Gwyddeles *b*
irritante *adj*	blin; poenus; annifyr
irritar *v*[A1]	poeni
irse *v*[C16D]	mynd (i ffwrdd); ymadael
una **isla** *f*	ynys *b*
las Islas f pl *Baleares*	Ynysoedd *ll* y Balearig
Italia *f*	Yr Eidal *b*
italiano *adj*	Eidaleg; Eidalaidd
i.v.a.	TAW; Treth ar Werth
la **izquierda** f	y (llaw) chwith *b*
izquierdo *adj*	chwith

un **jabalí** *m*	twrch *g*
una **jabalina** *f*	gwaywffon *b*
un **jabón** *m*	sebon *g*
jalar v^{A1} [AmL]	tynnu
Jamaica *f*	Jamaica *b*
jamaicano *adj*	o Jamaica
jamás	byth; erioed
un **jamón** *m*	ham *g*
un jamón cocido	ham wedi ei ferwi
un jamón serrano	ham Parma
un jamón (de) York	ham wedi ei ferwi
Japón *m*	Japan *b*
japonés *adj*	Japaneaidd; o Japan
una **jaqueca** *f*	pen *g* tost; cur *g* pen
un **jardín** *m*	gardd *b*
trabajar v^{A1} *en el jardín*	garddio
un jardín de niños [AmL]	ysgol *b* feithrin
un jardín infantil [AmL]	ysgol *b* feithrin
un jardín zoológico	sŵ *g*
la **jardinería** *f*	garddio *g*
una **jarra** *f*	jwg *g*; gwydryn *g* mawr
un **jarro** *m*	jwg *g*
un **jarrón** *m*	pot *b* blodau; cawg *g*
una **jaula** *f*	cawell *g*
una **jefa** *f*	pennaeth *g*; arweinydd *g*; bos *g* [benywaidd]
un **jefe** *m*	pennaeth *g*; arweinydd *g*; bos *g* [gwrywaidd]
un **jerbo** *m*	jerbil *g*
un **jerez** *m*	sieri *g*
una **jeringa** *f*	chwistrell *b*
una **jeringuilla** *f*	chwistrell *b*
un **jersey** *m*	siwmper *b*
un **jinete** *m*	marchog *g*
una **jirafa** *f*	jiraff *g*
el **jogging** *m*	loncian *g*; jogio *g*
¡jolín!	dar(i)o!
¡jolines!	dar(i)o!
una **jornada** *f*	diwrnod *g*
media jornada	hanner diwrnod
una **jornalera** *f*	gweithwraig
un **jornalero** *m*	gweithiwr *g*; gwas *g* fferm
una **joroba** *f*	crwbi *g*
jorobado *adj*	â chrwbi
joven *adj*	ifanc; ieuanc

los **jóvenes** *m pl*	pobl *b* ifanc
una **joyería** *f*	siop *b* emau
una **judía** *f*	ffeuen *b*; Iddewes *b*
las judías f pl	ffa *ll*; Iddewesau *ll*
las judías verdes	ffa Ffrengig
judío *adj*	Iddewig
un judío m	Iddew
el **judo** *m*	jiwdo *g*
un **juego** *g*	gêm *b*
un juego de tablero	gêm fwrdd
los Juegos Olímpicos	y Gêmau Olympaidd
jueves *m*	dydd *g* Iau
un **jugador** *m*	chwaraewr *g*
un jugador de baloncesto	chwaraewr pêl-fasged
una **jugadora** *f*	chwaraewraig *b*
una jugadora de baloncesto	chwaraewraig pêl-fasged
jugar *v*[B1] (a)	chwarae
jugar al ajedrez	chwarae gwyddbwyll
jugar al boliche	bowlio
un **jugo** *m*	sudd *g*
un jugo de fruta	sudd ffrwythau
un jugo de naranja	sudd oren
un jugo de piña	sudd pîn afal
un jugo de tomate	sudd tomato
un **juguete** *m*	tegan *g*
un juguete de peluche	tegan meddal
el **juicio** *m*	barn *b*
a mi juicio	yn fy marn i
julio *m*	Gorffennaf *g*
junio *m*	Mehefin *g*
una **junta** *f*	bwrdd *g* [gweinyddol]; cyngor *g*; cynulliad *g*
junta *f*	gyda'i gilydd
juntas adj f pl	gyda'i [ayyb] gilydd
junto m	gyda'i gilydd
junto a	wrth ochr; yn ymyl; wrth; ger
juntos adj m pl	gyda'i [ayyb] gilydd
un **jurado** *m*	rheithgor *g*
justo *m*	iawn; cywir; cyfiawn; tynn
justo a tiempo	mewn union bryd
juvenil *adj*	ifanc; ieuanc; ieuenctid
la **juventud**	ieuenctid *g*
un **juzgado** *m*	llys *g*
juzgar *v*[A1]	barnu

K

el **kárate** *m*	karate *m*
un **kas** de naranja *m*	pop *m* oren
un **kilo** *m*	cilo *g*
un **kilómetro** *m*	cilometr *g*
a… kilómetros	x cilometr i ffwrdd
a x kilómetros por hora	x cilometr yr awr
un **kiosco** *m*	ciosg *g*

L

la	y / yr (o flaen enw benywaidd); hi / ef, fe, fo, e, o
la cual	yr hon; yr hwn
la que	yr hon; yr hwn
un **labio** *m*	gwefus *b*; min *g*
la **labor** *f* de punto	gwau *g*; gweu *g*
un **laboratorio** *m*	labordy *g*
un laboratorio de idiomas	labordy iaith
un **lado** *m*	ochr *b*; tu *g*
a un lado	o'r neilltu; ar un ochr
al lado de	wrth; wrth ochr; wrth ymyl; ar bwys; nesa at; drws nesaf i
de al lado	nesaf; drws nesaf
por otro lado	ar y llaw arall
un **ladrón** *m*	lleidr *g*
una **ladrona** *f*	lladrones *b*
un **lago** m	llyn *g*
lamentable *adj*	truenus
lamentar *v*[A1]	edifarhau; bod yn flin gan; bod yn arw gan
lamer *v*[A2]	llyfu
una **lámpara** *f*	lamp *b*
la **lana** *f*	gwlân *b*
una **lancha** *f* **motora**	cwch *g* modur
una lancha neumática	dingi *g*
una **langosta** *f*	cimwch *g*
un **langostín** *m*	corgimwch *g*
un **langostino** *m*	corgimwch *g*
una **lanza** *f*	gwaywffon *b*
lanzar *v*[A1]	taflu; lluchio; la(w)nsio; hyrddio; bowlio
un **lápiz** *m*	pensil *g*

un lápiz de labios	minlliw *g*; lipstic *g*
a la **larga**	yn y pendraw; yn y tymor hir
¡**largáos**!	ewch!; (i) ffwrdd â chi; ewch o'ma!; cerwch o'ma!
¡**largaros**!	ewch!; (i) ffwrdd â chi; ewch o'ma!; cerwch o'ma!
largarse *v*[D]	mynd i ffwrdd
¡lárgate!	cer o'ma!; dos o'ma!
largo *adj*	hir
me viene largo	mae'n rhy hir i fi [dillad]
¡largo (de aquí)!	cer o'ma!; dos o'ma!; ewch!; (i) ffwrdd â chi; ewch o'ma!; cerwch o'ma!
largo recorrido	pellter hir [trên]
¡**lárguese**!	ewch!; (i) ffwrdd â chi; ewch o'ma!; cerwch o'ma!
las	y / yr [o flaen enw lluosog benywaidd]; nhw
las cuales	y rhai
las dos	y ddau; y ddwy; dau o'r gloch
las que	y rhai
una **lástima** *f*	trueni *g*; piti *g*; gresyn *g*
¡Qué lástima!	dyna drueni!; dyna biti!
una **lata** *f*	tun *g*; can *g*; niwsans *g*; poen *b*; poendod *g*
un **latido** *m*	curiad *g*
latir *v*[A3]	curo [y galon]
el **latón** *m*	pres *g* [metel]
latoso *adj*	trafferthus; diflas
un **laurel** *m*	llawryf *g*
un **lavabo** *m*	basn *g*; ystafell *b* ymolchi; toiled *g*
una **lavadora** *f*	peiriant *g* golchi [dillad]
una lavadora automatica	peiriant golchi awtomatig
la **lavanda** *f*	lafant *g*
un **lavaplatos** *m*	peiriant golchi llestri
lavar *v*[A1]	golchi
lavarse v[D]	ymolchi
lavarse los dientes	glanhau / brwsio dannedd
un **lavavajillas** *m*	peiriant golchi llestri
un **lazo** *m*	cwlwm *g*
le	fe; fo; e; o; hi; iddo fe/fo; iddi hi; wrtho fe/fo; wrthi hi; ato fe/fo; ati hi

una **lección** *f*	gwers *b*
la **leche** *f*	llaeth *g*; llefrith *g*
la leche en polvo	llaeth powdwr; llefrith powdwr
una **lechería** *f*	hufenfa *b*
una **lechuga** *f*	letysen *b*
una **lechuza** *f*	tylluan *b*; gwdihŵ *b*
un **lector** *m*	darllenwr *g*
una **lectora** *f*	darllenwraig *b*
la **lectura** *f*	darllen(iad) *g*; deunydd *g* darllen
leer *v*[A2]	darllen
legendario *adj*	chwedlonol
las **legumbres** *f pl*	llysiau *ll*
lejano *adj*	pell
lejos	pell; ymhell; i ffwrdd
a lo lejos	yn y pellter
de lejos	o bell
de muy lejos	o bell iawn
desde lejos	o bell
desde muy lejos	o bell iawn
un **lema**	slogan *g*; arwyddair *g*
una **lengua** *f*	iaith *b*; tafod *g*
una lengua extranjera	iaith dramor
un **lenguaje** *m*	iaith *b*
lentamente	yn araf
una **lente** *f*	lens *b*
las **lentejas** *f pl*	corbys *ll*; ffacbys *ll*
los **lentes** de contacto *m pl*	lensys *ll* cyffwrdd
las **lentillas** *f pl*	lensys *ll* cyffwrdd
lento *adj*	araf
cocer v[B4] *a fuego lento*	mudferwi
hervir v[B7] *a fuego lento*	mudferwi
Leo *m*	Leo *g*; cytser *g* y Llew *g*
un **león** *m*	llew *g*
una **leona** *f*	llewes *b*
les	nhw; iddyn nhw
una **lesión** *f*	anaf *g*; clwyf *g*; briw *g*
una **letra** *f*	llythyren *b*; geiriau *ll* [cân]
la **levadura** *f*	burum *g*
¡**Levantáos**!	Sefwch!; Codwch!
levantar *v*[A1]	codi
¡Levantaros!	Sefwch!; Codwch!
levantarse v[D]	eich codi eich hunan
¡Levántense!	Sefwch!; Codwch!

una **leyenda** *f*	chwedl *b*
la **libertad** *f*	rhyddid *g*
Libra *f*	Libra *b*; cytser *g* y Fantol *b*
una **libra** *f*	punt *b*; pwys *b*
librarse v^{D} de	cael gwared o / ar; gwaredu
libre *adj*	rhydd
el aire libre	awyr iach; awyr agored
el tiempo libre	amser *g* rhydd; amser *g* hamdden;
una **librería** *f*	siop *b* lyfrau; cwpwrdd *g* llyfrau; silffoedd *ll* llyfrau
una **libreta** *f*	llyfr *g* nodiadau; nodiadur *g*; llyfr *g* banc
un **librito** de sellos *m*	llyfryn *g* stampiau
un **libro** *m*	llyfr *g*
un libro de consulta	cyfeirlyfr *g*
un libro de reclamaciones	llyfr cwynion
una **licencia** *f*	trwydded *b*
una **licenciatura** *f*	gradd *b* [addysg]
una **liebre** *f*	ysgyfarnog *g*; sgwarnog *g*
una **liga** *f*	cynghrair *b*
ligero *adj*	ysgafn
de color **lila**	porffor golau
una **lima** *f*	leim *g*; ffeil *g*
un **limón** *m*	lemwn *g*; lemon *g*
una **limonada** *f*	lemwnêd *g*; diod *b* lemwn
limpiar v^{A1}	glanhau; sychu; caboli
limpiarse v^{D} *los zapatos*	brwsio sgidiau
limpio *adj*	glân
un **linaje** *m*	ach *b*; llinach *b*; llinell *b*
lindo *adj*	pert
una **línea** *f*	llinell *b*
una línea aerea	cwmni *g* awyrennau
una **linterna** *f*	fflachlamp *b*
un **liquen** *m*	cen *g*
una **liquidacion** *f*	sêl *b* [siop]
un **líquido** *m*	hylif *g*
liso *adj*	plaen
una **lista** *f*	rhestr *b*
una lista de compras	rhestr siopa
pasar v^{A1} *la lista*	cofrestru
un **listín** *m*	llyfr *g* ffôn
listo *adj*	parod; clyfar
una **litera** *f*	gwely *g* bync

un **litro** *m*	litr *g*
un **living** *m*	ystafell *b* fyw
una **llamada** (de teléfono) *f*	galwad *b* ffôn
una **llamada** (telefónica) *f*	galwad *b* ffôn
llamado *adj*	o'r enw; wedi galw; wedi ei (g)alw
llamar v^{A1}	galw
llamar por telefono	ffonio
llamarse v^{AD}	cael eich galw; bod wedi eich enwi
¿Cómo te llamas?	Beth yw / ydy dy enw di?
llamativo *adj*	deniadol; trawiadol
llano *adj*	fflat; gwastad
una **llanta** *f* [AmL]	teiar *g*
una **llanura** *f*	gwastadedd *g*; paith *g*
una **llave** *f*	allwedd *b*; agoriad *g*
cerrar v^{B2} *con llave*	cloi
un **llavero** *m*	cylch *g* allweddi
una **llegada** *f*	dyfodiad *g*
llegar v^{A1} a	cyrraedd
llenar v^{A1}	llenwi; llanw
lleno *adj*	llawn
lleno por favor	llenwch y tanc, os gwelwch yn dda [car ayyb]
llevar v^{A1}	cario; mynd â; gwisgo; rhedeg [busnes]; arwain; dwyn; cymryd
¿qué número lleva?	pa faint (esgidiau) ydych chi'n eu gwisgo?
el trabajo me llevará una hora	bydd y gwaith yn cymryd awr
llevo dos meses trabajando aquí	rydw i'n gweithio yma ers dau fis
llevar a cabo	cyflawni; cwblhau
llevar con traílla	cadw ar dennyn
llevar retraso	bod yn hwyr
llevarse v^{D}	mynd â ... i ffwrdd; cytuno; dod ymlaen
llevarse bien / mal	dod ymlaen yn dda / wael
llorar v^{A1}	llefain; crio
llorar a mares	beichio wylo; beichio crio; llefain y glaw
llorar como una Magdalena	beichio wylo; beichio crio; llefain y glaw
llover v^{B4}	bwrw glaw; glawio
llovía	roedd hi'n bwrw glaw / glawio
está lloviendo	mae hi'n bwrw glaw / glawio

estaba lloviendo	roedd hi'n bwrw glaw / glawio
llueve	mae hi'n bwrw glaw / glawio
la **lluvia** *f*	glaw *g*
la lluvia ácida	glaw asid
lo	fe; fo; e; o; hi
lo que	yr hyn; beth
lo que es a mí	o'm rhan i
un **lobo** *m*	blaidd *g*
un perro m *lobo*	ci *g* blaidd
local *adj*	lleol
una **localidad** *f*	tref *b*; lle *g*; sedd *b* [theatr]; tocyn *g*
loco *adj*	gwallgof; (dim) hanner call; gorffwyll
estoy loco por ...	rydw i'n dwlu ar ...
una **locomotora** *f*	injan *b* trên
el **lodo** *m*	llaid *g*; mwd *g*; baw *g*
lógico *adj*	rhesymegol
lograr v^{A1}	llwyddo
una **lombriz** *f*	pryf *g* genwair; mwydyn *g*; abwydyn *g*
el **lomo** *m*	cefn *g*; cig *g* moch; porc *g*
el lomo ibérico	ham *g*
una **lona** *f*	canfas *g*; cynfas *gb*
una **loncha** *f*	sleisen *b*
un **lonche** *m* [AmL]	cinio *g*
Londres	Llundain
una **longaniza** *f*	selsigen *b* (sbeislyd)
una **longitud** *f*	hyd *g*; hydred *g*
un **loro** *m*	parot *g*
los	y(r) [o flaen enw gwrwaidd lluosog]
los cuales	sydd; a; y rhai
los dos	y ddau; y ddwy
los que	y rhai
una **lotería** *f*	loteri *b*
una **lucha** *f*	brwydr *b*; ymryson *g*
la lucha libre	reslo *g*; ymaflyd codwm
luchar v^{A1}	brwydro; ymladd; reslo
luego	wedyn; yna; yn hwyrach
hasta luego	hwyl; hwyl fawr; ta-ta; wela'i di / chi (cyn hir)
un **lugar** *m*	lle *g*; man *g/b*
tener v^{C24} *lugar*	cymryd lle; digwydd
en lugar de	yn lle
un lugar de cita	man cyfarfod

un lugar de reunión	man cyfarfod
un **lujo** *m*	moeth(usrwydd) *g*
de lujo	moethus
lujoso *adj*	moethus
una **luna** *f*	lleuad *b*; lloer *b*
en la luna	â'r meddwl ymhell
los **lunares** *m pl*	smotiau *ll* [dillad, croen]
el **lunes** *m*	dydd *g* Llun
una **lupa** *f*	chwyddwydr *g*
Luxemburgo *m*	Lwcsembwrg *b*
luxemburgués *adj*	Lwcsembwrgaidd; o Lwcsembwrg
una **luz** *f*	golau *g*

una **macedonia** de frutas *f*	salad *g* ffrwythau
una **maceta** *f*	pot *g*
un **macuto** *m*	bag *g* cefn; cwdyn *g* teithio; sach *b* deithio
la **madera** *f*	pren *g*; coed
una **madrastra** *f*	llysfam *b*
una **madre** *f*	mam *b*
una **madrugada** *f*	oriau *ll* mân y bore; y wawr
madrugar *v*[A1]	codi'n gynnar; codi gyda'r wawr
una **maestra** *f*	athrawes *b* [ysgol gynradd]; ysgolfeistres *b*; meistres *b*
un **maestro** *m*	athro *g* [ysgol gynradd]; ysgolfeistr *g*; meistr *g*
una **maga** *f*	dewines *b*; consurwraig *b*
la **magia** *f*	hud *g*
mágico *adj*	hudol(us)
un **magnetófono** *m*	recordydd *g* tâp
magnífico *adj*	gwych; bendigedig; ardderchog; ffantastig; grêt
un **mago** *m*	dewin *g*; consurwr *g*
el **maíz** *m*	corn *g*
el maíz dulce	corn melys
mal	yn wael; yn ddrwg; yn sâl; yn dost
hay algo mal	mae rhywbeth o'i le; mae rhywbeth yn bod
algo anda mal	mae rhywbeth o'i le; mae rhywbeth yn bod
sentirse v[B7D] *mal*	teimlo'n wael; teinmlo'n sâl; teimlo'n dost
mal educado adj	anghwrtais; digywilydd
de mal humor	drwg ei hwyliau; mewn hwyliau drwg
hace mal tiempo	mae'n dywydd drwg
un mal m	drwg *g*; cam *g*
una mala hierba f	chwynnyn *g*
¡**Maldita sea**!	Daro!; O na!
una **maleta** *f*	cês *g*
hacer v[C14] *la maleta*	pacio
deshacer v[C14] *las maletas*	dadbacio
un **maletero** *m*	cist *b* [car]
un **maletín** *m*	bag *g* dogfennau
malgastar *v*[A1]	gwastraffu
malhumorado *adj*	drwg ei dymer; piwis
malicioso *adj*	maleisus

malito *adj*	sâl; tost
una **malla** *f*	leotard *g*
una malla de baño [AmL]	gwisg *b* nofio; tryncs *ll*
las mallas	teits *ll*
malo *adj*	drwg; gwael; tost; sâl; cas; drygionus
hace malo	mae'n dywydd drwg
malva *adj* [byth yn newid]	porffor golau
mamá *f*	mam *b*
una **mamacita** *b* [AmL]	mam *b*
una **mamagrande** *f* [AmL]	mam-gu *b*; nain *b*
mami *f*	mam *b* [anffurfiol]
una **manada** *f*	gyr *g*
una **mancha** *f*	staen *b*; smotyn *g*
manchar v^{A1}	marcio; trochi
las **manchas** *f pl*	smotiau
un **mandamiento** *m*	gorchymyn *g*
mandar v^{A1}	anfon; danfon; dweud; gorchymyn
una **manecilla** *f*	bys *g* [cloc]
manejar v^{A1}	trafod; trin; [AmL] gyrru car
una **manera** *f*	modd *g*; ffordd *b*; dull *g*
de esta manera	y ffordd hon; fel hyn
de ninguna manera	dim o gwbl
de todas maneras	fodd bynnag; sut bynnag
una **manga** *f*	llawes *b*; pibell *b* ddŵr; set *b* [tenis]
un **mango** *m*	carn *g*; coes *b* [brws ayyb]; mango [ffrwyth] *g*
una **manifestación** *f*	gwrthdystiad *g*; protest *b*
un **manillar** *m*	cyrn *ll* beic
una **mano** *f*	llaw *b*
a mano	efo / â llaw
de segunda mano	ail-law
decir v^{C9} *adiós con la mano*	codi llaw
echar v^{A1} *una mano a*	rhoi help llaw i
en la mano	yn ei (ayyb) law
una mano de pintura	côt *b* o baent; paentiad *g*
una **mansión** *f*	plasty *g*
una **manta** *f*	blanced *g*
la **manteca** *b* [AmL]	menyn *g*
un **mantel** *m*	lliain *g* bwrdd
mantener v^{C24}	cynnal; cadw
mantener correspondencia	llythyru; ysgrifennu at
mantenerse v^{C24D}	cynnal eich hunan; cadw; aros

la **mantequilla** *f*	menyn *g*
un **manubrio** *m*	cyrn *ll* beic [AmL]
una **manzana** *f*	afal *g*
una **manzanilla** *f*	te *g* camomil; sieri *g*
un **manzano** *m*	coeden *b* afalau
mañana	yfory
una mañana f	bore *g*
mañanero *adj*	boreol
un **mapa** *m*	map *g*
el **maquillaje** *m*	colur *g*
maquillarse v^{D}	rhoi colur; coluro
una **máquina** *f*	peiriant *g*; injan *b*
escribir v^{A3} *a máquina*	teipio
una máquina de afeitar	rasal *b*; raser *b*
una máquina de escribir	teipiadur *g*
una máquina fotográfica	camera *g*
el / la **mar** *m / f*	môr *g*
una **maravilla** *f*	rhyfeddod *g*
maravilloso *adj*	gwych; bendigedig; ardderchog; ffantastig; grêt
una **marca** *f*	marc *g*; enw [gwneuthurwr]; gwneuthuriad *g*; label *g*; record *g* [chwaraeon]
un **marcador** *m*	sgorfwrdd *g*
¿Cómo va el marcador?	Beth yw / ydy'r sgôr?
marcar v^{A1}	marcio; sgorio; ticio
marcar con sello	stampio
una **marcha** *f*	taith *b* gerdded; ymadawiad *g*; hwyl *b*; bywiogwrydd *g*; sbri *g*
una zona de marcha	ardal mewn tref lle ceir llawer o glybiau nos, barau, disgos ayyb
salir v^{C21} *de marcha*	mynd allan i fwynhau eich hunan
ponerse v^{C18D} *en marcha*	cychwyn; ymadael
marcharse v^{D}	mynd (i ffwrdd); ymadael
un **marco** *m*	ffrâm *g*
mareado *adj*	sâl; tost; penfeddw; penysgafn
sentirse v^{B7D} *mareado*	teimlo'n sâl; teimlo'n dost; teimlo'n benfeddw; teimlo'n benysgafn
marearse v^{D}	teimlo'n sâl; teimlo'n dost; teimlo'n benfeddw; teimlo'n benysgafn
un **mareo** *m*	salwch *g*; tostrwydd *g*; salwch môr; salwch teithio; penysgafnder *g*
el **marfil** *m*	ifori *g*

un **marido** *m*	gŵr *g* [priod]
un **marinero** *m*	morwr *g*
una **marioneta** *f*	pyped *g*
una **mariposa** *f*	iâr *b* fach yr haf; pili-pala *g/b*
el **marisco** *m*	bwyd *g* môr
una **maroma** *f*	rhaff *g*
marrón *adj*	brown
marroquí *adj*	o Forocco
Marruecos *m*	Morocco *g*
martes *m*	dydd *g* Mawrth
el martes de carnaval	Dydd Mawrth Ynyd
un **martillo** *m*	morthwyl *g*
marzo *m*	mis *g* Mawrth
más	mwy; rhagor; ychwaneg
de más	yn ormod
más abajo	isod; is i lawr
más allá de	tu hwnt i; yr ochr draw i
más bien	yn hytrach
más de	mwy o; rhagor o; mwy na [o flaen rhif]
más grande	mwy
más o menos	mwy neu lai
más pequeño	llai
más que	yn fwy na [ddim o flaen rhif]
más.... que	yn fwy ... na ...
más tarde	yn ddiweddarach; yn hwyrach; wedyn; yn nes ymlaen
una **masa** *f*	toes *g*; crwst *g*
una **máscara** *f*	mwgwd *g*
una **mascota** *f*	anifail *g* anwes
masticar *v*[AI]	cnoi
un **mástil** *m*	hwylbren *b*
un **matadero** *m*	lladd-dŷ *g*
un **matador** *m*	ymladdwr *g* teirw
matar *v*[AI]	lladd
matar de un tiro	saethu'n farw
el **mate** *m* [AmL]	mate [te]
las **matemáticas** *f pl*	mathemateg *b*
una **materia** *f*	mater *b*; pwnc *g* [ysgol]
las **mates** *f pl*	mathemateg *b*
matinal *adj*	boreol
un **matón** *m*	bwli *g* [gwrywaidd]
una **matona** *f*	bwli *g* [benywaidd]

una **matriculación** *f*	cofrestriad *g*
matricular(se) $v^{A1(D)}$	cofrestru
un **matrimonio** *m*	priodas *b*; pâr *g* priod
matutino *adj*	boreol
mayo *m*	mis *g* Mai
mayor *adj*	mawr; hen; mwy; hŷn
la mayor parte	y rhan *b* fwyaf
la **mayoría** *f*	y mwyafrif *g*
me	fi; i fi; i mi; ata i; wrtha i; (mi / fi) fy hun(an)
una **mecánica** *f*	mecaneg *b*; peirianwaith *g*; mecanig *g* [benywaidd]
un **mecánico** *m*	mecanig *g* [gwrywaidd]
la **mecanografía** *f*	teipio *g*
mecer v^{C27}	siglo
mecerse v^{C27D}	siglo; chwifio
una **medalla** *f*	medal *b*
una hora y **media** *f*	awr *b* a hanner
la una y media	hanner awr wedi un
las doce y media	hanner awr wedi deuddeg
una media hermana f	hanner chwaer *b*
media hora f	hanner awr *b*
media jornada f	hanner diwrnod *g*
media pensión f	llety *g* â brecwast a chinio
medianoche *f*	hanner nos *b*
las **medias** *f pl*	teits *ll*; sanau *ll*
una **médica** *f*	meddyg *g*; doctor *g* [benywaidd]
una médica de cabecera	meddyg teulu [benywaidd]
la **medicina** *f*	meddygaeth *f*; moddion *ll*; ffisig *g*
un **medicamento** *m*	ffisig *g*; moddion *ll*; meddyginiaeth *b*
un **médico** *m*	meddyg *g*; doctor *g* [gwrywaidd]
un médico de cabecera	meddyg teulu [gwrywaidd]
una **medida** *f*	mesur *g*; mesuriad *g*
un **medio** *m*	canol *b*; cyfrwng *g*; modd *g*
medio adj	hanner; cyfartalog; canolig
en medio de ...	yng nghanol ...
un medio hermano m	hanner brawd *g*
el Medio Oriente m	Dwyrain *g* Canol
un medio ambiente m	amgylchedd *g*
mediocre *adj*	cyffredin; ddim yn dda iawn; gwael
mediodía *m*	hanner dydd *g*
medioeval *adj*	canoloesol
medir v^{B5}	mesur

¿cuánto mide?	Pa mor dal ydych chi?
el **Mediterráneo** *m*	Môr *g* y Canoldir
mejicano *adj*	o Fecsico; Mecsicanaidd
Méjico *m*	Mecsico
una **mejilla** *f*	boch *b*
un **mejillón** *m*	cragen *b* las
mejor	gwell; yn well; gorau; orau
a lo mejor	efallai; hwyrach
el / la mejor ...	y(r) ... (g)orau *g/b*
tanto mejor	gorau i gyd; gorau oll; gorau'n y byd; cymaint yn well
¿estás mejor?	wyt ti'n well?
mejorar(se) *v*[A1(D)]	gwella
¡Que te mejores!	brysia wella!
una **melliza** *f*	gefeilles *b*
un **mellizo** *m*	gefell *g*
un **melocotón** *m*	eirinen *b* wlanog
la **memoria** *f*	cof *g*
aprender v[A2] *de memoria*	dysgu ar y cof
memorizar *v*[A1]	dysgu ar y cof
mencionar *v*[A1]	sôn am; crybwyll
menor	llai; iau; ifancach; ieuengach
menos	llai; llai o; ac eithrio; ar wahân i; ond; minws
al menos	o leiaf
por lo menos	o leiaf
menos cuarto	chwarter i
menos de	llai na (o flaen rhif)
menos mal	diolch byth
menos mal que	mae'n beth da bod ...; diolch byth na...
menos que	llai na (ddim o flaen rhif)
menos .... que ...	llai ... na...
un **mensaje** *m* **de texto**	neges *b* destun
una **mensajera** *f*	negesydd *g* [benywaidd]
un **mensajero** *m*	negesydd *g* [gwrywaidd]
la **menta** *f*	mintys *g*
una **mente** *f*	meddwl *g*
una **mentira** *f*	celwydd *g*
mentiroso *adj*	celwyddog
un mentiroso m	celwyddgi *g*
un **mentón** *m*	gên *b*
menudo *adj*	bach; pitw
a menudo	yn aml; yn fynych

un **mercadillo** *m*	marchnad *b* stryd
un **mercado** *m*	marchnad *b*
las **mercancías** *f pl*	nwyddau *ll*
merecer *v*[C5]	haeddu
no merece la pena	does dim pwynt/pwrpas
merendar *v*[B2]	cael te; cael picnic
una **merienda** *f*	te *g*; picnic *g*
una **merluza** *f*	cegddu [pysgodyn]
una **mermelada** *f*	jam *g*
una mermelada de naranja	marmalêd *g*
un **mes** *m*	mis *g*
una **mesa** *f*	bord *b*; bwrdd *g*; desg *b*
a la mesa	(dewch) at y bwrdd; wrth y bwrdd
poner v[C18] *la mesa*	gosod y bwrdd / ford
quitar v[A1] *la mesa*	clirio'r bwrdd / ford
una **mesilla** *f* **de noche**	bwrdd *g* erchwyn gwely
metálico *adj*	o fetel
el metálico	arian *g* parod
meter *v*[A2]	rhoi; dodi; gosod
meterse v[A2D] *de lleno en*	ymroi i; bwrw iddi i
un **método** *m*	dull *g*; ffordd *b*; modd *g*; method *g*
un **metro** *m*	metr *g*; tâp *g* mesur
a algunos metros	rhai metrau i ffwrdd
mexicano *adj*	o Fecsico; Mecsicanaidd
México *m*	Mecsico
mezclar *v*[A1]	cymysgu
una **mezquita** *f*	mosg *g*
mi	fy [o flaen enw unigol]
mí	fi; mi
la **mía**	fy un i
las mías	fy rhai i
miau	miaw
un **micro** *m*	meic(roffon) *g*; [AmL] bws *g*
un **microbio** *m*	meicrob *g* / microb *g*
un **microondas** *m*	(popty) *g* meicrodon; ffwrn *b* ficrodon
el **miedo** *m*	ofn *g*; dychryn *g*; arswyd *g*; braw *g*
una película f *de miedo*	ffilm *b* arswyd
tener v[C24] *miedo (de)*	bod ag ofn; ofni
por miedo a ...	rhag ofn ...
la **miel** *f*	mêl *g*
un **miembro** *m*	aelod *g*
hacerse v[C14D] *miembro de*	ymaelodi yn
mientras	tra; yn y cyfamser

mientras tanto	yn y cyfamser
miércoles *m*	dydd *g* Mercher
las **migas** *f pl*	briwsion bara wedi eu ffrio mewn garlleg ayyb
un **mil** *m*	mil *b*
miles de	miloedd o
una **milla** *f*	milltir *b*
un **millardo** *m*	mil o filiynau
un **millón** *m*	miliwn *b*
mimar *v*[A1]	difetha
una **mina** *f* de carbón	pwll *g* glo
mineral *adj*	mwnol
un agua f *mineral*	dŵr *g* mwnol
una **minifalda** *f*	sgert *b* fini
una **ministra** *f*	gweinidog *g* [benywaidd]
una primera ministra	Prif Weinidog *g* [benywaidd]
un **ministro** *m*	gweinidog *g* [gwrywaidd]
un primer ministro	Prif Weinidog *g* [gwrywaidd]
minúsculo *adj*	mân; pitw; bach iawn
una **minusvalía** *f*	anabledd *g*
minusválido *adj*	anabl
un **minuto** *m*	munud *g/b*
el **mío**	fy un i
eso es mío	fi biau hwnna; mae hwnna'n perthyn i fi
los míos	fy rhai i
una **mirada** *f*	golwg *g/b*
mirar *v*[A1]	edrych ar; gwylio
un **mirlo** *m*	aderyn *g* du
mis	fy [o flaen enw lluosog]
una **misa** *f*	offeren *b*
miserable *adj*	truenus
yo **misma**	fi fy hun(an) [am berson benywaidd]
nosotras mismas	ni'n hun(ain) [am bersonau benywaidd]
mismo *adj*	yr un
hacer v[C14] *lo mismo*	gwneud yr un peth; gwneud yr un fath
yo mismo	fi fy hun(an) [am berson gwrywaidd]
al mismo tiempo	(ar) yr un pryd
nosotros mismos	ni'n hun(ain) [am berson gwrywaidd]
un **misterio** *m*	dirgelwch *g*
una **mitad** *f*	hanner *g*; canol *g*
a mitad de	ar ganol; yn ystod; wrthi yn

Español	Cymraeg
a mitad de camino entre	hanner ffordd rhwng
en mitad de	yng nghanol
mítico *adj*	chwedlonol
un **mito** *m*	chwedl *b*; myth *g*
mixto *adj*	cymysg
una **mochila** *f*	bag *g* cefn; cwdyn *g* teithio; sach *g* deithio
un **mochuelo** *m*	tylluan *b*; gwdihŵ *b*
una **moda** *f*	steil *g*; ffasiwn *g*
a la moda	yn y ffasiwn; ffasiynol
de moda	yn y ffasiwn; ffasiynol
el **modelismo** *m*	gwneud *g* modelau
un / una **modelo** *m / f*	model *g*
moderado *adj*	cymedrol; rhesymol
moderno *adj*	modern; cyfoes
un **modo** *m*	modd *g*; ffordd *b*; dull *g*
de todos modos	fodd bynnag
mofarse v^{D} de	tynnu coes; gwneud sbort am ben
mojado *adj*	gwlyb; wedi ei (g)wlychu
mojar(se) $v^{AI(D)}$	gwlychu
el **mojo** *m*	saws garlleg
el mojo picón m	saws *g* garlleg a phupurau
molar v^{AI} [slang]	hoffi; ffansïo; eisiau
¿te mola…?	wyt ti'n hoffi ...? wyt ti'n ffansïo...? wyt ti eisiau...?
un **molde** *m*	mold *g*
un molde para pastel	tun *g* cacen
molestar v^{AI}	tarfu ar; poeni; aflonyddu; mynd ar nerfau rhywun
una **molestia** *f*	anghyfleuster *g*; poen *b*; poendod *g*
molesto *adj*	poenus; trafferthus; annifyr; anesmwyth; anghyfforddus; lletchwith; wedi ei gythruddo / chythruddo
molido *adj*	wedi blino'n lân; wedi ymlâdd
un **momento** *m*	eiliad *gb*; moment *b*
de momento	ar hyn o bryd
por el momento	am y tro
un **monasterio** *m*	mynachdy *g*; lleiandy *g*
las **mondaduras** *f pl*	pilion *ll*; crafion *ll*
una **moneda** *f*	darn *g* arian
un **monedero** *m*	pwrs *g*
una **monja** *f*	lleian *b*

un **monje** *m*	mynach *g*
un **mono** *m*	mwnci *g*; troswisg *b*; dyngarîs *ll*; oferôl *g/b*
mono *adj*	pert; del; annwyl; ciwt
monótono *adj*	undonog
un **monstruo** *m*	anghenfil *g*
una **montaña** *f*	mynydd *g*
una **montañera** *f*	mynyddwraig *b*
un **montañero** *m*	mynyddwr *g*
el **montañismo** *m*	mynydda *g*; dringo *g*
montar v^{A1}	marchogaeth; reidio; codi; gosod
montar en monopatín	sgrialu
montar a caballo	marchogaeth; reidio ceffyl
montar en bicicleta	mynd ar gefn beic; reidio beic
un **monte** *m*	mynydd *g*
un **montón** *m*	pentwr *g*; twr *g*
un montón de ...	llawer iawn o ...
un **monumento** *m*	cofeb *b*; cofgolofn *b*
morado *adj*	porffor; piws
las **moras** *f pl*	mwyar *ll* duon
un **morbo** *m*	gwefr *b*; salwch *g*
una **morcilla** *f*	selsigen *b*
una **mordedura** *f*	brathiad *g*
morder v^{B4}	cnoi; brathu
mordisquear v^{A1}	cnoi
moreno *adj*	tywyll; brown
un **moretón** *m*	clais *g*
morir(se) $v^{B8(D)}$	marw
morirse por	bod bron â marw eisiau
una **mosca** *f*	gwybedyn *g*; cleren *b*
un **mosquito** *m*	mosgito *g*; gwybedyn *g* pigog
la **mostaza** *f*	mwstard *g*
un **mostrador** *m*	cownter *g*
mostrar v^{B1}	dangos
un **motín** *m*	terfysg *g*; gwrthryfel *g*
un **motivo** *m*	rheswm *g*; cymhelliad *g*; achos *g*
con motivo de ...	ar achlysur ...; i nodi
una **moto** *f*	beic *g* modur
en moto	ar gefn beic modur
una **motocicleta** *f*	beic *g* modur
en motocicleta	ar gefn beic modur
un **motor** *m*	modur *g*; injan *b*
una **motora** *f*	cwch *g* modur

mover(se) *v*$^{B4(D)}$	symud
un **movimiento** *m*	symudiad *g*; mudiad *g*
una **moza** *f*	merch *b*; geneth *b*; lodes *b*; hogan *b*; croten *b*; morwyn *b*; [AmL] gweinyddes
un **mozo** *m*	bachgen *g*; gwas *g*; porthor *g*; cludydd *g*; [AmL] gweinydd
mucha	llawer o [o flaen enw benywaidd unigol]
mucha gente	*llawer o bobl*
¡mucha suerte!	*pob lwc!*
una **muchacha** *f*	merch *b*; geneth *b*; lodes *b*; hogan *b*; croten *b*; morwyn *b*
un **muchacho** *m*	bachgen *g*; crwt *g*; crwtyn *g*; hogyn *g*
muchas	llawer o [o flaen enw benywaidd lluosog]
muchas gracias	diolch yn fawr
muchas veces	lawer gwaith; sawl gwaith; sawl tro
una **muchedumbre** *f*	torf *b*; tyrfa *b*
muchísimo	llawer iawn; yn fawr iawn; yn arw
mucho	llawer [o flaen enw gwrywaidd unigol]
mucho gusto	neis cwrdd â chi
mucho más	llawer mwy
mucho menos	llawer llai
muchos	llawer o [o flaen enw gwrywaidd lluosog]
la **mudanza** *f*	mudo *g*; symud *g* (tŷ)
mudarse *v*^{D}	mudo; symud
un **mueble** *m*	celficyn *g*; dodrefnyn *g*
los muebles m pl	celfi *ll*; dodrefn *ll*
muelle *adj*	cyfforddus; hawdd
un **muelle** *m*	cei *g*
una **muerte** *f*	marwolaeth *b*; angau *g*
muerto *adj*	marw; wedi marw; wedi blino'n lân; wedi ymlâdd
la **mugre** *f*	budreddi *ll*; baw *g*
una **mujer** *f*	menyw *b*; dynes *b*; gwraig *b*
una mujer de negocios	gwraig fusnes
una **mula** *f*	mul *g*
trabajar v^{A1} *como una mula*	gweithio'n galed
las **muletas** *f pl*	baglau *ll*; ffyn *ll* baglau
mullido *adj*	meddal
una **multa** *f*	dirwy *b*

multiplicar *v*[AI]	lluosi
una **multitud** *f*	torf *b*; tyrfa *b*
un **mundo** *m*	byd *g*
todo el mundo	pawb
un **municipio** *m*	bwrdeisdref *b*; cyngor *g* tref; cyngor *g* lleol; neuadd *b* y dref
una **muñeca** *f*	dol(i) *b*; arddwrn *g/b*
un **muñeco** *m* **de nieve**	dyn *g* eira
una **muralla** *f*	mur *g*; wal *b*
un **murciélago** *m*	ystlum *g*
un **muro** *m*	mur *g*; wal *b*
un **músculo** *m*	cyhyr *g*
musculoso *adj*	cyhyrog
un **museo** *m*	amgueddfa *b*
un museo de arte	amgueddfa gelf; oriel *b* gelf
un **musgo** *m*	mwswg(l) *g*
una **música** *f*	cerddoriaeth *b*; cerddor *g* [benywaidd]
un **músico** *m*	cerddor *g* [gwrywaidd]
un **muslo** *m*	clun *b*; morddwyd *b*
musulmán *adj*	Moslemaidd
un musulmán m	Moslemiad *g*
muy	iawn
muy bien	da iawn
muy contento	hapus iawn

un **nabo** *m*	erfinen *b*; meipen *b*
nacer *v*[C5]	cael eich geni
yo nací	cefais / ces fy ngeni
nacimiento *m*	genedigaeth *b*; geni *g*
una fecha f *de nacimiento*	dyddiad *g* geni
una **nación** *f*	cenedl *b*
nacional *adj*	cenedlaethol
nada	dim; dim byd; ni(d) ... (d)dim byd; ni(d) ... unrhyw beth
de nada	peidiwch â sôn; â phleser; croeso
no pasa nada	(does) dim ots; dydy e(f)o ddim o bwys; hidia befo
nadar *v*[A1]	nofio
nadie	neb; ni(d) ... neb
nadita [AmL]	dim (byd)
las **nalgas** *f pl*	pen-ôl *g*
una **nana** *f*	hwiangerdd *b*
en el año de la nana	ers talwm; flynyddoedd maith yn ôl
una **naranja** *f*	oren *g/b*
naranja *adj* (byth yn newid)	oren
una **naranjada** *f*	pop *g* oren
un **narciso** *m*	daffodil *g*; cenhinen *b* Bedr; narsisws *g*
la **nariz** *f*	trwyn *g*
estoy hasta las narices	rydw i wedi cael digon; rydw i wedi cael llond bol(a); rydw i wedi danto
la **nata** *f*	hufen *g*
la **natación** *f*	nofio *g*
las **natillas** *f pl*	cwstard *g*
natural *adj*	naturiol
la **naturaleza** *f*	natur *b*
naturalmente	yn naturiol; wrth gwrs
tener *v*[C24] **náuseas**	teimlo'n sâl; teimlo'n dost
náutico *adj*	morwrol
un club m *náutico*	clwb *g* hwylio
el deporte m *náutico*	chwaraeon *ll* dŵr; hwylio *g*
el esquí m *náutico*	sgio *g* dŵr
una **navaja** *f*	cyllell *b*; cyllell boced
una **nave** *f*	llong *b*
una nave espacial	llong ofod
un / una **navegante** *m / f*	mordwywr *g* / mordwywraig *b*; morwr *g* / morwraig *b*
navegar *v*[A1]	hwylio

navegar por internet	syrffio'r we
navegar por la red	syrffio'r we
la **navidad** *f*	Nadolig *g*
¡Feliz navidad!	Nadolig Llawen
¡Felices Navidades!	Nadolig Llawen
un **navío** *m*	llong *b*
una **neblina** *f*	niwl *g*
hay neblina	mae'n niwlog
neblinoso *adj*	niwlog
necesario *adj*	angenrheidiol
un **neceser** *m*	bag *g* ymolchi
una **necesidad** *f*	angen *g*; angenrheidrwydd *g*
necesitar *v*[A1]	bod angen
necesita(s) ...	mae angen .... arnoch (arnat)
neerlandés *adj*	Iseldiraidd; Iseldirol; o'r Iseldiroedd
negarse *v*[D] **a**	gwrthod; pallu
un / una **negociante** *m / f*	gŵr *g* busnes; dyn *g* busnes / gwraig *b* fusnes
un **negocio** *m*	busnes *g*
los negocios	busnes
negro *adj*	du
neocelandés *adj*	o Seland Newydd
un **nervio** *m*	nerf *g*
poner v[C18] *de los nervios*	mynd ar nerfau rhywun
nervioso *adj*	nerfus; nerfol
un **neumático** *m*	teiar *g*
nevar *v*[B2]	bwrw eira
una **nevera** *f*	oergell *b*
ni	na
ni …**ni** ...	ni(d) ... na
ni yo tampoco	na fi (chwaith)
Nicaragua *f*	Nicaragua *b*
nicaragüense *adj*	o Nicaragua
un **nido** *m*	nyth *g*
la **niebla** *f*	niwl *g*
hay niebla	mae'n niwlog
una **nieta** *f*	wyres *b*
un **nieto** *m*	ŵyr *g*
los **nietos** *m pl*	wyrion *ll* a wyresau *ll*
la **nieve** *f*	eira *g*; [AmL] hufen *g* iâ
un **niki** *m*	crys *g* T
una **niña** *f*	merch *b*; geneth *b*; hogan *b*; croten *b*; plentyn *b*
la **niñez** *f*	plentyndod *g*

ninguno *adj*	dim; dim un
un **niño** *m*	bachgen *g*; hogyn *g*; crwtyn *g*; crwt *g*; plentyn *g*
un **nivel** *m*	lefel *b*; safon *b*
no	na; nage; (d)dim; ni(d) ...; ni(d) ... (d)dim
no … ni … ni ….	ni(d) ... na ... na
no especialmente	dim yn arbennig
no fumador	dim ysmygu
no importa	(does) dim ots; dydy e(f)o ddim o bwys
no obstante	serch hynny; er hynny
no pasa nada	(does) dim ots; dydy e(f)o ddim o bwys; hidia befo
no tanto	dim cymaint â hynny
¿no?	on'd oes?/on'd wyt ti[ayyb]?; onid e?; yntê?
una **noche** *f*	nos *b*
esta noche	heno
por la noche	gyda'r nos
buenas noches	nos da
la **Nochebuena** *f*	Noswyl *b* Nadolig
la **Nochevieja** *f*	Nos *b* Galan
nomás [AmL]	dim ond
nombrar *v*[A1]	enwi
un **nombre** *m*	enw *g*
un nombre de pila	enw bedydd
el **nordeste** *m*	y gogledd-ddwyrain *g*
el **noreste** *m*	y gogledd-ddwyrain *g*
normal *adj*	cyffredin; normal; arferol
fuera de lo normal	anghyffredin
normalmente	fel arfer
el **noroeste** *m*	y gogledd-orllewin *g*
el **norte** *m*	y gogledd *g*
Noruega *f*	Norwy *b*
noruego *adj*	o Norwy
nos	ni; i ni; aton ni; wrthyn ni; ni'n hun(ain)
nosotras	ni [benywaidd]
nosotras mismas	ni'n hun(ain) [benywaidd]
nosotros	ni
nosotros mismos	ni'n hun(ain) [gwrywaidd]
una **nota** *f*	marc *g*; nodyn *g*

notable *adj*	hynod
notar *v*^{A1}	nodi; sylwi (ar)
las **noticias** *f pl*	newyddion *ll*
una **novedad** *f*	newydd-deb *g*; newyddbeth *g*
una **novela** *f*	nofel *b*
una novela policíaca	stori /nofel dditectif
una novela por entregas	stori / nofel gyfres
noventa	naw deg
una **novia** *f*	cariad *b*; dyweddi *b* [benywaidd]; priodferch *b*
noviembre *m*	mis *g* Tachwedd
un **novio** *m*	cariad *g*; dyweddi *g* [gwrywaidd]; priodfab *g*
una **nube** *f*	cwmwl *g*
nublado *adj*	cymylog
nuboso *adj*	cymylog
un **nudo** *m*	cwlwm *g*
nuestra	ein [o flaen enw benywaidd]
nuestras	ein [o flaen enw benywaidd lluosog]
nuestro	ein [o flaen enw gwrywaidd]
nuestros	ein [o flaen enw gwrywaidd lluosog]
Nueva Zelanda *f*	Seland Newydd *b*
nueve	naw
nuevo *adj*	newydd
completamente nuevo	hollol newydd; newydd sbon
de nuevo	eto; drachefn
una **nuez** *f*	cneuen *b*; cneuen Ffrengig
un **número** *m*	rhif *g*; rhifol *g*; nifer *g/b*; rhifyn *g*; maint *g*
¿qué número calza/ lleva?	pa faint (esgidiau) ydych chi'n eu gwisgo?
un número de matrícula	rhif cofrestru
los números romanos	rhifolion Rhufeinig
numeroso *adj*	niferus
nunca	byth; erioed; ni(d) ... byth / erioed
la **nutrición** *f*	maeth *g*
nutrir *v*^{A3}	bwydo; meithrin

o	neu
o.... o	naill ai ... neu
un **objetivo** *m*	nod *g/b*; pwrpas *g*; bwriad *g*; lens *b*
un **objeto** *m*	gwrthrych *g*; peth *g*
obligar *v*[A1] a	gorfodi i
obligatorio *adj*	gorfodol
una **obra** *f*	gwaith *g*; safle *g* adeiladu
una obra benéfica	elusen *b*
una obra de teatro	drama *b*
una obra maestra	campwaith *g*
una **obrera** *f*	gweithwraig *b*
un **obrero** *m*	gweithiwr *g*
un obrero agrícola	gwas *g* ffarm; gweithiwr ffarm
un **observador** *m*	sylwedydd *g* [gwrywaidd]
una **observadora** *f*	sylwedydd *g* [benywaidd]
obstinado *adj*	ystyfnig
obtener *v*[C24]	cael; ennill
obviamente	yn amlwg
obvio *adj*	amlwg; clir
una **oca** *f*	gŵydd *b*
la **Oca** *f*	gêm fwrdd debyg i Snakes and Ladders
una **ocasión** *f*	cyfle *g*; siawns *b*; achlysur *b*; adeg *b*
un **océano** *m*	cefnfor *g*; môr *g*
ochenta	wyth deg
ocho	wyth
el **ocio** *m*	hamdden *g*; amser *g* rhydd/hamdden
octubre *m*	mis *g* Hydref
ocupado *adj*	prysur
ocuparse *v*[A1] de	delio â; gofalu am; ymwneud â
ocurrir *v*[A1]	digwydd
odiar *v*[A1]	casáu; ffieiddio
odioso *adj*	ffiaidd; atgas
el **oeste** *m*	y gorllewin *g*
una **oferta** *f*	cynnig *g*
ofertas de trabajo	hysbysebion *ll* am swyddi; rhestr swyddi ar gael / gwag
una **oficina** *f*	swyddfa *b*
una oficina de correos	swyddfa bost
una oficina de información	swyddfa hysbysrwydd
la oficina del director / de la directora	swyddfa'r prifathro / brifathrawes
una oficina de objetos perdidos	swyddfa eiddo coll

una oficina de turismo	canolfan dwristiaeth; canolfan groeso
un **oficio** *m*	swydd *b*; proffesiwn *b*; crefft *b*; gwasanaeth *g*
ofrecer v^{C5}	cynnig
oiga	esgusodwch fi [i dynnu sylw]
oír v^{C17}	clywed; gwrando
un **ojo** *m*	llygad *g/b*
¡ojo!	cymer(wch) ofal!
una **ola** *f*	ton *b*
una ola de calor	cyfnod *b* o dywydd poeth
una ola de frío	cyfnod *b* o dywydd oer
oler v^{B6} **a**	arogli; gwynto
los **Juegos Olímpicos** *m pl*	y Gêmau *ll* Olympaidd
una **oliva** *f*	olif *b*
un **olivo** *m*	olewydden *b*
una **olla** *f*	pot *g*
una olla podrida	stiw *g*
un **olor** *m*	arogl *g*; gwynt *g*
olvidadizo *adj*	anghofus
olvidar v^{A1}	anghofio
olvidarse v^{A1D} *de*	anghofio
once	un ar ddeg; un deg un
las **onces** *f* [AmL]	te (te neu goffi gyda byrbryd)
ondear v^{A1}	chwifio; hedfan [baner]
ondulado *adj*	tonnog
una **opción** *f*	dewis *g*; opsiwn *b*
una **ópera** *f*	opera *b*
una **operación** *f*	llawdriniaeth *b*; gweithred *b*
opinar v^{A1}	meddwl; barnu
¿Qué opinas de…?	Beth wyt ti'n ei feddwl o /am ...
una **opinión** *f*	barn *b*
en mi opinión	yn fy marn i
una **oportunidad** *f*	cyfle *g*; siawns *b*
oportuno *adj*	priodol
opuesto *adj*	gwrthwynebol; cyferbyn; yn erbyn
orar v^{A1}	gweddïo
el **orden** *m*	trefn *b*
en / por orden alfabético	yn nhrefn yr wyddor
una **orden** *f*	gorchymyn *g*
ordenado *adj*	trefnus; taclus; cymen
un **ordenador** *m*	cyfrifiadur *g*
ordenar v^{A1}	trefnu; tacluso; cymoni; cael trefn ar; clirio; gorchymyn
una **oreja** *f*	clust *b*

una **organización** *f* **benéfica**	elusen *b*
un **organizador** *m*	trefnydd *g* [gwrywaidd]
una **organizadora** *f*	trefnydd *g* [benywaidd]
organizar *v*[A1]	trefnu
un **órgano** *m*	organ *b*
orgulloso *adj*	balch
el **oriente** *m*	y dwyrain
el Extremo Oriente	y Dwyrain Pell
el Oriente Medio	y Dwyrain Canol
original *adj*	gwreiddiol
una **orilla** *f*	glan *b*; min *g*
a orillas del mar	ar lan y môr
la **ornitología** *f*	adareg *b*
el **oro** *m*	aur *g*
una **orquesta** *f*	cerddorfa *b*; band *g*
una **oruga** *f*	lindys *g*
oscuro *adj*	tywyll
un **osito** (de peluche) *m*	tedi bêr *g*
un **oso** *m*	arth *b*
el **otoño** *m*	yr hydref *g*
en otoño	yn yr hydref
otro *adj*	arall
un otro	un arall (eto)
a otra parte	i rywle arall
en otra parte	yn rhywle arall
otra persona	rhywun arall
otra vez	eto; unwaith eto; drachefn
las otras f pl	y lleill; y gweddill
por otro lado	ar y llaw arall
en otro sitio	yn rhywle arall
los otros m pl	y lleill; y gweddill
oval *adj*	hirgrwn
ovalado *adj*	hirgrwn
una **oveja** *f*	dafad *b*
un **overol** *m*	troswisg *b*; oferôl *g*
el **oxígeno** *m*	ocsigen *g*
oye	hei!; gwranda!
los / las **oyentes** *m / f pl*	gwrandawyr *ll*

un **pabellón** *m* **deportivo**	neuadd *b* chwaraeon
la **paciencia** *f*	amynedd *g*
paciente *adj*	amyneddgar
un / una **paciente** *m* / *f*	claf *g*
pacientemente	yn amyneddgar
pacífico *adj*	heddychlon
el Pacífico m	y Môr *g* Tawel
padecer *v*[C5]	dioddef
un **padrastro** *m*	llysdad *g*
un **padre** *m*	tad *g*
los **padres** *m pl*	rhieni *ll*
paella *f*	pryd o fwyd yn cynnwys reis, cig, pysgod, bwyd y môr
la **paga** *f*	arian *g* poced; cyflog *g*/*b*; tâl *g*; taliad *g*
pagar *v*[A1]	talu
una **página** *f*	tudalen *b*; dalen *b*
una página web	gwefan *b*
un **pago** *m*	tâl *g*; taliad *g*
un **país** *m*	gwlad *b*
el País de Gales	Cymru *b*
un país desarrollado	gwlad ddatblygedig
un país subdesarrollado	gwlad heb ei datblygu
un **paisaje** *m*	tirwedd *b*; tirlun *g*
una **pajarita** *f*	tei *g* bô
un **pajarito** *m*	cyw *g*; aderyn *g* bach
un **pájaro** *m*	aderyn *g*
una **pala** *f*	pâl *b*; rhaw *b*; bat *g*
una **palabra** *f*	gair *g*
una palabra clave	allweddair *g*
¡Usted tiene la palabra!	eich tro chi i ddweud gair!
un **palacio** *m*	palas *g*
un **palco** *m*	bocs *g* [theatr]
una **paleta** *f*	trywel *g*; bat *b*
pálido *adj*	gwelw; llwydaidd
una **paliza** *f*	crasfa *b*; curiad *g*; cweir *b*
una **palmera** *f*	palmwydden *b*
un **palo** *m*	ffon *b*; gwialen *b*
un palo de hockey	ffon hoci
la **pampa** *f*	paith *g*
un **pan** *m*	bara *g*
una **panadera** *f*	pobyddes *b*
una **panadería** *f*	siop *b* fara
un **panadero** *m*	pobydd *b*

Panamá *m*	Panama *b*
panameño *adj*	o Banama
la **panceta** *f*	bacwn *g*; cig *g* moch
una **pandilla** *f*	grŵp *g*; gang *g*; haid *b*
un **panel** *m*	panel *g*; hysbysfwrdd *g*
un **panqué** *m* [AmL]	crempogen *b*; pancosen *b*
una **pantalla** *f*	sgrîn *b*
un **pantalón** *m*	trowser *g*; trowsus *g*
un pantalón corto	trowsus byr / bach / cwta
un pantalón de peto	dyngarîs *ll*; oferôl *g*
un pantalón pirata	clos *g* pen-glin
un pantalón short	trowsus byr / bach / cwta
los pantalones m pl	trowser *g*; trowsus *g*
una **pantera** *f*	panther *g*
los **pantis** *m pl*	pâr *g* o deits
un **pañito** *m*	lliain *g* sychu llestri
un **paño** *m*	cadach *g*; lliain *g*
un **pañuelo** *m*	hances *b*; sgarff *g*
una **papa** *f*	taten *b*
el **papa** *m*	y Pab *g*
papá *m*	dad
Papá Noel	Siôn Corn
un **papagayo** *m*	parot *g*
un **papel** *m*	papur *g*
el papel de cartas	papur ysgrifennu
el papel de envolver	papur lapio
el papel de regalo	papur lapio
el papel higiénico	papur toiled
el papel pintado	papur wal
una **papelera** *f*	bin *g*
una **papelería**	siop *b* bapur ysgrifennu
un **paquete** *m*	pecyn *g*; paced *g*; parsel *g*; bwndel *g*
un **par** *m*	pâr *g*
para	am; i; ar gyfer; erbyn; er mwyn
para arriba	i fyny; lan
el **paracaidismo** *m*	parasiwtio *g*
una **parada** *f*	arhosfa *b*; stop *g*; person *g* di-waith [benywaidd]
una parada de autobús	arhosfa *b* fysiau; stop *g* bysiau
una parada de taxis	rheng *b* dacsis
parado *adj*	wedi stopio; wedi synnu; di-waith
un parado m	person *g* diwaith [gwrywaidd]
un **parador** *m*	gwesty *g*

un **paraguas** *m*	ymbarél *g/b*
paraguayo *adj*	o Paraguay
paralizado *adj*	diffrwyth
parar *v*[A1]	atal; peidio; stopio
pararse v[D]	stopio
un **parasol** *m*	ymbarél *g/b* haul
una **parcela** *f*	safle *g*; darn *g* o dir
parecer *v*[C5]	ymddangos; edrych yn
parecerse v[C5D] *a*	bod / edrych yn debyg i
parecido *adj*	tebyg
una **pared** *f*	wal *b*; pared *g*; mur *g*
una **pareja** *f*	pâr *g* [o bobl]; partner *g*; partneres *b*
una **parienta** *f*	perthynas *g/b* [benywaidd]
un **pariente** *m*	perthynas *g/b* [gwrywaidd]
ser pariente de	perthyn i
un **parking** *m*	maes *g* parcio
el **paro** *m*	diweithdra
en paro	di-waith
un **párpado** *m*	amrant *g/b*
un **parque** *m*	parc *g*
un parque de atracciones	parc difyrion / pleserau; parc hamdden; ffair *b*
un parque infantil	maes *g* chwarae; lle *g* chwarae
un parque nacional	parc cenedlaethol
un parque temático	parc difyrion / pleserau; parc hamdden; ffair *b*
un parque zoológico m	sŵ *g*
un **parquímetro** *m*	mesurydd *g* parcio
una **parrillada** *f*	barbeciw *g*
un **párroco** *m*	ficer *g*
una **parroquia** *f*	plwyf *g*
una **parte** *f*	rhan *b*
a alguna parte	i rywle; rhywle (neu'i gilydd)
a otra parte	(i) rywle arall
en alguna parte	rhywle (neu'i gilydd)
en otra parte	rhywle arall
la mayor parte	y rhan fwyaf
por mi parte	o'm rhan i
por otra parte	ar y llaw arall
de la parte de	ar ran; yn enw; gan
ser v[C23] *parte de*	bod yn ran o
la parte de atrás	cefn *g*; y tu *g* ôl
la parte de delante	tu *g* blaen

la parte de dentro	tu *g* mewn
la parte delantera	tu *g* blaen
la parte exterior	tu *g* allan
en todas partes	ym mhob man
un **parte** *m*	bwletin *g*; adroddiad *g*
participar *v*[A1] en	cymryd rhan yn / mewn; bod yn rhan o
particular *adj*	preifat
una **partida** *f*	gêm *b*; tystysgrif *b*; ymadawiad *g*
una partida de caza	helfa *b*
una **partidaria** *f*	cefnogwraig *b*
un **partidario** *m*	cefnogwr *g*
partidario adj	o blaid; pleidiol
un **partido** *m*	plaid *b*; gêm *b*
un partido de fútbol	gêm bêl-droed
partir *v*[A3]	ymadael; torri; rhannu
a partir de	o ... ymlaen
a partir de ahora	o hyn ymlaen; o hyn allan
un **parvulario** *m*	ysgol *b* feithrin
pasable *adj*	gweddol
una **pasada** *f*	gwych; bendigedig; ardderchog; ffantastig; grêt
pasado *adj*	diwethaf; a aeth heibio
el **pasado** *m*	y gorffennol *g*
pasado mañana	drennydd *g*
una **pasajera** *f*	teithwraig *b*
un **pasajero** *m*	teithiwr *g*
¡pásalo bien!	mwynha dy hun!
¡que lo **pases** bien !	mwynha dy hun!
un **pasaporte** *m*	pasbort *g*
pasar *v*[A1]	digwydd; mynd ymlaen; mynd i mewn; dod i mewn; mynd heibio; treulio; pasio; trosglwyddo
no pasa nada	(does) dim ots; dydy e(f)o ddim o bwys; hidia befo
pasar a	mynd (ymlaen) i; symud ymlaen i
pasar corriendo	rhedeg heibio; gwibio heibio
pasar la aspiradora/ el aspirador	glanhau â hwfer; hwfro
pasar la lista	cofrestru
pasar un examen	pasio arholiad; llwyddo mewn arholiad
pasarlo v[A1] *bien*	mwynhau eich hun
pasárselo v[D] *bien*	mwynhau eich hun

pasar por	mynd i; galw heibio
pasar por delante de	mynd heibio; pasio
las **pasas** *f pl*	rhesins *ll*
un **pasatiempos** *m*	gweithgaredd *g* hamdden; hobi *g*
la **Pascua** *f*	y Pasg *g*
¡Felices Pascuas!	Nadolig Llawen!
un **pase de modelos** *m*	sioe *b* ffasiwn
pasear *v*[A1] **al perro**	mynd â'r ci am dro
pasearse v[D]	mynd am dro / reid(en)
un **paseo** *m*	tro *g*; trip *g*; rhodfa *b*; stryd *b* lydan
dar un paseo	mynd am dro
un paseo a caballo	reid *b* ar gefn ceffyl; merlota *g*
un paseo en bicicleta	reid *b* ar gefn beic
un **pasillo** *m*	coridor *g*
la **pasión** *f*	angerdd *g*/*b*; nwyd *g*
con pasión	yn angerddol
un **paso** *m*	cam *g*
un paso de cebra	croesfan *b* sebra
un paso de peatones	croesfan *b* (i gerddwyr)
un paso subterráneo	croesfan *b* danddaear(ol)
la **pasta** *f*	pasta *g*; pâst *g*; toes *g*; arian [slang]
una pasta dentífrica	pâst dannedd
una pasta de dientes	pâst dannedd
las **pastas** *f pl*	pasta *g*
un **pastel** *m*	teisen *b*; cacen *b*
un pastel de manzana	pastai *b* afalau
una **pastelería** *f*	siop *b* gacennau
una pastilla f	tabled *b*
un **pastor** *m*	bugail *g*; gweinidog *g*; person *g* [eglwys]; offeiriad *g*
un pastor alemán	ci *g* blaidd
una **pastora** *f*	bugailes *b*; gweinidoges *b*; person *g* [eglwys]
una **pata** *f*	coes *b*; troed *b*; pawen *b* [anifail]
patas arriba	(â'i) wyneb i waered
una **patata** *f*	taten *b*
las patatas fritas	creision *ll*; sglodion *ll*
un **paté** *m*	paté *g*
un **patín** *m*	sgêt *b*
el **patinaje** *m*	sglefrio *g*
hacer v[C14] *patinaje*	sglefrio
el patinaje artístico	sglefrio ffigyrau
hacer v[C14] *patinaje sobre ruedas*	sglefrolio; troed-rolio

patinar *v*^{A1}	sglefrio; sglefrolio; llithro; gwneud camgymeriad
patinar sobre hielo	sglefrio ar iâ
los **patines** *m pl*	esgidiau *ll* sglefrio
los patines de ruedas	esgidiau *ll* rholio
ir v^{C16} *en patines de ruedas*	sglefrolio; troed-rolio
un **patinete** *m*	sgŵter *g*
un **patio** *m*	iard *b*; clos *g*
un **pato** *m*	hwyaden *b*
patrocinar *v*^{A1}	noddi
el **patrocinio** *m*	nawdd *g*
un **patrón** *m*	pennaeth *g*; bos *g*; perchennog *g*; rheolwr *g* [gwesty, ayyb]; patrwm *g*
una **patrona** *f*	pennaeth *g*; bos *g*; perchennog *g*; rheolwraig *b* [gwesty, ayyb]
paulatinamente	yn raddol; fesul tipyn
paulatino *adj*	graddol
una **pausa** *f*	saib *g*; seibiant *g*; egwyl *b*; hoe *b*
un **pavo** *m*	twrci *g*
un **payaso** *m*	clown *g*
la **paz** *f*	heddwch *g*
el **peaje** *m*	toll *b*; tollborth *b*
un **peatón** *m*	cerddwr *g*
una **peatona** *f*	cerddwraig *b*
peatonal *adj*	i gerddwyr yn unig
un **pecho** *m*	bron *b*; brest *b*
un **pedazo** *m*	darn *g*
un **pedido** *m*	archeb *b*
pedir *v*^{B5}	gofyn (am); archebu
pedir prestado	gofyn i gael benthyca; gofyn am gael benthyg
un **pegamento** *m*	glud *g*
pegar *v*^{A1}	bwrw; curo; taro; gludo; sticio; glynu
pegarse v^{D} *a*	glynu at
una **pegatina** *f*	sticer *g*
un **peinado** *m*	steil *g* [gwallt]
peinarse *v*^{D}	cribo gwallt
un **peine** *m*	crib *g/b*
las **peladuras** *f pl*	pilion *ll*; crafion *ll*
el **pelaje** *m*	ffwr *g*
pelar *v*^{A1}	pilio
un **peldaño** *m*	gris *g*
una **pelea** *f*	cweryl *g*; ffrae *b*; brwydr *b*

pelear(se) $v^{A1(D)}$	ymladd; cweryla; ffraeo; brwydro
una **película** *f*	ffilm *b*
una película de amor	ffilm serch
una película de aventuras	ffilm antur
una película de miedo	ffilm arswyd
una película de terror	ffilm arswyd
un **peligro** *m*	perygl *g*
peligroso *adj*	peryglus
pellizcar v^{A1}	pinsio
un pelo *m*	blewyn *g*
el pelo	gwallt *g*; ffwr *g*; blew *ll*
tomar v^{A1} *el pelo a*	tynnu coes; gwneud sbort am ben
una **pelota** *f*	pêl *b*
una **peluca** *f*	gwallt *g*; wig *g*
una **peluquera** *f*	dynes *b* sy'n trin gwallt
una **peluquería** *f*	siop *b* trin gwallt
un **peluquero** *m*	dyn *b* sy'n trin gwallt
una **pena** *f*	piti *g*; trueni *g*; tristwch *g*; galar *g*
no merece la pena	does dim pwynt / pwrpas
¡Qué pena!	dyna biti / drueni! bechod!
un **pendiente** *m*	clustdlws *g*
una **pendiente** *f*	llethr *b*
penoso *adj*	poenus; llafurus; truenus
pensar v^{B2}	meddwl; credu
pensar en	meddwl am
pensando en las musarañas	â'r meddwl ymhell; yn breuddwydio; yn synfyfyrio
una **pensión** *f*	llety *g*; lle *g* gwely a brecwast; gwesty *g* pensiwn *g*
una pensión completa	llety â phob pryd bwyd
media pensión	llety â brecwast a chinio
el **Pentecostés** *m*	y Pentecost *g*
un **peón** *m*	gwas *g* ffarm
peor *adj*	gwaeth; gwaethaf
un **pepino** *m*	ciwcymbr *g*
pequeño *adj*	bach; bychan
me viene pequeño	mae'n rhy fach i fi [dillad]
más pequeño	llai
una **pera** *f*	gellygen *b*; peren *b*
en el año de la pera	ers talwm; amser maith yn ôl
una **percha** *f*	clwyd *b* [adar]
un **perchero** *m*	rhesel *b* gotiau
perder v^{B3}	colli; methu; gollwng; gwastraffu

perder el turno	colli / methu tro / twrn
perder la vez	colli / methu tro / twrn
perder los estribos	colli tymer; gwylltu
perderse v^{B3D}	mynd ar goll; colli eich ffordd
una **pérdida** *f*	gwastraff *g*; colled *g/b*
perdido *adj*	ar goll; colledig; wedi colli; wedi ei golli /cholli
un **perdón** *m*	maddeuant *g*
¡perdón!	esgusodwch fi!; esgusoda fi; mae'n ddrwg gen i; mae'n arw gen i; mae'n flin gen i
perdonar v^{A1}	maddau; esgusodi
perdona/perdone	esgusodwch fi; mae'n ddrwg gen i; mae'n arw gen i; mae'n flin gen i
el **perejil** *m*	persli *g*
perezoso *adj*	diog; dioglyd
perfectamente	yn berffaith
perfecto *adj*	perffaith; i'r dim
un **perfil** *m*	amlinell *b*; proffil *g*
perfilar v^{A1}	amlinellu
perforar v^{A1}	tyllu; drilio
perfumado *adj*	peraroglus
un **perfume** *m*	persawr *g*
un **periódico** *m*	papur *g* newydd
un / una **periodista** *m / f*	newyddiadurwr *g* / newyddiadurwraig *b*
un **periodo** *m* / un **período** *m*	cyfnod *g*; oes *b*; adeg *b*; amser *b*
un **periquito** *m*	byji *g*
permanente *adj*	parhaol; sefydlog
un **permiso** *m*	caniatâd *g*; cennad *g*; trwydded *b*
un permiso de conducir	trwydded yrru
permitir v^{A3}	caniatáu; gadael
no se permite	ni chaniateir
pero	ond
perpetuo *adj*	parhaol; tragwyddol
la **perplejidad** *f*	penbleth *g/b*
una **perra** *f*	gast *b*
un **perrito** *m*	ci bach
un perrito caliente	ci poeth; selsgi *g*
un **perro** *m*	ci *g*
un perro lobo	ci blaidd
un perro pastor	ci defaid

perseguir *v*[B5]	erlid; ymlid; dilyn
una **persiana** *f*	bleind *g*
una **persona** *f*	person *g*
otra persona	rhywun arall
un **personaje** *g*	personoliaeth *b*; cymeriad *g*
personal *adj*	personol
el personal m	staff *g*
las **perspectivas** *f pl*	rhagolygon *ll*; posibiliadau *ll*
la **perspicacia** *f*	craffter *g*; deallusrwydd *g*
perspicaz *adj*	craff; deallus
persuadir *v*[A3]	perswadio
pertenecer *v*[C5] **a**	perthyn i
eso me pertenece	mae hwnna'n perthyn i fi; fi biau hwnna
las pertenencias f pl	eiddo *g*
el **Perú** *m*	Peru *g*
peruano *adj*	o Beru
una **pesadilla** *f*	hunllef *b*
pesado *adj*	trwm; diflas; annifyr
pesar *v*[A1]	pwyso
a pesar de	er gwaethaf; er; serch
la **pesca** *f*	pysgota *g*
ir v[C16] *de pesca*	pysgota; mynd i bysgota
una **pescadería** *f*	siop *b* bysgod
un **pescado** *m*	pysgodyn *g*
un **pescador** *m*	pysgotwr *g*
una **pescadora** *f*	pysgotwraig *b*
una **peseta** *f*	arian Sbaen cyn yr ewro
un **peso** *m*	pwysau *ll*; arian nifer o wledydd hispanaidd yn America
un **pesquero** *m*	llong *b* bysgota
un **petirrojo** *m*	robin *g* goch
un **peto** *m*	dyngarîs *g*; oferôl *g*
un **pez** *m*	pysgodyn *g*
un pez de colores	pysgodyn aur
una **pezuña** *f*	carn *g* [anifail]
un **piano** *m*	piano *g*
tocar el piano	canu / chwarae'r piano
una **picadura** *f*	brathiad *g*
picar *v*[A1]	brathu; pigo
un **picnic** *m*	picnic *g*
un **pico** *m*	pig *b*
un **pie** *m*	troed *b*; gwaelod *g*
al pie de	wrth droed; ar waelod

de pie	yn sefyll
un dedo del pie	bys *g* troed
estar v[C10] *de pie*	sefyll; bod yn sefyll
ponerse v[C18D] *de / en pie*	codi
ir v[C16] *a pie*	cerdded
una **piedra** *f*	carreg *b*
una **piel** *f*	croen *g*; lledr *g*; pil *g*
una **pierna** *f*	coes *b*
un **pijama** *m*	pyjama(s) *ll*
una **pila** *f*	batri *g*; pentwr *g*; basn *g*; bedyddfaen *g*
un nombre de pila	enw *g* cyntaf; enw *g* bedydd
una **píldora** *f*	pilsen *b*
pillar *v*[A1]	dal
un **pillo** *m*	dihiryn *g*; gwalch *g*
un **piloto** *m*	peilot *g*; gyrrwr *g* rasio
un piloto de fórmula uno	gyrrwr fformiwla 1
un piloto de rally	gyrrwr rali
la **pimienta** *f*	pupur *g* [a halen]
un **pimiento** *m*	pupur *g* [llysieuyn]
el **pimpón** *m*	tenis *g* bwrdd
una **pincelada** *f*	strôc [brwsh]
pinchado *adj*	fflat [teiar]
pinchar *v*[A1]	rhoi pigiad i; chwistrellu; tyllu; pigo
un **pinchazo** *m*	twll *g* [mewn teiar]; pigiad *g*
un **pinchito** *m*	byrbryd *g*
un **pincho** *m*	byrbryd *g*; cebab *g*
un pincho moruno	cebab *g*
el **ping-pong** *m*	tenis *g* bwrdd
un **pingüino** *m*	pengwyn *g*
un **pino** *m*	pinwydden *b*
una **pinta** *f*	peint *g*; ymddangosiad *g*; golwg *b*
tener v[C24] *pinta*	edrych
pintado *adj*	wedi ei beintio
un **pintor** *m*	arlunydd *g*; artist *g*; peintiwr *g*
una **pintora** *f*	arlunwraig *b*; artist *g*; peintwraig *b*
pintoresco *adj*	darluniadwy; prydferth
una **pintura** *f*	paent *g*; llun *g*; paentiad *g*; peintio *g*
una **piña** *f*	afal *g* pîn; pîn afal *g*
una **pipa** *f*	pib *g*
las **pipas** *f*	hadau *ll* [blodau haul]
una **piragua** *f*	canŵ *g*
el **piragüismo** *m*	canŵio *g*

hacer v^{C14} *piragüismo*	canŵio
una **piruleta** *f*	lolipop *g*
un **pirulí** *m*	lolipop *g*
una **pisada** *f*	ôl *g* troed
pisar v^{A1}	cerdded ar; gwasgu; troedio; camu
una **piscina** *f*	pwll *g* nofio
una piscina cubierta	pwll nofio dan do
una piscina descubierta	pwll nofio awyr agored
Piscis *m pl*	Piscis; cytser *g* y Pysgod *ll*
un **piso** *m*	fflat *b*; llawr *g*
una **pista** *f*	lôn *b*; trac *g*; trywydd *g*; cliw *g*; cwrt *g*
una pista de ciclismo	lôn seiclo
una pista de esquí	llain *b* / llethr *b* sgio
una pista de hielo	canolfan *b* sglefrio ar iâ
una pista de patinaje	canolfan *b* sglefrio / sglefrolio
una pista de tenis	cwrt *g* tenis
un **pistacho** *m*	cneuen *b* bistasio
el **pisto** *m*	llysiau wedi eu ffrio; ratatouille
una **pistola** *f*	dryll *g*; gwn *g*
pitar v^{A1}	chwibanu
un **piyama** *m* [AmL]	pyjama(s) *ll*
una **pizza** *f*	pizza *g*
una **pizarra** *f*	bwrdd *g* du
una **placa** *f*	bathodyn *g*; plac *g*
un **placer** *m*	pleser *g*; mwynhâd *g*
ha sido un placer	croeso; pleser; â phleser; paid / peidiwch â sôn
un **plafón** *m* [AmL]	nenfwd *g*
un **plan** *m*	cynllun
una **plancha** *f*	haearn *g* smwddio; fflat *g* smwddio
a la plancha	wedi grilio
una plancha de windsurf	hwylfwrdd *g*
planchar v^{A1}	smwddio
planear v^{A1}	cynllunio; gleidio
un **planeta** *m*	planed *g*
planificar v^{A1}	cynllunio
primer(o) *adj*	cyntaf
un **plan** *m*	cynllun *g*
plano *adj*	gwastad; fflat
un **plano** *m*	cynllun *g*; map *g*
un primer plano	llun *g* agos
en primer plano	yn agos; yn y blaen [llun]
una **planta** *f*	planhigyn *g*; llawr *g*

en la planta baja	ar y llawr isaf
plástico *adj*	plastig
un plástico m	plastig *g*
la **plata** *f*	arian *g*
un **plátano** *m*	banana *g*
una **plática** *f* [AmL]	sgwrs *b*
platicar *v*[A1] [AmL]	siarad; sgwrsio
un **platillo** *m*	soser *b*
un **plato** *m*	plât *g*; dysgl *b*; cwrs *g* [bwyd]
un plato combinado	pryd llawn o fwyd, un cwrs
los **platos** *m pl*	llestri *ll*
fregar v[B2] *los platos*	golchi'r llestri
lavar v[A1] *los platos*	golchi'r llestri
una **playa** *f*	traeth *g*
una **plaza** *f*	sgwâr *g*; sedd *b*
una plaza de toros	stadiwm ar gyfer gornestau ymladd teirw
pleno *adj*	llawn
una **plumada** *f*	strôc [pen]
un **plumero** *m*	cas *g* pensiliau
un **plumier** *m*	cas *g* pensiliau
un **plumón** *m* [AmL]	pen *g* ffelt
plural *adj*	lluosog
el plural m	lluosog *g*
pobre *adj*	tlawd; truan; truenus
una pobrecilla f	truan *g*
un pobrecillo m	truan *g*
una pobrecita f	truan *g*
un pobrecito m	truan *g*
los pobres m pl	tlodion *ll*
la **pobreza** *f*	tlodi *g*
pocas veces	ychydig droeon; ambell waith
una **pocilga** *f*	twlc *g* moch(yn)
un **pocillo** *m* [AmL]	cwpan *g* coffi
poco	ychydig; dim llawer
por poco	bod bron â
por poco se cae	roedd e bron â chwympo
un poco	tipyn bach; ychydig; tamaid bach; mymryn
un poco m *(de)*	ychydig *g* o; tipyn (bach) o; tamaid (bach) o
poco a poco	yn raddol; fesul tipyn
poco común adj	anghyffredin; prin

poco frecuente adj	anghyffredin; anaml
un **poder** *m*	grym *g*; pŵer *g*
poder *v*[B4]	gallu; medru
un **poema** *m*	cerdd *b*
una **poesía** *f*	cerdd *b*; barddoniaeth *b*
un / una **poeta** *m / f*	bardd *g*
polaco *adj*	Pwylaidd; o Wlad Pŵyl
un / una **poli** *m / f* [slang]	plismon / plismones *g/b*; heddwas/ heddforwyn *g/b*
la **poli** *f* [slang]	heddlu *g*
un / una **policía** *m / f*	plismon / plismones *g/b*; heddwas/ heddforwyn *g/b*
la **policía** *f*	heddlu *g*
una novela **policíaca** *f*	nofel / stori *b* dditectif
un **polideportivo** *m*	canolfan *b* chwaraeon; neuadd *b* chwaraeon; canolfan *b* hamdden
políglota *adj*	amlieithog
un / una políglota m / f	person *g* amlieithog
un **polígono** *m* **industrial**	stad *b* ddiwydiannol
la **política** *f*	gwleidyddiaeth
una política f	gwleidydd *b* [benywaidd]
político *adj*	gwleidyddol
un político m	gwleidydd *g* [gwrywaidd]
una **pollera** *f* [AmL]	sgert *b*
un **pollito** *m*	cyw *g*
un **pollo** *m*	cyw iâr
un **polluelo** *m*	cyw *g*
Polonia *f*	Gwlad *b* Pŵyl
la **polución** *f*	llygredd *g*
el **polvo** *m*	llwch *g*; powdwr *g*
hecho polvo adj	wedi blino'n lân; wedi blino'n rhacs; wedi ymlâdd
un **pomelo** *m*	grawnffrwyth *g*
un **pompis** *m* [slang]	pen-ôl *g*
un **pómulo** *m*	boch *g*
un **ponche** *m*	pwns *g* [diod]
poner *v*[C18]	rhoi; dodi; gosod; lleoli; rhoi ... amdanoch; gwisgo; troi ymlaen; dangos [rhaglen, ffilm]
poner de los nervios	mynd ar nerfau rhywun
poner la mesa	gosod y bwrdd / ford
poner otra vez en su sitio	rhoi / dodi / gosod yn ôl
ponerse v[C18D]	dod yn; mynd yn; troi yn; machlud

ponerse a	mynd ati
ponerse a régimen	mynd ar ddeiet
ponerse de / en pie	codi
ponerse derecho	ymsythu
ponerse en camino	cychwyn
ponerse en huelga	streicio
ponerse en marcha	cychwyn
una **población** *f*	poblogaeth *b*
popular *adj*	poblogaidd
por	trwy; gan; â; ag; efo; gyda / gydag; dros; ar draws; o gwmpas; o amgylch; i; am; oherwydd; o achos; gerfydd
por accidente	trwy ddamwain
por allí	y ffordd yna / acw
por aquí	yn y cyffiniau; y ffordd yma / hyn / hon
por casualidad	trwy ddamwain; ar siawns
por causa de	oherwydd; o achos
(cinco) por ciento	(pump) y cant
por cierto	yn bendant
por consiguiente	felly; oherwydd hynny; yn sgil hynny
¡por desgracia!	gwaetha'r modd!; yn anffodus
por día	[x gwaith] y dydd
por ejemplo	er enghraifft
por el momento	am y tro
por encima de	dros; tros
por error	trwy gamgymeriad
por eso	oherwydd hynny; felly
por favor	os gweli di'n dda; os gwelwch yn dda
por fin	o'r diwedd; yn y diwedd
por hora	yr awr
x kilómetros por hora	x cilometr yr awr
por la mañana	yn y bore
por la noche	gyda'r nos
por la tarde	yn y prynhawn; gyda'r nos; fin nos
por lo general	fel arfer
por lo menos	o leiaf
por lo pronto	am y tro
por lo tanto	felly
por miedo a	rhag ofn
por semana	yr wythnos; bob wythnos

por si	rhag ofn
por si acaso	rhag ofn
por suerte	trwy lwc; yn ffodus
por supuesto	wrth gwrs
por tanto	felly
por término medio	ar gyfartaledd
por teléfono	ar y ffôn
por temor a	rhag ofn
por todas partes	ym mhob man
por turnos	pob un yn ei dro
la **porcelana** *f*	porslen *g*
un **porche** *m*	cyntedd *g*; porth *g*
porque	oherwydd; achos; oblegid
¿por qué?	pam?
por qué no	pam ddim; pam na; pam lai
una **porquería** *f*	budreddi *ll*; bryntni *g*; llanast *g*; twlc *g* moch(yn)
una **porqueriza** *f*	cwt *g* mochyn; twlc *g* moch(yn)
un **portal** *m*	porth *g*; drws *g* blaen; cyntedd *g*
portarse *v*[D]	ymddwyn
una **portera** *f*	gofalwraig *b*; gôl-geidwad *g*
una **portería** *f*	swyddfa *b* gofalwr / gofalwraig; gôl
un **portero** *m*	gofalwr *g*; gôl-geidwad *g*
portorriqueño *adj*	o Puerto Rico
un **pórtico** *m*	porth *g*
Portugal *m*	Portiwgal *b*
portugués *adj*	o Bortiwgal; Portiwgeaidd
un **porvenir** *adj*	dyfodol *g*
poseer *v*[A2]	meddu ar; bod yn berchen ar
una **posibilidad** *f*	posibilrwydd *g*
posible *adj*	posibl
una (tarjeta) **postal** *f*	cerdyn *g* post
un **poste** *m*	post(yn) *g*; polyn *g*
un **póster** *m*	poster *g*
postizo *adj*	ffug; ffals
un **postre** *m*	pwdin *g*
un **potaje** *m*	potes *g*; cawl *g*; stiw *g*
practicar *v*[A1]	ymarfer; gwneud
práctico *adj*	ymarferol
una **pradera** *f*	dôl *b*; paith *g*
un **prado** *m*	dôl *b*; [AmL] lawnt *b*
un **precio** *m*	pris *g*
precioso *adj*	prydferth; hyfryd; gwerthfawr

precipitarse *v*[D]	gwibio; rhuthro
preciso *adj*	union; pendant; cywir; angenrheidiol
predecir *v*[C9]	proffwydo; darogan
la **preferencia** *f*	dewis *g* cyntaf; blaenoriaeth *b*
de preferencia	o ddewis
preferentemente	o ddewis
un **preferido** / una **preferida** m / f	ffefryn *g*
preferido adj	hoff
preferir *v*[B7]	bod yn well gan
una **pregunta** *f*	cwestiwn *g*
hacer v[C14] *una pregunta*	gofyn cwestiwn
preguntar *v*[A1]	gofyn
preguntarse v[D]	meddwl tybed ...; tybio; gofyn i'ch hun(an)
me pregunto	tybed; sgwn i
un **prejuicio** *m*	rhagfarn *b*
un **premio** *m*	gwobr *b*
el premio gordo	y wobr *b* fawr [yn Loteri Sbaen]
un **prendedor** *m*	broets *g*
prender *v*[A2]	cynnau; dal; arestio; trio amdanoch [ayyb]
prender fuego	mynd ar dân; rhoi ar dân; cynnau
prendido *adj* [AmL]	ymlaen [golau e.e.]; wedi ei gynnau
la **prensa** *f*	y wasg *b* [papurau newydd ayyb]
preocupado *adj*	gofidus; pryderus; nerfus; aflonydd
preocupar(se) *v*[A1(D)]	poeni; becso; gofidio; pryderu
no te preocupes	paid â phoeni; hidia befo
preparado *adj*	parod; wedi paratoi
preparar *v*[A1]	paratoi
prepararse v[D]	paratoi eich hun(an); ymbaratoi
prepotente *adj*	trahaus; ffroenuchel
una **presa** *f*	carcharor *g*; argae *g*; ysglyfaeth *b*
presentar *v*[A1]	cyflwyno; cynnig
presentarse v[D]	cyflwyno eich hun(an); cynnig eich hun(an)
presentarse a un examen	sefyll arholiad
una **presidenta** *f*	llywydd *g*; arlywydd *g* [benywaidd]; cadeiryddes *b*
un **presidente** *m*	llywydd *g*; arlywydd *g* [gwrywaidd]; cadeirydd *g*
la **presión** *f*	pwysedd *g*; pwysau *ll*
presionar *v*[A1]	gwasgu; pwyso

un **preso** *m*	carcharor *g*
pedir v[B5] *prestado*	gofyn am gael benthyg; gofyn i gael benthyca
prestar *v*[A1]	rhoi benthyg; benthyca
prestar atención	talu sylw
prever *v*[C29]	rhagweld
la **previsión** *f*	rhagolygon *ll*; rhagofal *g*
una **prima** *f*	cyfnither *b*
la **primavera** *f*	gwanwyn *g*
en primavera	yn y gwanwyn
un **primer ministro** *m*	prif weinidog *g* [gwrywaidd]
un **primer plano** *m*	llun *g* agos; golwg *b* agos [ffilm]; tu *g* blaen [llun]
primera clase	dosbarth cyntaf
una **primera ministra** *f*	prif weinidog *g* [benywaidd]
primero *adj*	cyntaf; gwreiddiol; prif; blaen; yn gyntaf; yn y lle cyntaf; i ddechrau
en primero (de secundaria)	ym mlwyddyn saith [ysgol]
los primeros auxilios m pl	cymorth *g* cyntaf
un **primo** *m*	cefnder *g*
una **princesa**	tywysoges *b*
un **principado** *m*	tywysogaeth
el principado de Asturias	Tywysogaeth Asturias [yng ngogledd Sbaen]
un **príncipe** *m*	tywysog *g*
el **Príncipe de Asturias** *m*	tywysog Asturias sy'n etifeddu coron Sbaen
principal *adj*	prif; pennaf; blaen
principalmente	yn bennaf; gan fwyaf
un **principio** *m*	dechreuad *g*; dechrau *g*; tu *g* blaen;
al principio	ar y dechrau
la **prisa** *f*	brys *g*; hast *b*; rhuthr *g*
darse v[C8D] *prisa*	brysio; prysuro; hastu; rhuthro
de prisa	yn gyflym; ar frys; ar hast
tener v[C24] *prisa*	bod ar frys
¡date prisa!	brysia!
sin prisas	hamddenol
un **prisionero** *m* / una **prisionera** *f*	carcharor *g*
los **prismáticos** *m pl*	ysbienddrych *g*
privado *adj*	preifat
un **probador** *m*	ystafell *b* wisgo; ystafell *b* newid
probar *v*[B1]	trio; profi; blasu; rhoi cynnig arni

un **problema** *m*	problem *b*
procedente de	o; yn dod o; yn deillio o
un **procesador de textos** *m*	prosesydd *g* geiriau
pródigo *adj*	gwastraffus; afradlon
una **producción** *f*	cynhyrchiad *g*; gwneuthuriad *g*
producir *v*[C4]	cynhyrchu; gwneud
productivo *adj*	cynhyrchiol
un **producto**	cynnyrch *g*
un **productor** (cinematográfico) *m*	gwneuthurydd *g*; cynhyrchydd *g* (ffilmiau) [gwrywaidd]
una **productora** (cinematográfica) *f*	gwneuthurydd *g*; cynhyrchydd *g* (ffilmiau) [benywaidd]
los **productos** *m pl*	nwyddau *ll*
una **profesión** *f*	swydd *b*; gwaith *g*; proffesiwn *b*
profesional *adj*	proffesiynol
un **profesor** *m*	athro *g*
una **profesora** *f*	athrawes *b*
un **profeta** *m*	proffwyd *g*
una **profetisa** *f*	proffwydes *b*
profetizar *v*[A1]	proffwydo; darogan
profundo *adj*	dwfn; dwys; trwm [cwsg]
un **programa** *m*	rhaglen *b*; darllediad *g*
un programa de ordenador	rhaglen gyfrifiadur(ol)
un **programador** *m*	rhaglennydd *g* [gwrywaidd]
una **programadora** *f*	rhaglennydd *g* [benywaidd]
programar *v*[A1]	rhaglennu
el **progreso** *m*	cynnydd *g*
una **prohibición** *f*	gwaharddiad *g*
prohibido *adj*	wedi ei (g)wahardd; gwaharddedig; ni chaniateir; dim ... [gwahardd]; peidiwch â / ag...
está prohibido	ni chaniateir; dim ... [gwahardd]
prohibido fumar	dim ysmygu
prohibir *v*[A3]	gwahardd
una **prolongación** *f*	estyniad *g*; parhad *g*
un **promedio** *m*	cyfartaledd *g*
como promedio	ar gyfartaledd
prometer *v*[A2]	addo
una **prometida** *f*	dyweddi *b* [benywaidd]
un **prometido** *m*	dyweddi *g* [gwrywaidd]
promocionar *v*[A1]	hyrwyddo; dyrchafu
promover *v*[B4]	hyrwyddo; meithrin; dyrchafu

un **pronóstico** *m*	rhagolwg *g*; rhagolygon *ll*
pronto	yn fuan; cyn hir; toc; yn gynnar
de pronto	yn sydyn
por lo pronto	am y tro
pronunciar v^{A1}	ynganu; traethu
la **propiedad** *f*	eiddo *g*
una **propietaria** *f*	perchennog *g* [benywaidd]
un **propietario** *m*	perchennog *g* [gwrywaidd]
una **propina** *f*	tip *g*; cildwrn *g*
propio *adj*	hun(an)
proponer v^{C18}	awgrymu; cynnig; enwebu
un **propósito** *m*	nod *g/b*; pwrpas *g*; bwriad *g*
a propósito	gyda llaw; o fwriad; yn fwriadol; o bwrpas
a propósito de	ynglŷn â; ynghylch
una **proposición** *f*	cynnig *g*
una **propuesta** *f*	cynnig *g*; awgrym *g*
un / una **protagonista** *m / f*	prif actor(es) *g/b*; seren *b*
la **protección** *f*	cysgod *g*; amddiffyniad *g*
proteger v^{C3}	amddiffyn; cysgodi
protegerse v^{C3D}	cysgodi; amddiffyn eich hun(an)
una **proteína** *f*	protein *g*
una **protesta** *f*	gwrthdystiad *g*; protest *b*
una **provincia** *f*	talaith *b*
provocar v^{A1}	achosi; peri
¿te provoca un café? [AmL]	wyt ti'n ffansïo coffi?; hoffet ti goffi?
próximo *adj*	nesaf; agosaf; canlynol
un **proyecto** *m*	cynllun *g*; prosiect *g*
una **prueba** *f*	prawf *g*
un / una **psiquiatra** *m / f*	seiciatrydd *g*
un **pub** *m*	tafarn *b*
una **publicación** *f*	cyhoeddiad *g*
publicar v^{A1}	cyhoeddi
la **publicidad** *f*	cyhoeddusrwydd *g*; hysbyseb *b*; hysbyseb deledu
una agencia f *de publicidad*	asiantaeth *b* gyhoeddusrwydd
hacer v^{C14} *publicidad*	hysbysebu
publicitario *adj*	(sy'n rhoi) cyhoeddusrwydd
público *adj*	cyhoeddus
un **pueblo** *m*	tref *b*; pentref *g*; pobl *b*; cenedl *g*
(él / ella) puede (o **poder** v^{B4})	gall; mae e(f)o / hi'n gallu / medru
yo puedo	gallaf; rydw i'n gallu

un **puente** *m*	pont *b*; gwyliau estynedig; diwrnod ychwanegol o wyliau (fel pont rhwng dwy ŵyl)
un **puerco espín** *m*	porciwpîn *g*
un **puerro** *m*	cenhinen *b*
una **puerta** *f*	drws *g*; clwyd *b*; gât *b*; giât *b*; iet *b*
un **puerto** *m*	porthladd *g*; harbwr *g*; bwlch *g* [mynyddoedd]
Puertorriqueño *adj*	o Puerto Rico
pues...	wel ...; y ...; felly
una **puesta del sol** *f*	machlud *g* haul
un **puesto** *m*	stondin *b*
puesto que	gan (fod); oherwydd
una **pulgada** *f*	modfedd *b*
un **pulgar** *m*	bawd *g*
pulido *adj*	caboledig; â sglein arno
pulir *v*[A3]	rhoi sglein ar; sgleinio; cwyro; caboli
los **pulmones** *m pl*	ysgyfaint *ll*
una **pulsación** *f*	curiad *g*
pulsar *v*[A1]	gwasgu; pwyso; curo
una **punta** *f*	pen *g*; tu *g* blaen
un **punto** *m*	pwynt *g*; atalnod *g* llawn; eitem *b*; marc *g*
hacer v[C14] *punto*	gwau; gweu
la labor de punto	gwau *g*; gweu *g*
un punto de partida	man *g* cychwyn *g*
la **puntuación** *f*	sgôr *g*; pwyntiau *ll*; atalnodi *g*
la **pupa** *f* [gair plentyn]	dolur *g*; poen *g*
puro *adj*	pur; hollol
purpúreo *adj*	porffor

que	sydd; a; mai; beth; na
el que	yr hwn; yr hon
la que	yr hon; yr hwn
lo que	yr hyn; beth
¿qué?	beth?
¡que aproveche!	mwynhewch eich bwyd!
¡qué bien!	rhagorol!; gwych!
¿qué hacemos?	beth wnawn ni?
¿qué hay?	beth sy'n bod?; sut mae?; sut mae pethau'n mynd?; sut wyt ti?; sut (yd)ych chi?
¿qué hora es?	faint o'r gloch yw / ydy hi?
¡que lo pases bien!	mwynhâ dy hun(an)
¿qué opinas de…?	beth wyt ti'n ei feddwl o ...?
¿qué pasa?	Beth sy'n digwydd?; Beth sy'n bod?
¡qué pena!	Dyna biti / drueni
¿qué tal?	sut mae?; sut mae pethau'n mynd?; sut wyt ti?; sut (yd)ych chi?
¿qué te parece …?	Beth wyt ti'n ei feddwl o ...?
¿qué te pasa?	Beth sy'n bod (arnat ti)?
¿qué tienes?	Beth sy'n bod (arnat ti)?
¡qué va!	Na!; Beth!; Cer(wch) o'ma!
que viene	nesaf
el año que viene	y flwyddyn nesaf
el lunes que viene	dydd Llun nesaf
la semana que viene	wythnos nesaf
¡qué!	Beth!
quebradizo *adj*	brau; bregus
quedar *v*[A1]	bod; aros; bod ar ôl; ffitio; siwtio; gweddu; cytuno; trefnu cwrdd â /cyfarfod
¿queda lejos?	ydy e'n bell?
quedar bien a	siwtio; gweddu i
quedarse v[D]	aros
quedarse (con)	cadw
quejica *adj*	grwgnachlyd; cwynfanllyd
una **quemadura** *f*	llosg *g*
una quemadura del sol	llosg haul
quemar *v*[A1]	llosgi
querer *v*[B3]	bod eisiau; dymuno; caru
sin querer	trwy ddamwain; trwy gamgymeriad
querer v[B3] *decir*	golygu; meddwl

querido *adj*	annwyl
un querido / una querida m / f	cariad *g/b*; anwylyd *g/b*
quien(es)	pwy; sydd â; y sawl
¿quién?	pwy?
¿quién es?	pwy sy'na?; pwy yw / ydy e(f)o?
¿quién?	hylô [ar y ffôn]
(él / ella) quiere (o **querer** *v*[B3])	mae e(f)o / hi eisiau
eso quiere decir	ystyr hynny yw / ydy; mae hynny'n golygu; hynny yw
la **química** *f*	cemeg *b*; cemegydd [benywaidd]
químico *adj*	cemegol
un **químico** *m*	cemegydd *g*
una **quincallería** *f*	siop *b* nwyddau haearn
quince	pymtheg; un deg pump
quince días	pythefnos *g/b*
una quincena f	tua phymtheg; pythefnos *g/b*
quinto *adj*	pumed
un **quiosco** *m*	ciosg *g*
quisiera (o **querer** *v*[B3])	(fe / mi) hoffwn i; hoffai fe / hi
quitar(se) *v*[A1(D)]	tynnu; tynnu i ffwrdd; diosg; mynd â ... i ffwrdd; troi i ffwrdd
quitar la mesa	clirio'r bwrdd / ford
quizá(s)	efallai

un **rábano** *m*	radis *g*
un **rabo** *m*	cynffon *b*; cwt *g* [anifail]
una **ración** *f*	dogn *b*; platiad o ... [bwyd]
una **radio** *f*	radio *g/b*; set *b* radio
los **radioyentes** *m pl*	gwrandawyr *ll* radio
el **rafting** *m*	rafftio *g*
rallar v^{AI}	gratio
un **ramo** *m*	tusw *g*; cangen *b*; adran *b*
una **rana** *f*	broga *g*; llyffant *g*
un **ranchero** *m* [AmL]	ffermwr *g*
un **rancho** *m* [AmL]	fferm *b*
un **rango** *m*	rheng *b*; categori *g*; statws *g*
una **ranura** *b*	agen *b*; twll *g*; slot *b*
el **rape** *m*	maelgi *g* [pysgodyn]
rápidamente	yn gyflym
la **rapidez** *f*	cyflymdra *g*; cyflymder *g*
rápido *adj*	cyflym; buan; yn fuan
¡rápido!	brysia!; cyflym!; siapia hi
una **raqueta** *f*	raced *g/b*
las raquetas f pl *de nieve*	esgidiau *ll* eira
raro *adj*	prin; anghyffredin; od; rhyfedd
rara vez	yn anaml; prin byth; braidd byth
raramente	yn anaml
un **rascacielos** *m*	nen-grafwr *g*
rascar(se) $v^{AI(D)}$	crafu; ysgryffinio
rasgar v^{AI}	rhwygo; torri
un **rasgo** *m*	nodwedd *b*
rasguñar v^{AI}	crafu; ysgraffinio
las **raspaduras** *f pl*	crafion *ll*
un **rastrillo** *m*	rhaca *g/b*; cribin *g/b*
un **rastro** *m*	trywydd *m*; marchnad *b* rad
una **rata** *f*	llygoden *b* fawr
un **ratero** *m*	lleidr *g* pocedi
un **rato** *m*	eiliad *gb*; moment *b*; amser *g*
un **ratón** *m*	llygoden *b*
los **ratos libres** *m pl*	amser *g* rhydd; amser *g* hamdden
una **raya** *f*	llinell *b*; streip *g*
rayado adj	streipiog; rhesog
a rayas	streipiog; rhesog
de rayas	streipiog; rhesog
un **rayo** *m*	pelydryn *g*; mellten *b*
una **razón** *f*	rheswm *g*
tener v^{C24} *razón*	bod yn iawn; bod yn gywir

razonable adj	rhesymol; call
una **reacción** *f*	ymateb *g*; adwaith *g*
reaccionar *v*[A1]	ymateb; adweithio
real *adj*	gwir; brenhinol
realista *adj*	realistig
realmente	yn wir; yn wirioneddol; mewn gwirionedd
una **rebaja** *f*	gostyngiad *g*
las rebajas	sêl *b* / sêls *ll*; gostyngiadau *ll*
rebajado *adj*	gostyngol
una **rebanada** *f*	tafell *b*; slesien *b*
un **rebaño** *m*	praidd *g*; diadell *g*; gyr *g*
una **rebeca** *f*	cardigan *b*
una **rebelión** *f*	gwrthryfel *g*
estar *v*[C10] **rebosante de salud**	bod mor iach â chneuen
recalcar *v*[A1]	pwysleisio; tanlinellu
la **recaudación** *f*	derbyniadau *ll*; casgliad *g*
la **recepción** *f*	derbyniad *g*; derbynfa *b*
un / una **recepcionista** *m / f*	croesawydd *g* / croesawferch *b*
una **receta** *f*	rysáit *b*; presgripsiwn *g*
rechazar *v*[A1]	gwrthod; taflu'n ôl; gyrru'n ôl
un **recibimiento** *m*	derbyniad *g*; croeso *g*
recibir *v*[A3]	derbyn; croesawu
un **recibo** *m*	derbynneb *b*
el **reciclaje** *m*	ailgylchu *g*
reciente *adj*	diweddar
más reciente adj	diweddaraf
recientemente	yn ddiweddar
recitar *v*[A1]	adrodd
recoger *v*[C3]	codi; nôl; hel; casglu; mynd â ... i mewn
una **recogida** *f*	casgliad *g*; cynhaeaf *g*
recomendar *v*[B2]	argymell; cymeradwyo
recomenzar *v*[B2]	ailddechrau; ailgychwyn
reconocer *v*[C5]	archwilio; cydnabod
reconstruir *v*[C15]	ailadeiladu; ailgodi
un **récord** *m*	record *g*
recordar *v*[B1]	cofio; atgoffa
un **recreo** *m*	egwyl *b*; seibiant *b*; saib *b*; amser *g* chwarae; adloniant *g*; hamdden *g*
rectangular *adj*	hirsgwar
recto *adj*	syth
todo recto	yn syth ymlaen

siga todo recto	ewch yn syth yn eich blaen; ewch yn syth ymlaen
un **recuerdo** *m*	atgof *g*; cof *g*; cofrodd *b*
recuperarse v^{D}	gwella
los **recursos** *m pl*	adnoddau *ll*
una **red** *f*	rhwyd *b*; rhwydwaith *g*; y we *b*; y rhyngrwyd *b*
una **redacción** *f*	staff *g* golygyddol
redactar v^{A1}	golygu
redescubrir v^{A3}	ailddarganfod
redondo *adj*	crwn
una **reducción** *f*	gostyngiad *g*; lleihad *g*; toriad *g*
reducido *adj*	gostyngol; wedi (ei) (g)ostwng; wedi (ei) (l)leihau
reducir v^{C4}	gostwng; lleihau
reemplazar v^{A1}	rhoi yn lle; disodli
reemprender v^{A2}	ailafael yn; ailgydio yn
referirse v^{B7D} **a**	cyfeirio at
en lo que a mí se refiere	o'm rhan i
una **refinería** *f*	purfa *b*
reflexionar v^{A1}	meddwl; ystyried
un **refrán** *m*	dywediad *g*; dihareb *b*
un **refresco** *m*	diod *b* heb alcohol
refrigerar v^{A1}	oeri [mewn oergell]; aerdymheru
refugiarse v^{D}	llochesi; cysgodi
un **refugio** *m*	lloches *b*; cysgod *g*; caban *g*
regalar v^{A1}	rhoi [yn anrheg]
un **regalo** *m*	anrheg *b*
regar v^{B2}	dyfrhau; dyfrio; rhoi dŵr i; chwistrellu
un **régimen** *m*	deiet *g*
estar v^{C10} *a régimen*	bod ar ddeiet
ponerse v^{C18D} *a régimen*	mynd ar ddeiet
regio *adj* [AmL]	gwych; bendigedig; ardderchog; ffantastig; grêt
una **región** *f*	ardal *b*; rhanbarth *g*
registrar v^{A1}	chwilio; archwilio; cofrestru; recordio
registrar(se) $v^{A1(D)}$	cofrestru
un **registro** *m*	cofrestr *b*
una **regla** *f*	rheol *b*; pren *g* mesur; riwler *g*
regresar v^{A1}	mynd yn ôl; dod yn ôl; dychwelyd
un **regreso** *m*	dychweliad *g*; taith *b* adre(f) / yn ôl
regular *adj*	cyson; rheolaidd; gweddol
con regularidad	yn rheolaidd

regularmente	yn rheolaidd
rehacer *v*[C14]	ailwneud
una **reina** *f*	brenhines *b*
un **reinado** *m*	teyrnasiad *g*
reincorporarse *v*[D] **a**	ailymuno â
un **reino** *m*	teyrnas *b*
el Reino Unido	y Deyrnas Unedig
reir(se) *v*[B5(D)]	chwerthin
una **reja** *f*	bar *g*; grid *g*
una **rejilla** *f*	rhesel *b*
una **relación** *f*	perthynas *g/b*
con **relación** a	ynghylch; ynglŷn â
estar v[C10] *relacionado con*	bod a wnelo â
las relaciones f pl	perthynas *g/b*
relajado *adj*	wedi ymlacio; hamddenol; llonydd
relajante *adj*	ymlaciol
un **relámpago** *m*	mellten *b*
releer *v*[A2]	ailddarllen
una **religión** *f*	crefydd *b*
una **religiosa** *f*	lleian *b*
un **religioso** *m*	mynach *g*
religioso adj	crefyddol
rellenar *v*[A1]	llenwi; llanw
relleno adj	wedi'i stwffio; llawn
un **reloj** *m*	wats(h) *b*; cloc *g*; oriawr *b*
remar *v*[A1]	rhywfo
remendar *v*[B2]	trwsio; atgyweirio; gwnïo
un / una **remitente** *m / f*	anfonwr *g* / anfonwraig *b*
un **remo** *m*	rhwyf *b*
una **remolacha** *f*	betysen *b*
remoto *adj*	anghysbell; diarffordd
remover *v*[B4]	troi
rendirse *v*[B5D]	ildio
RENFE	Rheilffyrdd Sbaen
un **renglón** *m*	llinell *b*
un **reno** *m*	carw *g* (Llychlyn)
renovar *v*[B1]	adnewyddu
reñir *v*[B5]	dwrdio; rhoi stŵr i; ceryddu; ffraeo; cweryla
un / una **reo** *m / f*	troseddwr *g* / troseddwraig *b*
reparar *v*[A1]	trwsio; atgyweirio
reparar en	sylwi ar; talu sylw i
repartir *v*[A3]	dosbarthu; rhannu

repasar *v*[A1]	adolygu; archwilio; gwirio
repentino *adj*	sydyn
una **repetición** *f*	ailadroddiad *g*; ailddarllediad *g*; ailddigwyddiad *g*
repetir *v*[B5]	ailadrodd; ail-ddweud
un **repollo** *m*	bresychen *b*; cabets(i)en *b*
reponerse *v*[C18D]	gwella
un **reportaje** *m*	adroddiad *g*; gohebu *g*
una **reposición** *f*	ailddarllediad *g*
una **representación** *f*	perfformiad *g*; portread *g*; cynrychiolaeth *b*
un / una **representante** *m / f*	cynrychiolydd *g*
representar *v*[A1]	cynrychioli
un **reproductor de CD** *m*	chwaraeydd *g* crynoddisgiau
un reproductor de DVD m	chwaraeydd *g* DVD
una **república** *f*	gweriniaeth *b*
la República de Irlanda	Gweriniaeth Iwerddon
la República Dominicana	Gweriniaeth Dominica
repugnante *adj*	erchyll; hyll; gwrthun
un **requesón** *m*	caws *g* bwthyn
resbalar *v*[A1]	llithro
una **reserva** *f*	archeb *b*; gwarchodfa *b*
una reserva natural	gwarchodfa natur
reservado *adj*	swil; wedi ei gadw [bwrdd, ystafell ayyb]
reservar *v*[A1]	archebu; cadw
un **resfriado** *m*	annwyd *g*
estar v[C10] *resfriado*	bod yn llawn annwyd
una **residencia** *f*	cartref *g*; neuadd *b* breswyl
resolver *v*[B4]	datrys; setlo
resonante *adj*	atseiniol; ysgubol [llwyddiant]
respaldar *v*[A1]	cefnogi; noddi
con **respecto** a	ynglŷn â; ynghylch
respetar *v*[A1]	parchu
el **respeto** *m*	parch *g*
respirar *v*[A1]	anadlu
responder *v*[A2]	ateb; ymateb
una **respuesta** *f*	ateb *g*; ymateb *g*
un **restaurante** *m*	tŷ *g* bwyta; bwyty *g*
restaurar *v*[A1]	atgyweirio; dod â ... yn ôl; ailsefydlu
el **resto** *m*	(y) gweddill *g*
un **resultado** *m*	canlyniad *g*; sgôr *g*
un **resumen** *m*	crynodeb *g/b*

retener *v*[C24] cadw('n ôl)
retirar *v*[A1] tynnu'n ôl; cymryd yn ôl
retirarse v[D] symud yn ôl; cilio; ymadael; ymddeol
retomar *v*[A1] cymryd yn ôl
un **retorno** *m* dychweliad *g*; taith *b* adre(f) / yn ôl
un **retraso** *m* oediad *g*
el tren lleva diez minutos de retraso mae'r trên ddeg munud yn hwyr
un **retrato** *m* portread *g*; llun *g*; darlun *g*
un **retrete** *m* toiled *g*; tŷ *g* bach; lle *g* chwech
retroceder *v*[A2] symud yn ôl / nôl; mynd wysg y cefn
un **retroproyector** *m* uwchdaflunydd *g*
un **retrovisor** *m* drych *g*; gwydr *g*
una **reunión** *f* cyfarfod *g*; aduniad *g*
reunir *v*[A3] casglu; hel
reunirse v[A3D] *con* cyfarfod; ymgynnull; ymgasglu
revelar *v*[A1D] datgelu; datblygu [llun]
el **reverso** *m* tu *g* chwith; y gwrthwyneb *g*
un **revés** *m* cefn *g*; tu *g* mewn; tu *g* chwith
al revés tu chwith allan; (â'i)wyneb i waered; o chwith
del revés tu chwith allan
revisar *v*[A1] archwilio; gwirio
un **revisor** *m* archwiliwr *g*; tocynnwr *g*
una **revisora** *f* archwilwraig *b*; tocynnwraig *b*
una **revista** *f* cylchgrawn *g*
revolotear *v*[A1] gwibio
un **revólver** *m* dryll *g*; gwn *g*
un **revuelto** *m* ŵy wedi'i sgramblo
un **rey** *m* brenin *g*
los Reyes m pl y brenin a'r frenhines
los Reyes (Magos) y Tri Dyn Doeth; y Doethion
(el día de) Reyes y chweched o Ionawr pan mae plant yn Sbaen yn derbyn eu hanrhegion Nadolig
rezar *v*[A1] gweddïo
rico *adj* cyfoethog; cefnog; blasus; neis; danteithiol
ridículo *adj* chwerthinllyd; gwirion
un **riesgo** *m* risg *g*; perygl *g*; menter *b*
una **rifa** *f* raffl *b*
un **rifle** *m* dryll *g*; gwn *g*
rígido *adj* stiff

el **Rin** *m*	afon *b* Rhein
una **riña** *f*	cweryl *g*; ffrae *b*; anghydfod *g*
un **rincón** *m*	cornel *g*/*b*
un **río** *m*	afon *b*
rioplatense *adj*	o ardal afon Plata
rítmico *adj*	rhythmig
un / una **rival** *m* / *f*	cystadleuydd *g*; gwrthwynebydd *g*
rizado *adj*	cyrliog
robar v^{A1}	dwyn; dwgyd; lladrata
entrar v^{A1} *a robar en*	torri i mewn
un **roble** *m*	derwen *b*
un **robo** *m*	lladrad *g*
un **robot** *m*	robot *g*
una **roca** *f*	craig *b*
rociar v^{A1}	chwistrellu
una **rodaja** *f*	tafell *b*; sleisen *b*
rodar v^{B1}	rholio; troi
ir v^{C16} *rodando*	rholio
rodar una película	gwneud ffilm; ffilmio
rodear v^{A1}	amgylchynu
una **rodilla** *f*	pen-glin *g*; pen-lin *g*; glin *g*/*b*
roer v^{A2}	cnoi
rogar v^{B1}	gofyn; erfyn; ymbil
rojo *adj*	coch
un **rollo** *m*	rholyn; ril; niwsans *g*; poen *g*/*b*; poendod *g*
Roma *f*	Rhufain
romano *adj*	Rhufeinig; o Rufain
romántico *adj*	rhamantus
un **rompecabezas** *m*	pos *g*
romper v^{A1}	torri; rhwygo
un **ron** *m*	rwm *g*
ronronear v^{A1}	canu grwndi; grwnan
un **ronroneo** *m*	canu grwndi *g*; grwnan *g*
la **ropa** *f*	dillad *ll*; gwisg *b*
la ropa interior	dillad isaf
rosa *adj* [byth yn newid]	pinc
una **rosa** *f*	rhosyn *g*
el **rosbif** *m*	cig *g* eidion rhost
una **rosca** *f*	toesen
un **rosco** *m*	toesen
un **roscón de Reyes** *m*	teisen mae Sbaenwyr yn ei bwyta ar y chweched o Ionawr

una **rosticería** *f* [AmL]	siop *b* cyw iâr wedi ei rostio
un **rostro** *m*	wyneb *g*
roto *adj*	wedi torri; wedi rhwygo
una **rotonda** *f*	cylchfan *g/b*
un **rotulador** *m*	pen *g* ffelt; pen *g* pwysleisio
una **rotura** *f*	toriad *g*
rubio *adj*	golau [gwallt]
rudo *adj*	garw
una **rueda** *f*	olwyn *b*
el **rugby** *m*	rygbi *g*
un **ruido** *m*	sŵn *g*
ruidoso *adj*	swnllyd; uchel
una **ruptura** *f*	toriad *g*
Rusia *f*	Rwsia *b*
ruso *adj*	Rwsiaidd; o Rwsia

el **sábado** *m*	dydd *g* Sadwrn
una **sábana** *f*	cynfas *g/b* [gwely]
saber *v*[C20]	gwybod; medru; gallu; blasu
el saber m	dysg *b*; gwybodaeth *b*
saber a	blasu o
sabio *adj*	doeth; call
un **sabor** *m*	blas *g*
sabroso *adj*	blasus
un **sacapuntas** *m*	naddwr *g*; hogwr *g* pensil
sacar *v*[A1]	tynnu; tynnu allan / mas; dod â ... allan / mas; mynd â ... allan / mas
sacar al perro a pasear	mynd â'r ci am dro
sacar al perro de paseo	mynd â'r ci am dro
sacar fotos	tynnu lluniau
sacar punta a	hogi; naddu
un **sacerdote** *m*	offeiriad *g*
un **saco** *m*	sach *b*; siaced *b* [LAm]
un saco de dormir	sach gysgu; cwdyn *g* cysgu
sacrificar *v*[A1]	aberthu
una **sacudida** *f*	ysgytiad *g*; sioc *g/b*
sacudir *v*[A3]	ysgwyd; siglo
Sagitario *m*	cytser *g* y Saethydd *g*; Sagitariws *g*
sagrado *adj*	sanctaidd; bendigaid
la **sal** *f*	halen *g*
una **sala** *f*	ystafell *b*; neuadd *b*
una sala de espera	ystafell aros
una sala de estar	ystafell fyw; lolfa *b*
una sala de fiestas	clwb *g* nos
una sala de juegos	ystafell chwaraeon
una sala de profesores	ystafell athrawon
salado *adj*	hallt
un **salario** *m*	cyflog *g/b*; tâl *g*
una **salchicha** *f*	selsigen *b*
un **salchichón** *m*	selsig
una **salida** *f*	ymadawiad *g*; allanfa *b*; trip *g*
una salida de emergencia	allanfa frys
una salida de incendios	allanfa dân
salir *v*[C21]	mynd allan / mas; dod allan / mas; cychwyn; gadael; ymadael
ha salido	mae e(f)o wedi gadael
un **salmón** *m*	eog *g*; samwn *g*
un **salón** *m*	lolfa *b*; ystafell *b* fyw
un salón de juegos	arcêd *g/b*

una **salsa** *f*	saws *g*; blaslyn *g*; grefi *g*
una salsa de ají	saws chili
una salsa de tomate	saws tomato
saltar v^{AI}	neidio; llamu
un **salto** *m*	naid *b*; llam *g*
el salto con pértiga	naid bolyn
un salto de agua	rhaeadr *b*
un salto de trampolín	plymio *g*; deifio *g*
la **salud** *f*	iechyd *g*
¡salud!	iechyd da!
saludable *adj*	iach; iachus
saludar v^{AI}	cyfarch
saludar con la mano	codi llaw
le saluda atentamente	yr eiddoch yn gywir
un **saludo** *m*	cyfarchiad *g*
un saludo (cordial)	cofion (cu / annwyl / cynnes / gorau)
saludos	cofion (cu / annwyl / cynnes / gorau)
salvadoreño *adj*	o El Salvador
salvaje *adj*	gwyllt; anwaraidd; barbaraidd; garw
salvar v^{AI}	achub
salvo *adj*	ac eithrio; ar wahân i; heblaw am; ond; diogel; saff
a salvo	diogel
un **sándwich** *m*	brechdan *b*
la **sangre** *f*	gwaed *g*
la **sangría** *f*	diod a wneir o win, lemwnêd a ffrwythau
los **sanitarios** *m pl*	cyfleusterau *ll* ymolchi
sano *adj*	iach; iachus; ffit
San Salvador *m*	San Salvador
sansalvadoreño *adj*	o San Salvador
una **santa** *f*	santes *b*
un **santo** *m*	sant *g*
el día de Todos los Santos	Calan *g* Gaeaf
santo *adj*	sanctaidd
un **sapo** *m*	llyffant *g*
una **sartén** *f*	padell *b* ffrio
satisfecho *adj*	bodlon
sea … **sea**...	naill ai ... neu ...
un **secador de pelo** *m*	sychwr *g* gwallt
secar v^{AI}	sychu
una **sección** *f*	rhan *b*; adran *b*
seco *adj*	sych

una **secretaria** *f*	ysgrifenyddes *b*; ysgrifenyddiaeth *b*
una **secretaría** *f*	swyddfa'r ysgrifenyddes
un **secretario** *m*	ysgrifennydd *g*
secreto *adj*	dirgel; cyfrinachol; cudd; preifat
un **secreto** *m*	cyfrinach *b*; dirgelwch *g*
la **sed** *f*	syched *g*
tener v[C24] *sed*	bod â syched / yn sychedig
la **seda** *f*	sidan *g*
una **sede** *f*	sedd *b*
seguir *v*[C22]	dilyn; canlyn; dal (ymlaen); para; parhau
según	yn ôl; mae (hynny)'n dibynnu
según y como	mae (hynny)'n dibynnu
un **segundo** *m*	eiliad *g*
segundo *adj*	ail
segunda clase f	ail ddosbarth *g*
de segunda mano	ail law
en segundo (de secundaria)	ym mlwyddyn wyth [ysgol]
la **seguridad** *f*	diogelwch *g*; sicrwydd *b*
la seguridad social	nawdd *g* cymdeithasol
la seguridad vial	diogelwch ar yr heol
seguro *adj*	siŵr; sicr; diogel; saff
seguro de sí mismo	hyderus
seis	chwech; chwe
un **seísmo** *m*	daeargryn *g/b*
una **selección** *f*	dewis *g*; detholiad *g*; dewisiad *g*; tîm *g*
seleccionar *v*[A1]	dewis; dethol
la **selectividad** *f*	arholiad i ddewis myfyrwyr prifysgol [Sbaen]
sellar *v*[A1]	selio; stampio
un **sello** *m*	stamp *g*
una **selva** *f*	coedwig *b*; jyngl *b*
los **semáforos** *m pl*	goleauadau *ll* traffig
una **semana** *f*	wythnos *b*
a la semana	... gwaith yr wythnos
por semana	... gwaith yr wythnos
la *Semana Santa*	y Pasg *g*
semejante *adj*	tebyg
sencillo *adj*	syml; hawdd; sengl; unffordd
un billete m *sencillo*	tocyn *g* unffordd
una **senda** *f*	llwybr *g*; trac *g*
una *senda para ciclistas*	llwybr seiclo; trac seiclo; lôn *b* seiclo
un **senderista** *m / f*	cerddwr / cerddwraig *g/b*

un **sendero** *m*	llwybr *g*; trac *g*
un **seno** *m*	bron *b*; brest *b*
sentado *adj*	yn eistedd; ar ei eistedd; wedi eistedd
sentar *v*^{B2} **bien a**	gweddu i; siwtio; cytuno â
sentarse v^{B2D}	eistedd
un **sentido** *m*	synnwyr *g*; ystyr *g*; cyfeiriad *g*
un **sentimiento** *m*	teimlad *g*
sentir(se) *v*$^{B7(D)}$	teimlo; edifarhau; bod yn ddrwg gan; bod yn flin gan
lo siento	mae'n ddrwg gen i; mae'n flin gen i
sentirse mal	teimlo'n sâl; teimlo'n dost
sentirse mareado	teimlo'n sâl; teimlo'n dost; teimlo'n benysgafn
una **seña** *f*	arwydd *g*
una **señal** *f*	arwydd *g*; marc *g*; blaendal *g*
una señal con la cabeza	amnaid *g*
señalar *v*^{A1}	pwyntio at
las señales (de tráfico)	arwyddion *ll* traffig
las **señas** *f pl*	cyfeiriad *g*; manylion *ll*; disgrifiad *g*
hacer v^{C14} *señas con la mano*	codi llaw
un **señor** *m*	gŵr *g* bonheddig; bonheddwr *g*; syr *g*; arglwydd *g*; Mr.
estimado señor	annwyl syr
muy señor mío	annwyl syr
una **señora** *f*	gwraig *b*; menyw *b*; boneddiges *b*; arglwyddes *b*; Mrs; madam
estimada señora	annwyl fadam
muy señora mía	annwyl fadam
señoras *f pl*	foneddigesau *ll*
señoras y señores	foneddigion *ll* a foneddigesau *ll*
señores	foneddigion *ll*
una **señorita** *f*	Miss; menyw *b* ifanc; gwraig *b* ifanc; dynes *b* ifanc
separar(se) *v*$^{A1(D)}$	gwahanu; rhannu
septiembre	mis *g* Medi
una **sequía** *f*	sychder *g* [tir]
ser *v*^{C23}	bod
ser de	bod yn wreiddiol o; bod yn enedigol o
una **serie** *f*	cyfres *b*; set *b*
serio *adj*	difrifol; dwys
una **serpiente** *f*	neidr *b*; sarff *b*
serrar *v*^{B2}	llifio
un **servicio** *m*	gwasanaeth *g*; toiled *g*

los servicios	toiledau
el servicio militar	gwasanaeth milwrol
una **servilleta** *f*	lliain *g*
servir v^{B7}	gwasanaethu; gweini; arllwys; tywallt
servirse v^{B7D}	eich helpu eich hun(an)
servirse de	defnyddio
sesenta	chwe deg; trigain
una **sesión** *f*	sesiwn *g*
un **seso** *m*	ymennydd *g*
una **seta** *f*	madarchen *b*
setenta	saith deg
setiembre *m*	mis *g* Medi
un **seto** *m*	perth *b*; gwrych *g*
severo *adj*	garw; llym
sexto *adj*	chweched
un **shock** *m*	sioc *g/b*
sí	ie; oes; do; ydw [ayyb]
si	os; pe; ai
si no	os na(d); fel arall
el **sida** *m*	Aids
una **sidra** *f*	seidr *g*
siempre	bob amser; bob tro; yn wastad; o hyd
como siempre	fel arfer
siempre que	bob amser; bob tro
una **sierra** *f*	llif *b* [saer]; mynyddoedd *ll*; cadwyn *b* o fynyddoedd
una **siesta** *f*	cyntun *g*
echar v^{A1} *una siesta*	cael cyntun
siete	saith
siga (o **seguir** v^{C22}*)*	dilynwch; parhewch; daliwch ymlaen
siga todo derecho	ewch yn syth ymlaen; ewch yn syth yn eich blaen
siga todo recto	ewch yn syth ymlaen; ewch yn syth yn eich blaen
un **siglo** *m*	canrif *b*
un **significado** *m*	ystyr *g*; arwyddocâd *g*
significar v^{A1}	golygu; meddwl
eso significa ...	ystyr hynny yw / ydy ...; mae hynny'n golygu / meddwl ...
siguiente *adj*	nesaf; canlynol
al día siguiente	drannoeth; y diwrnod nesaf
silbar v^{A1}	chwibanu
un **silencio** *m*	distawrwydd *g*; tawelwch *g*

silenciosamente	yn dawel; yn ddistaw
silencioso *adj*	distaw; tawel
una **silla** *f*	cadair *b*; sedd *b*; cyfrwy *g*
una silla de ruedas	cadair olwyn
una silla de tijera	cadair blyg; cadair / stôl blygu
una silla plegable	cadair blyg; cadair / stôl blygu
un **sillón** *m*	cadair esmwyth; cadair freichiau
una **silueta** *f*	amlinell *b*; cysgodlun *g*
silvestre *adj*	gwyllt [planhigion]
un **símbolo** *m*	symbol *g*
similar *adj*	tebyg
la **simpatía** *f*	cyfeillgarwch *g*; serchowgrwydd *g*; hyfrydwch *g*; cydymdeimlad *g*
simpático *adj*	hoffus; serchog; neis; ffein(d)
simple *adj*	syml
sin	heb
sin cesar	byth a hefyd / beunydd
sin dormir	heb gysgu; di-gwsg
sin duda	heb amheuaeth; heb os (nac onibai); yn bendant
sin embargo	er hynny; serch hynny
sin gas	fflat; llonydd [diod]
sin hogar	digartref
sin parar	byth a hefyd / beunydd
sin prisas	yn hamddenol
sin querer	yn anfwriadol; trwy gamgymeriad; trwy ddamwain
sincero *adj*	gonest; diffuant
si te soy sincero	a bod yn onest
un **sindicato** *m*	undeb *g* llafur
singular *adj*	unigol; hynod
sino	ond
sintético *adj*	synthetig
un **sintetizador** *m*	synth(eseisydd) *g*
sinuoso *adj*	troellog
siquiera [AmL]	o leiaf
sirve de (o **servir** *v*[B7])	mae'n cael ei (d)defnyddio fel ...
sírvete	helpa dy hun(an)
una **sirvienta** *f*	morwyn *b*
un **sirviente** *m*	gwas *g*
un **sistema** *m*	system *b*
un sistema de alta fidelidad	system hi-fi

un **sitio** *m*	lle *g*; man *g/b*; llecyn *g*; safle *g*; gwarchae *g*
cambiar v[A1] *de sitio*	newid lle; symud
en el mismo sitio	yn y fan a'r lle
el sitio adecuado	yn y lle iawn; yn y man iawn
en otro sitio	rhywle arall
una **situación** *f*	sefyllfa *b*
situado *adj*	wedi ei leoli
estar v[C10] *situado*	bod wedi ei (l)leoli
situar *v*[A1]	lleoli
un **slip** *m*	trôns *ll*
un **slogan** *m*	arwyddair *g*; slogan *g*
el **snooker** *m*	snwcer *g*
de **sobra**	ychwanegol
un **sobre** *m*	amlen *b*; bag *g* bach; cwdyn *g*
sobre	ar; ar ben; uwchben; uwchlaw; am; ynglŷn â
sobre todo	yn arbennig; yn enwedig; yn anad dim
un **sobrecito** *m*	bag *g* bach
sobrenatural *adj*	goruwchnaturiol
sobresaliente *adj*	ardderchog; campus
un / una **sobreviviente** *m / f*	goroeswr *g* / goroeswraig *b*
sobrevolar *v*[B1]	hedfan dros
una **sobrina** *f*	nith *b*
un **sobrino** *m*	nai *g*
un **socio** / una **socia** *m / f*	aelod *g*; partner *g*; cyfaill / cyfeilles *g/b*; ffrind *g*
hacerse v[C14D] *socio / socia de*	ymaelodi; ymuno â
ser v[C23] *socio / socia de*	bod yn aelod; perthyn
sociales *m pl*	Astudiaethau Cymdeithasol [pwnc ysgol]
una **sociedad** *f*	cymdeithas *b*; cwmni *g*; cylch *g*
socorrer *v*[A2]	helpu; cynorthwyo
el **socorro** *m*	cymorth *g*; help *g*
¡socorro!	help!
una **soga** *f*	rhaff *g*
(vosotros / vosotras) sois (o **ser** *v*[C23])	rydych chi
el **sol** *m*	haul *g*
tomar baños de sol	torheulo
hace sol	mae'n heulog
tomar v[A1] *el sol*	torheulo
solamente	yn unig; dim ond

solar *adj*	heulol
un **solar** *m*	darn *g* o dir
un **soldado** *m*	milwr *g*
soleado *adj*	heulog
solemne *adj*	urddasol; difrifol; dwys
soler v^{B4}	arfer
un / una **solicitante** *m / f*	ymgeisydd *g*
solitario *adj*	unig; ar ei [ayyb] ben ei hun(an)
sollozar v^{A1}	beichio wylo / crio
solo *adj*	unig; ar ei [ayyb] ben ei hun(an)
un (café) solo m	coffi *g* heb laeth
sólo	yn unig; dim ond
soltar v^{B1}	gollwng; gadael i fynd; gadael i gwympo; gadael yn rhydd; rhyddhau; llacio
una **soltera** *f*	dynes *b* di-briod / sengl
soltero *adj*	dibriod; sengl
un **soltero** *m*	dyn *g* ddi-briod / sengl
una **solución** *f*	ateb *g*; datrysiad *g*
solucionar v^{A1}	datrys; ateb
una **sombra** *f*	cysgod *g*
un **sombrero** *m*	het *b*
una **sombrilla** *f*	ymbarél *g* haul
sombrío *adj*	tywyll; dwl
(nosotros / nosotras) somos (o **ser** v^{C23})	rydyn ni
(ellos / ellas) son	maen nhw
(ustedes) son	rydych chi
un **son** *m*	sŵn *g*
sonar v^{B1}	swnio; canu; seinio
un **sondeo** *m*	arolwg *g* barn; pôl *g* piniwn
un **sonido** *m*	sŵn *g*; sain *b*
sonoro *adj*	atseiniol
sonreír v^{C19}	gwenu
soñador *adj*	breuddwydiol
soñar v^{B1} con	breuddwydio am
soñoliento *adj*	cysglyd
una **sopa** *f*	cawl *g*; potes *g*
una sopa de letras	chwilair *g*; pos *g* chwilio am eiriau
soplar v^{A1}	chwythu
soportar v^{A1}	goddef; dioddef
sordo *adj*	byddar
el **soroche** *m* [AmL]	salwch *g* uchder; salwch y mynyddoedd

	sorprender(se) *v*[A2(D)]	synnu
una	**sorpresa** *f*	syndod *g*; syrpreis *g*
un	**sorteo** *m*	raffl *b*
una	**sortija** *f*	modrwy *b*
	soso *adj*	di-flas; diflas
una	**sospecha** *f*	amheuaeth *b*; drwgdybiaeth *b*
	sospechar *v*[A1]	drwgdybio; amau
	sospechoso *adj*	amheus; drwgdybus
un	**sostén** *m*	bra *g*; bronglwm *g*
	sostener *v*[C24]	cynnal; dal
un	**sótano** *m*	seler *b*
un	**souvenir** *m*	cofrodd *b*
(yo)	*soy* (o **ser** *v*[C23])	rydw i
	soy Juan	Juan ydw i; Juan sy 'ma
	soy yo	fi sy'ma
un	**spaniel** *m*	sbaniel *g*
el	**squash** *m*	sboncen *b*
	Sr (señor)	Mr
	Sra (señora)	Mrs
	Srta (señorita)	Miss
	su	ei ... fe / ef / fo; ei... hi; eich; eu (nhw)
una	**su(b)scripción** *f*	tanysgrifiad *g*
	suave *adj*	llyfn; esmwyth; mwyn; tawel
	suavemente	yn fwyn; yn dyner
una	**subasta** *f*	arwerthiant *g*; ocsiwn *b*
un	**súbdito** / una **súbdita** *m* / *f*	deiliad *g*
una	**subida** *f*	cynnydd *g*; esgyniad *g*; codiad *g*
	subir *v*[A3]	mynd i fyny / lan; dod i fyny / lan; dringo; esgyn; mynd â ... lan / i fyny; dod â ... i fyny / lan
	subir(se) v[A3(D)] *a*	mynd i mewn i [bws ayyb]
	súbito *adj*	sydyn
una	**sublevación** *f*	terfysg *g*
el	**submarinismo** *m*	plymio / deifio *g* tanfor / tanddwr
un	**submarino** *m*	llong *b* danfor
	subrayar *v*[A1]	tanlinellu
	subterráneo *adj*	tanddaear(ol)
un	**subterráneo** *m* [AmL]	trên *g* tanddaearol
un	**subtítulo** *m*	is-deitl *g*
	suceder *v*[A2]	digwydd; llwyddo
	suceder a	dilyn
un	**suceso** *m*	digwyddiad *g*
la	**suciedad** *f*	bryntni *g*; budreddi *ll*; baw *g*

el **sucre** *m*	arian Ecuador
sucio *adj*	brwnt; budr
una **sudadera** *f*	crys *g* chwys
el **sudeste** *m*	y de-ddwyrain *g*
el **sudoeste** *m*	y de-orllewin
Suecia *f*	Sweden *b*
sueco *adj*	o Sweden
una **suegra** *f*	mam-yng-nghyfraith *b*
un **suegro** *m*	tad-yng-nghyfraith *g*
una **suela** *f*	gwadn *b*
un **sueldo** *m*	cyflog *g/b*; tâl *g*
el **suelo** *m*	llawr *g*; daear *b*
suelto *adj*	llac; rhydd
un **sueñecito** *m*	cyntun *g*
echar v[A1] *una sueñecito*	cael cyntun
el **sueño** *m*	cwsg *g*; breuddwyd *g/b*
tener v[C24] *sueño*	bod yn / teimlo'n gysglyd
la **suerte** *f*	lwc *b*; ffawd *b*
con suerte	lwcus; ffodus
la mala suerte	anlwc *b*
por suerte	yn ffodus; drwy lwc
tener v[C24] *suerte*	bod yn lwcus; bod yn ffodus
¡suerte!	pob lwc! pob hwyl!
un **suéter** *m*	siwmper *b*
sufrir *v*[A3]	dioddef
una **sugerencia** *f*	awgrym *g*; cynnig *g*
sugerir *v*[B7]	awrymu; cynnig
Suiza *f*	y Swistir *b*
suizo *adj*	o'r Swistir; Swisaidd / Swistirol
un **sujetador** *m*	bra *g*; bronglwm *g*
un **sujetapapeles** *m*	clip *g* papur
sujetar *v*[A1]	dal; rhwymo
un **sujeto** *m*	testun *g*; goddrych *g*; pwnc *g*
una **suma** *f*	sym *b*; swm *g*; cyfanswm *g*
sumar *v*[A1]	adio
sumergir *v*[C12]	trochi; boddi
una **superficie** *f*	arwynebedd *g*; wyneb *g*
superior *adj*	uwch; uchaf; gwell; gorau
un **súper** *m*	archfarchnad *b*
un **supermercado** *m*	archfarchnad *b*
supervisar *v*[A1]	goruchwylio; gwarchod
un **supervisor** *m*	goruchwyliwr *g*; arolygydd [gwrywaidd]

una **supervisora** *f*	goruchwylwraig *b*; arolygydd [benywaidd]
un / una **superviviente** *m / f*	goroeswr *g* / goroeswraig *b*
suplementario *adj*	atodol; ychwanegol
un **suplemento** *m*	tâl /taliad *g* ychwanegol
suplicar v^{A1}	gofyn; erfyn; ymbil
suponer v^{C18}	tybio; cymryd
suprimir v^{A3}	diddymu; dileu; gwaredu; cael gwared o / ar
el **sur** *m*	y de *g*
el **sureste** *m*	y de-ddwyrain *g*
el **surf** *m*	syrffio *g*
hacer v^{C14} *el surf*	syrffio
el **suroeste** *m*	y de-orllewin *g*
un **surtido** *m*	detholiad *g*; dewis *g*
sus	ei ... fe / ef / fo; ei... hi; eich; eu (nhw)
suspender v^{A2}	gohirio; gwahardd
suspender un examen	methu arholiad
un **sustento** *m*	bywoliaeth *b*; cynhaliaeth *b*
sustituir v^{C15}	rhoi yn lle; cymryd lle; disodli
un **susto** *m*	sioc *g/b*; braw *g*; dychryn *g*
susurrar v^{A1}	sibrwd

el **tabaco** *m*	tybaco *g*
una **tabaquería** *f*	siop *b* dybaco
una **taberna** *f*	tafarn *g/b*
una **tabla** *f*	estyllen *b*; silff *b*; bwrdd *g*; tabl *b*
una tabla de planchar	bwrdd smwddio
un **tablero** *m*	bwrdd gêm
un tablero de ajedrez	bwrdd gwyddbwyll
una **tableta** *f*	bar *g* [siocled]
un **tablón** *m*	estyllen *b*
un tablón de anuncios	hysbysfwrdd *g*
un **taburete** *m*	stôl *b*
tachar *v*[AI]	dileu; croesi allan / mas
taciturno *adj*	tawedog
un **TAF** *m*	math o drên
una **tajada** *f*	sleisen *b*
tal	y fath; o'r fath
tal vez	efallai
¿Qué tal?	sut mae?; sut mae pethau'n mynd?; sut wyt ti?; sut (yd)ych chi?
¿qué tal ….?	sut mae ….?
un **talento** *m*	talent *b*; dawn *b*
de talento	talentog; dawnus
talentoso *adj*	talentog; dawnus
un **TALGO**	trên cyflym
una **talla** *f*	maint *g* [dillad]
los **tallarines** *m pl*	nwdlau *ll*
un **taller** *m*	gweithdy *g*; garej *g*
un **talonario** *m*	llyfr *g* siec
un **tamaño** *m*	maint *g*
también	hefyd
un **tambor** *m*	drwm *g*
el **Támesis** *m*	afon *b* Tafwys
tampoco	chwaith
ni yo tampoco	na finnau chwaith
tan	mor
tan … como	mor ... â
una **tanda** *f*	sifft *b*
una tanda de noche	sifft nos
un **tanque** *m*	tanc *g*
tanto	cymaint
por tanto	felly; oherwydd hynny
por lo tanto	felly; oherwydd hynny
tantos / tantas	cynifer; cymaint

una **tapa** *f*	byrbryd *g*; caead *g*; clawr *g*
tapar v^{A1}	gorchuddio
una **tapicería** *f*	(gwaith) tapestri *g*
un **tapiz** *m*	(gwaith) tapestri *g*; carped *g*
un **tapón** *m*	plwg *g*; corcyn *g*; topyn *g*
una **taquígrafa** *f*	ysgrifenyddes *b* llaw-fer
la **taquigrafía** *f*	llaw fer
una **taquilla** *f*	cownter *g*; swyddfa *b* docynnau
tardar v^{A1}	oedi; cymryd amser
tardo una hora en hacer mis deberes	rydw i'n cymryd awr i wneud fy ngwaith cartref
tarde *adj*	hwyr; yn hwyr
más tarde	yn hwyrach; yn ddiweddarach; wedyn; yn nes ymlaen
una **tarde** *f*	prynhawn *g*; noson *b*; noswaith *b*; hwyr *g*; nos *b*
esta tarde	y prynhawn 'ma; heno
por la tarde	yn y prynhawn; fin nos; gyda'r hwyr; gyda'r nos
¡Buenas tardes!	prynhawn da!; noswaith dda!
una **tarea** *f*	tasg *b*; gwaith *g*; gorchwyl *g*
las tareas de la casa	gwaith tŷ
las tareas domésticas	gwaith tŷ
una **tarifa** *f*	rhestr *b* brisiau; prisiau *ll*
una **tarjeta** *f*	cerdyn *g*
una tarjeta de crédito	cerdyn credyd
una tarjeta de cumpleaños	cerdyn pen-blwydd
una tarjeta de invitación	cerdyn gwahoddiad
una tarjeta de Navidad	cerdyn Nadolig
una tarjeta postal	cerdyn post
una tarjeta telefónica	cerdyn ffôn
un **tarro** *m*	jar *g*; pot *g*
una **tarta** *f*	tarten *b*; teisen *b*; cacen *b*
una tarta de manzana	tarten afalau; pastai *b* afalau
una **tasa** *f*	cyfradd *b*; treth *b*
una tasa de interés	cyfradd llog
una **tasca** *f*	bar *g*; tafarn *g/b*
Tauro *m*	cytser *g* y Tarw *g*; Tawrws
un **taxi** *m*	tacsi *g*
un / una **taxista** *m / f*	gyrrwr *g* / gyrwraig *b* tacsi
una **taza** *f*	cwpan *g/b*; cwpanaid *g/b*
un **tazón** *m*	bowlen *b*
te	di; i ti; atat ti; wrthyt ti; (ti) dy hun(an)

un **té** *m*	te *g*
un **teatro** *m*	theatr *b*
hacer v^{C14} *teatro*	bod yn actor / actores; actio
un teatro de la ópera	tŷ *g* opera
un **tebeo** *m*	comic *g*; stribed *g* cartŵn
un **techo** *m*	nenfwd *g*; [AmL] to
una **tecla** *f*	allwedd *b*; cywair *g* [cerddoriaeth]
un **teclado** *m*	allweddell *b*
una **técnica** *f*	techneg *b*
una **tecnología** *f*	technoleg *b*
un **tejado** *m*	to *g*
tejer v^{A2}	gwau; gweu; gwehyddu; nyddu
un **tejido** *m*	deunydd *g*; defnydd *g*
una **tela** *f*	defnydd *g*; deunydd *g*; brethyn *g*; canfas *g*
la **tele** *f*	teledu *g*
el **telediario** *m*	newyddion *ll* (ar y teledu)
un **teleférico** *m*	car *g* cebl
telefonear v^{A1}	ffonio
un **teléfono** *m*	ffôn *g*
hablando por teléfono	ar y ffôn
una **telenovela** *f*	opera *b* sebon
un **telescopio** *m*	telisgop *g*; ysbienddrych *g*
un **telesilla** *m*	lifft *g* sgio
un **telespectador** *m*	gwyliwr *g* [teledu]
una **telespectadora** *f*	gwylwraig *b* [teledu]
la **televisión** *f*	teledu *g*
un **televisor** *m*	set *b* deledu; teledu *g*
un **tema** *m*	thema *g*; pwnc *g*
los temas de actualidad	materion *ll* cyfoes
temblar v^{B2}	crynu; ysgwyd
un **temblor** *m*	cryndod *g*; daeargryn *g/b*
un temblor de tierra	daeargryn *g/b*
temer v^{A2}	ofni; bod ag ofn
temeroso *adj*	ofnus
una **temperatura** *f*	tymheredd *g*
una **tempestad** *f*	storm *b*
una **temporada** *f*	tymor *g*
un **temporal** *m*	storm *b*
temporal adj	dros dro
temprano *adj*	cynnar
tenaz *adj*	taer; gafaelgar; gwydn; penderfynol
una **tendera** *f*	siopwraig *b*

un **tendero** *m*	siopwr *g*
tendría que (o **tener** v^{C24})	dylwn i; dylai fe / hi; dylech chi
un **tenedor** *m*	fforc *b*
(vosotros/vosotras) tenéis (o **tener** v^{C24})	mae gennych chi
(nosotros/nosotras) tenemos (o **tener** v^{C24})	mae gennym ni
tener v^{C24}	bod gennych; cael
tener calor	bod yn dwym; bod yn boeth
tener éxito	llwyddo; bod yn llwyddiannus
tener fiebre	bod â gwres
tener frío	bod yn oer
tener hambre	bod eisiau bwyd
tener jaqueca	bod â chur pen / phen tost
tener la intención	bwriadu
tener lugar	cymryd lle; digwydd
tener miedo	bod ag ofn; ofni
tener prisa	bod ar frys; bod ar hast
tener que	bod rhaid; gorfod
tener razón	bod yn iawn; bod yn gywir
tener sed	bod â syched / yn sychedig
tener sueño	teimlo'n gysglyd
tener suerte	bod yn lwcus
tener ... años	bod yn ... oed
(yo) tengo (o **tener** v^{C24})	mae gen i
tengo doce años	rydw i'n ddeuddeg oed
tengo frío	rydw i'n oer
(yo) tengo que	mae rhaid i fi; rydw i'n gorfod
(yo) tenía	roedd gen i
el **tenis** *m*	tenis *g*
el tenis de mesa	tenis bwrdd
una **tentación** *f*	temtasiwn *g/b*
un **tentempié** *m*	byrbryd *g*
teñirse v^{B7D}	lliwio; llifo [gwallt]
el **TER** *m*	trên *g* trydanol [Sbaen]
el **Tercer Mundo** *m*	y Trydydd Byd *g*
tercero *adj*	trydydd
el **terciopelo** *m*	melfed *g*
terco *adj*	ystyfnig; penstiff
terminado	wedi gorffen; wedi'i orffen
terminante *adj*	terfynol
terminar v^{A1}	gorffen; cwblhau; dod i ben; cloi; darfod; dibennu
para terminar	i gloi; i orffen; yn olaf
un **término** *m*	diwedd *g*; diweddglo *g*; term *g*

como / por término medio	ar gyfartaledd
un **termo** *m*	fflasg *b*; thermos *b*
un **termómetro** *m*	thermomedr *g*
un **termostato** *m*	thermostat *g*
la **ternera** *f*	cig *g* llo; llo *g* [benywaidd]
un **ternero** *m*	llo *g* [gwrywaidd]
una **terraza** *f*	teras *g*
un **terremoto** *m*	daeargryn *g/b*
un **terreno** *m*	tir *g*; maes *g*
terrestre *adj*	daearol
terrible *adj*	ofnadwy; dychrynllyd; erchyll
el **terror** *m*	arswyd *g*; braw *g*; ofn *g*; dychryn *g*
una película f *de terror*	ffilm *b* arswyd
el **terrorismo** *m*	terfysgaeth *b*
el terrorismo doméstico	trais *g* yn y cartref
un / una **terrorista** *m / f*	terfysgwr *g* / terfysgwraig *b*
un **tesoro** *m*	trysor *g*
un **test** *m*	prawf *g*
testarudo *adj*	ystyfnig; penstiff; pengaled
una **tetera** *f*	tebot *g*
un **texto** *m*	testun *g*
ti	ti (dy hun)
una **tía** *f*	modryb *b*; merch *b*; menyw *b*
tibio *adj*	llugoer; claear
un **tiburón** *m*	siarc *g*
el **tiempo** *m*	amser *g*; tywydd *g*; hanner *g* [chwaraeon]
a tiempo	mewn pryd
al mismo tiempo	(ar) yr un pryd
¿cada cuánto tiempo?	pa mor aml?
con tiempo	mewn pryd
durante mucho tiempo	(am) amser hir
hace buen tiempo	mae'n braf
hace mal tiempo	mae'n dywydd drwg
hace mucho tiempo	ers talwm
justo a tiempo	mewn union bryd; i'r dim
¡Qué tiempo de perros!	dyma / am dywydd ofnadwy!
todo el tiempo	drwy'r amser
el tiempo libre	amser rhydd / hamdden; hamdden *g*
una **tienda** *f*	siop *b*
una tienda (de campaña)	pabell *b*
una tienda de chucherías	siop losin / fferins / felysion
una tienda de comestibles	siop fwyd / y groser

una tienda de flores	siop flodau
una tienda de periódicos	siop bapurau newydd
ir v^{C16} *de tiendas*	siopa; mynd i siopa
(él) tiene (o **tener** v^{C24})	mae ganddo e(f)o
(ella) tiene	mae ganddi hi
(usted) tiene	mae gennych chi
(usted) tiene que	rhaid i chi; rhaid eich bod; rydych chi'n gorfod; mae angen ... arnoch
(tú) tienes	mae gennyt ti
¿cuántos años tienes?	faint / beth yw / ydy dy oed?
(él) tiene que	rhaid iddo fe/fo; rhaid ei fod; mae e'n gorfod; mae angen ... arno
(ella) tiene que	rhaid iddi hi; rhaid ei bod; mae hi'n gorfod; mae angen ... arni
(tú) tienes que...	rhaid i ti; rhaid dy fod; rwyt ti'n gorfod; mae angen ... arnat
(ellas / ellos) tienen	mae ganddyn nhw
(ustedes) tienen	mae gennych chi
(ellas) tienen que	rhaid iddyn nhw; rhaid eu bod; maen nhw'n gorfod; mae angen ... arnynt
(ellos) tienen que	rhaid iddyn nhw; rhaid eu bod; maen nhw'n gorfod; mae angen ... arnynt
(ustedes) tienen que	rhaid i chi; rhaid eich bod; rydych chi'n gorfod; mae angen ... arnoch
tierno *adj*	mwyn; tyner; brau; hoffus
la **tierra** *f*	daear *b*; tir *g*; llawr *g*; pridd *g*
a tierra	i lawr
tieso *adj*	stiff
un **tiesto** *m*	pot *g* blodau
un **tigre** *m*	teigr *g*
las **tijeras** *f pl*	siswrn *g*
una silla f *de tijera*	cadair *b* blyg; cadair *b* blygu; stôl blygu
me hace **tilín**	rydwi'n ei hoffi; rydwi'n ei ffansïo
timar *v*^{A1}	twyllo; chwarae'n annheg
un **timbre** *m*	cloch *b* [tŷ ayyb]; stamp *g*
tímido *adj*	swil
un **timón** *m*	llyw *g*; rhwyf *b*
un **timonel** *m*	llywiwr *g*
tintarse *v*^{D}	lliwio
tinto *adj*	coch [gwin]

una **tintorera** *f*	siarc *g*
un **tío** *m*	ewythr *g*; ewyrth *g*; dyn *g*; boi *g*
los tíos m pl	modryb(edd) ac ewythr(od)
un **tiovivo** *m*	ceffylau *ll* bach [ffair]
típico *adj*	nodweddiadol
un **tipo** *m*	math *g*; siort *b*; teip *g*; dyn *g*; boi *g*
un tipo de cambio	cyfradd *b* gyfnewid
un tipo de interés	cyfradd *b* log
una **tira** *f*	stribed *g*
una **tirada** *f*	cylchrediad *g*; tafliad *g*
los **tirantes** *m pl*	bresys *ll*
tirar v^{AI}	tynnu; taflu; lluchio; saethu; bwrw
ir v^{C16} *tirando*	ymdopi; dod i ben; bod yn iawn; bod yn weddol
tirar de	tynnu
tirarse v^{D}	plymio
una **tirita** *f*	plastr *g* [ar glwyf]
tiritar v^{AI}	crynu
el **tiro con arco** *m*	saethyddiaeth *b*
un **títere** *m*	pyped *g*
titulado *adj*	yn dwyn y teitl; o'r enw
un **título** *m*	teitl *g*; cymhwyster *g*; tystysgrif *b*; gradd *b*
una **toalla** *f*	tywel *g*
una **toallita** *f*	gwlanen *b* ymolchi
un **tobillo** *m*	pigwrn *g*; migwrn *g*; ffêr *b*
un **tocadiscos** *m*	chwaraeydd *g* recordiau
un **tocador** *m*	bwrdd *g* gwisgo
tocar v^{AI}	cyffwrdd; canu; chwarae
tocar el piano	chwarae / canu'r piano
te toca a ti	dy dro di (yw e / ydy o)
el **tocino** *m*	cig *g* moch; bacwn *g*
todavía	o hyd; eto
todavía no	ddim eto
el **todo** *m*	cwbl *g*; cyfan *g*
todo adj	pob; holl; i gyd
(eso) es todo	dyna'r cwbl; dyna'r cyfan
todo derecho	yn syth ymlaen; yn syth yn eich blaen
todo el día	drwy'r dydd
todo el mundo	pawb
todo el tiempo	drwy'r amser
todo lo contrario	i'r gwrthwyneb
todos los días	bob dydd

todo recto	yn syth ymlaen; yn syth yn eich blaen
todos	pawb
el día de Todos los Santos	Calan *g* Gaeaf
de todas formas	beth bynnag
de todas maneras	beth bynnag
de todos modos	beth bynnag
una **toga** *f*	gŵn *g* [seremonïol]
tolerante *adj*	goddefgar
tolerar v^{A1}	goddef
toma (o **tomar** v^{A1})	dyna ti
tomar v^{A1}	cymryd; tynnu
tomar algo	cael rhywbeth i fwyta neu i yfed; bwyta; yfed; cael (diod, bwyd)
tomar el sol	torheulo
tomar una copa / unas copas	mynd am ddiod; cael diod
tomar una foto/ fotos	tynnu llun(iau)
un **tomate** *m*	tomato *g*
una **tontería** *f*	ffwlbri *g*; lol *b*
hacer v^{C14} *tonterías*	gwneud pethau twp / dwl / gwirion
tonto *adj*	twp; dwl; hurt; gwirion
un tonto /una tonta m / f	twp(s)yn *g* / twp(s)en *b*
hacer v^{C14} *el tonto*	gwneud pethau twp / dwl / gwirion
topar v^{A1} **con**	dod ar draws; bwrw i mewn i
un **topo** *m*	twrch *g* daear; gwadd *b*
un **torbellino** *m*	trowynt *g*
torcer v^{C25}	troi; gwyro; plygu
torcido *adj*	cam
una **tormenta** *f*	storm *b*
tormentoso *adj*	stormus
un **tornado** *m*	trowynt *g*
un **torneo** *m*	twrnameint *g*
un **toro** *m*	tarw *g*
una **toronja** *f*	grawnffrwyth *g*
torpe *adj*	lletchwith; trwsg(w)l; araf; twp
una **torre** *f*	tŵr *g*
una **torta** *f*	teisen *b*; cacen *b*
una torta de huevos	omled *g*; [AmL] pancosen *b* gorn
una **tortilla** *f*	omled *b*
una tortilla de patata	omled datws
una tortilla española	omled datws
una tortilla francesa	omled Ffrengig (blaen)
una **tortita** *f*	crempogen *b*

una **tortuga** *f*	crwban *g*
tosco *adj*	garw
toser v^{A2}	peswch; pesychu
una **tostada** *f*	tost *g*
tostarse v^{B1D}	bolaheulo; cael lliw haul
un **total** *m*	cyfanswm *g*
en total	i gyd
total adj	llwyr; hollol
totalmente	yn gwbl; yn gyfangwbl; yn llwyr; yn hollol; yn wirioneddol; yn hynod o
trabajador *adj*	gweithgar; diwyd
un trabajador m	gweithiwr *g*
una trabajadora f	gweithwraig *b*
trabajar v^{A1}	gweithio
trabajar como una mula	gweithio'n galed
trabajar en el jardín	garddio
un **trabajo** *m*	gwaith *g*; swydd *b*
los trabajos manuales	crefft *b* [ysgol]
un **tractor** *m*	tractor *g*
un **traductor** *m*	cyfieithydd *g* [gwrywaidd]
una **traductora** *f*	cyfieithydd *g* [benywaidd]
traer v^{C26}	dod â [rhywbeth, rhywun]
el **tráfico** *m*	traffig *g*
tragar v^{A1}	llyncu
una **traílla** *f*	tennyn *g*
llevar v^{A1} *con traílla*	cadw ar dennyn
un **traje** *m*	siwt *b*; gwisg *b*
un traje de baño	gwisg / siwt nofio; tryncs *ll*
un traje de esquí	gwisg / siwt sgio
un traje de esquiar	gwisg / siwt sgio
hacer v^{C14} **trampas**	twyllo; chwarae'n annheg
tranquilamente	yn dawel; yn llonydd
la **tranquilidad** *f*	tawelwch *g*; heddwch *g*; llonyddwch *g*
tranquilizar v^{A1}	tawelu; setlo
tranquilo *adj*	llonydd; tawel; cysglyd [lle]; distaw; heddychlon
un **tránsito** *m*	traffig *g*; trafnidiaeth *b*; ar daith; mynediad *g*
transmitir v^{A3}	trosglwyddo; darlledu
transportar v^{A1}	cludo
un **tranvía** *m*	tram *g*; trên *g* lleol
un **trapo** *m*	clwt(yn) *g*; cadach *g*; dwster *g*; lliain *g*; rhacsyn *g*

un **trasero** *m*	pen-ôl *g*
trasladar *v*[AI]	trosglwyddo; symud
trasladarse v[D]	symud; mudo
un **trasto** *m*	sothach *g*; plentyn *g* drwg; gwalch *g*
tratar *v*[AI]	trin; trafod
tratar de	ceisio; trio; bod a wnelo â; ymwneud â
a **través** de	ar draws; dros; tros; trwy
travieso *adj*	drygionus; drwg; direidus
un **trayecto** *m*	siwrnai *b*; taith *b*
trece	un deg tri; un deg tair; tri ar ddeg; tair ar ddeg
treinta	tri deg
un **tren** *m*	trên *g*
en tren	ar y trên
trepar *v*[AI]	dringo; esgyn
tres	tri; tair
un **tribunal** *m*	llys *g*; cwrt *g*
tricotar *v*[AI]	gwau; gweu
el **trigo** *m*	ŷd *g*
trilingüe *adj*	tairieithog
un **trimestre** *m*	tymor *g* [ysgol]
un **trineo** *m*	car *g* llusg
triste *adj*	trist; anhapus; digalon
la **tristeza** *m*	tristwch *g*; anhapusrwydd *g*
un **trofeo** *m*	tlws *g* [gwobr]
un **trombón** *m*	trombôn *g*
una **trompa** *f*	trwnc *g*; corn *g*
una **trompeta** *f*	trwmped *g*; trymped *g*
un **trozo** *m*	darn *g*; pisyn *g*; tamaid *g*; sleisen *b*
una **trucha** *f*	brithyll *g*
el **trueno** *m*	taran *b*
tu	dy
tú	ti
tú misma	ti dy hun(an) [benywaidd]
tú mismo	ti dy hun(an) [gwrywaidd]
una **tubería** *f*	pibell *b*
un **tubo** *m*	tiwb *g*; pibell *b*
una **tuerca** *f*	nyten *b*
un **tulipán** *m*	tiwlip *g*
tumbado *adj*	ar ei hyd; yn gorwedd
estar v[C10] *tumbado*	gorwedd
tumbarse *v*[D]	gorwedd; gorwedd i lawr

un **túnel** *m*	twnnel *g*
turco *adj*	Twrcaidd
un **turismo** *m*	car *g*
el **turismo** *m*	twristiaeth *b*
un / una **turista** *m / f*	twrist *g*; ymwelydd *g*
turístico *adj*	twristaidd
un **turno** *m*	tro *g*; twrn *g*; sifft *b*
perder v^{B3} *el turno*	colli tro; colli lle mewn ciw
un turno de noche	sifft nos
por turnos	pob un yn ei dro
Turquía *f*	Twrci *b*
tutear v^{A1}	defnyddio'r ffurf "tú" wrth siarad â rhywun
tuve que (o **tener** v^{C24})	bu rhaid i fi

u	neu [o flaen geiriau'n dechrau ag 'o' neu 'ho']
ubicado *adj*	wedi ei (l)leoli
ubicar v^{A1}	lleoli
¡Uf!	whiw!; ych-a-fi!
último *adj*	olaf; diwethaf; diweddaraf
por último	yn olaf; i gloi
un	un [o flaen enw gwrywaidd unigol]
una	un [o flaen enw benywaidd unigol]
es la una	mae hi'n un o'r gloch
la una y media	hanner awr wedi un
unas	rhai
único *adj*	unig; unigryw
una **unidad** *f*	uned *b*; undod *g*
unido *adj*	unedig
uniforme *adj*	unffurf; rheolaidd; cyson
un uniforme m	iwnifform *b*
una **unión** *f*	undeb *g*
la Unión Europea (UE)	yr Undeb Ewropeaidd
la Unión Soviética	yr Undeb Sofietaidd (1922 – 1989)
unir v^{A3}	uno
unirse $v^{A3Ð}$ *a*	ymuno â
una **universidad** *f*	prifysgol *b*
un **universo** *m*	bydysawd *g*
uno	un
unos	rhai
untado con mantequilla *adj*	â menyn arno / arni
untar v^{A1}	taenu
una **uña** *f*	ewin *g*
un / una **urbanista** *m / f*	cynllunydd *g* trefol
una **urbanización** *f*	stad *b* dai
urgente *adj*	brys
Uruguay *m*	Uruguay *b*
uruguayo *adj*	o Uruguay
usar v^{A1}	defnyddio; gwisgo; arfer
un **uso** *m*	defnydd *g*; arfer *g*
usted misma	chi'ch hun(an) [benywaidd]
usted mismo	chi'ch hun(an) [gwrywaidd]
ustedes	chi; chithau
ustedes mismas	chi'ch hun(ain) [benywaidd]
ustedes mismos	chi'ch hun(ain) [gwrywaidd]
usual *adj*	arferol
una **usuaria** *f*	defnyddwraig *b*

un **usuario** *m*	defnyddiwr *g*
un **utensilio** *m*	teclyn *g*
útil *adj*	defnyddiol
una **utilización** *f*	defnydd *g*
utilizar *v*[A1]	defnyddio
una **uva** *f*	grawnwinen *b*
las uvas pasas	rhesins *ll*

va (o **ir** v^{C16})	mae e'n mynd; mae hi'n mynd; rydych chi'n mynd
(él) va	mae e'n mynd
(ella) va	mae hi'n mynd
(usted) va	rydych chi'n mynd
ya va	rydw i'n dod [wrth fynd i agor y drws ayyb]
una **vaca** *f*	buwch *b*
la carne de vaca	cig *g* eidion
las **vacaciones** *f pl*	gwyliau *ll*
las vacaciones anuales	gwyliau blynyddol
las vacaciones de verano	gwyliau haf
las vacaciones escolares	gwyliau ysgol
vaciar v^{A1}	gwacáu; gwagio
vacilar v^{A1} **en**	petruso; oedi
vacío *adj*	gwag
un vacío m	gwacter *g*; bwlch *g*
vado permanente *m*	mynedfa – cadwch yn glir
un **vagabundo** / una **vagabunda** *m* / *f*	crwydryn *g*; trempyn *g*
vago *adj*	diog; dioglyd; aneglur; amwys
un **vagón** *m*	coets *b* [trên]
la **vainilla** *f*	fanila *g*
las **vainitas** *f pl* [AmL]	ffa *ll* Ffrengig
la **vajilla** *f*	llestri *ll*
vale	iawn; o'r gorau
la **valentía** *f*	dewrder *g*
valer v^{C18}	costio; bod yn ddefnyddiol; bod yn werth
válido *adj*	dilys
valiente *adj*	dewr
una **valija** *f* [AmL]	cês *g*
valioso *adj*	gwerthfawr
un **valle** *m*	cwm *g*; dyffryn *g*
un **valor** *m*	gwerth *g*
de (gran) valor	gwerthfawr (iawn)
valorar v^{A1}	asesu; prisio; gweld gwerth yn; rhoi gwerth ar
vamos (o **ir** v^{C16})	rydyn ni'n mynd
vamos a ver	gad / gadewch i ni weld
¿vamos a ...?	beth am fynd i ... ?
¡vamos!	dewch!
van	maen nhw'n mynd; rydych chi'n mynd

(ellas) van	maen nhw'n mynd
(ellos) van	maen nhw'n mynd
¿Cómo van?	Beth yw'r sgôr?
el **vapor** *m*	ager *g*; stêm *g*
un (buque de) vapor	stemar *b*
una **vaquería** *f*	hufenfa *b*
los **vaqueros** *m pl*	jîns *ll*
una **vara** *f*	gwialen *b*; ffon *b*
variado *adj*	amrywiol; cymysg
una **variante** *f*	amrywiad *g*
varias *adj f pl*	nifer o; gwahanol [benywaidd]
una **variedad** *f*	amrywiaeth *b*
varios *adj m pl*	nifer o; gwahanol [gwrywaidd]
una **vasija** *f*	llestr *g*
un **vaso** *m*	gwydryn *g*; gwydraid *g*
vaticinar v^{A1}	proffwydo; darogan
¡**Vaya**!	wel! wel!; whiw!
a **veces**	weithiau; ambell waith
¿cuántas veces?	sawl gwaith?; faint o weithiau?
muchas veces	sawl gwaith; yn aml; nifer o weithiau
una **vecina** *f*	cymdoges *b*
un **vecino** *m*	cymydog *g*
vecino adj	agos; nesaf; cyfagos
un **vedado** *m*	tir *g* preifat
una **vega** *f*	gwastadedd *g*; dôl *b*
sin **vegetación**	heb dyfiant
vegetariano *adj*	llysfwytäol; llysieuol
un **vehículo** *m*	cerbyd *g*
veinte	ugain; dau ddeg
una **vela** *f*	cannwyll *b*; hwyl *b*
hacer v^{C14} *vela*	hwylio
un **velador** *m* [AmL]	bwrdd *g* erchwyn gwely
un **velo** *m*	gorchudd *g* [wyneb]
una **velocidad** *f*	cyflymdra *g*; cyflymder *g*; gêr *g*
vencer v^{C27}	curo; trechu
darse v^{C8D} por **vencido**	ildio
una **venda** *f*	rhwymyn *g*
vendar v^{A1}	rhwymo
un **vendedor** *m*	gwerthwr *g*
una **vendedora** *f*	gwerthwraig *b*
vender v^{A2}	gwerthu
vendido *adj*	wedi'i werthu
una **vendimia** *f*	cynhaeaf *g* [grawnwin]

vendimiar v^{A1}	cynaeafu [grawnwin]
venezolano *adj*	o Venezuela
Venezuela *f*	Venezuela *b*
venir v^{C28}	dod
venir bien a	siwtio; bod yn gyfleus
me viene largo, corto, grande, pequeño	mae'n rhy hir, fyr, bach, mawr i fi
una **venta** *f*	gwerthiant *g*
en venta	ar werth
una **ventaja** *f*	mantais *b*
una **ventana** *f*	ffenestr *b*
una **ventanilla** *f*	ffenestr *b* [cerbyd]
un **ventilador** *m*	ffan *b*
ver v^{C29}	gweld
a ver	gad / gadewch i ni weld
tener v^{C24} *que ver con*	bod a wnelo â
no ver la hora de	edrych ymlaen at; methu aros i
los **veraneantes** *m pl*	ymwelwyr *ll*; twristiaid *ll*
el **verano** *m*	haf *g*
en verano	yn yr haf
una **verbena** *f*	ffair *b*; diwrnod *g* ffair
la **verdad** *f*	gwirionedd *g*; gwir *g*
a decir verdad	a bod yn onest; a dweud y gwir
de verdad	mewn gwirionedd
¿verdad?	onid e?; ynte?
verdaderamente	yn wirioneddol
verdadero *adj*	gwirioneddol
verde *adj*	gwyrdd
la(s) verdura(s)	llysiau *ll*
una **vereda** *f* [AmL]	pafin *g*; palmant g
ya veremos (o **ver** v^{C29})	cawn weld
vergonzoso *adj*	gwarthus; cywilyddus
una **vergüenza** *f*	cywilydd *g*; embaras *g*
una **verja** *f*	clwyd *b*; gât *b*; giât *b*; iet *b*
verse v^{C29D} **con**	cwrdd â; cyfarfod
verter v^{B3}	arllwys; tywallt
vertical *adj*	fertigol; i lawr
el **vértigo** *m*	penysgafnder *g*; penfeddwdod *g*
un **vestíbulo** *m*	cyntedd *g*
un **vestido** *m*	gwisg *b*; ffrog *b*
un vestido largo	gŵn *g*
vestirse v^{B5D}	gwisgo amdanoch
un **vestuario** *m*	ystafell *b* newid

¡vete!	cer!; dos!
un **veterinario** / una **veterinaria** *m/f*	milfeddyg *g*
una **vez** *f*	gwaith *g*; tro *g*; twrn *g*; unwaith
a la vez	(ar) yr un pryd
cada vez (que)	bob tro
de vez en cuando	o bryd i'w gilydd; o dro i dro; bob hyn a hyn
en vez de	yn lle
érase una vez ...	un tro roedd ... [dechrau stori]
otra vez	eto
perder v^{B3} *la vez*	colli tro / twrn; methu tro / twrn
una **vía** *f*	trac *g*; platfform *g*
viajar v^{A1}	teithio; trafaelu
un **viaje** *m*	taith *b*; siwrnai *b*
¡buen viaje!	taith dda!
un **viajero** / una **viajera** *m* / *f*	teithiwr *g* / teithwraig *b*
una **víctima** *f*	dioddefwr *g* / dioddefwraig *b*
una **vid** *f*	gwinwydden *b*
una **vida** *f*	bywyd *g*; bywoliaeth *b*
ganarse v^{D} *la vida*	ennill bywoliaeth
un **vídeo** *m*	fideo *g*; tâp *g* fideo; chwaraeydd *g* fideo
una **videocinta** *f*	tâp *g* fideo
un **videojuego** *m*	gêm *b* fideo
una **videoteca** *f*	siop *b* fenthyg fideo
el **vidrio** *m*	gwydr *g*; [AmL] ffenestr *b*
viejo *adj*	hen; oedrannus
viene (o **venir** v^{C28})	mae e'n dod; mae hi'n dod; rydych chi'n dod
(él) viene	mae e'n dod
(ella) viene	mae hi'n dod
(usted) viene	rydych chi'n dod
que viene	nesaf
ya viene	mae ar ei ffordd; mae'n dod
un **viento** *m*	gwynt *g*
de mucho viento	gwyntog iawn
expuesto al viento	agored i'r gwynt
hace viento	mae'n wyntog; mae'n chwythu
viernes *m*	dydd *g* Gwener
Viernes Santo	dydd Gwener y Groglith
vigilar v^{A1}	gwarchod; gwylio; goruchwylio
un **vinagre** *m*	finegr *g*

un **vino** *m*	gwin *g*
vino	daeth ef; daeth hi; daethoch chi
una **viña** *f*	gwinllan *b*; gwinwydden *b*
un **viñedo** *m*	gwinllan *b*
una **viñeta** *f*	cartŵn *g*
la **violencia** *f*	trais *g*
la violencia de género	trais yn erbyn y rhyw arall
la violencia doméstica	trais yn y cartref
violento *adj*	treisgar; yn achosi embaras; yn llawn embaras
violeta *adj* [byth yn newid]	porffor
un **violín** *m*	ffidil *b*
una **virgen** *f*	morwyn *b*; gwyry(f) *b*
Virgo *m*	cytser *g* y Forwyn *b* / y Wyryf *b*; Firgo
un **visillo** *m*	cyrten *b*; llen *b*
una **visita** *f*	ymweliad *g*
un / una **visitante** *m* / *f*	ymwelydd *g*
visitar *v*[A1]	ymweld â
la **víspera** *f*	y noson *b* / noswaith *b* cyn / gynt; y diwrnod *g* cyn / cynt
en vísperas de ...	ar y diwrnod cyn ...
una **vista** *f*	golwg *g/b*; golygfa *b*
un **vistazo** *m*	golwg *g/b*; cipolwg *g/b*; cip *g*
viudo *adj*	gweddw
¡viva ...!	hir oes i ...!
vivaz *adj*	bywiog; sionc
vivo *adj*	byw
en vivo	yn fyw [teledu, cerddoriaeth ayyb]
vivir *v*[A3]	byw
el **vocabulario** *m*	geirfa *b*
una **vocal** *f*	llafariad *b*
un **volante** *m*	llyw *g*; olwyn *b* [llyw car]
volar *v*[B1]	hedfan
volcar(se) *v*[B1(D)]	troi (drosodd)
el **voleibol** *m*	pêl-foli *g*
voluntario *adj*	gwirfoddol
un voluntario / una voluntaria m / f	gwirfoddolwr *b* / gwirfoddolwraig *b*
volver *v*[B4]	dychwelyd; mynd yn ôl; dod yn ôl; troi (drosodd)
volver a	gwneud rhywbeth eto; ail-...

volverse v[B4D]	troi (o gwmpas, drosodd); troi'n ôl; mynd yn; dod yn
vomitar *v*[A1]	chwydu; cyfogi; taflu i fyny
vos [AmL]	ti
tener v[C24] *ganas de vomitar*	teimlo'n sâl
vosotras	chi; chithau [benywaidd]
vosotras mismas	chi'ch hunain [benywaidd]
vosotros	chi; chithau [gwrywaidd]
vosotros mismos	chi'ch hunain [gwrywaidd]
ya voy (o **ir** *v*[C16])	rydw i'n dod [wrth fynd i agor y drws]
(yo) voy	rydw i'n mynd
una **voz** *f*	llais *g*
en voz alta	(siarad) yn uchel / â llais uchel
en voz baja	(siarad) yn dawel
un **vuelo** *m*	ehediad g; haid *b*; taith *b* awyren
una **vuelta** *f*	dychweliad *g*; tro *g*; reid(en) *b*; taith *b*; gwibdaith *b*; newid *g* [arian]
dar v[C8] *una vuelta*	mynd am dro
de vuelta	yn ôl (eto)
una vuelta en bicicleta	taith ar gefn beic
vuestro *adj*	eich

W

un **walkman** *m*	walkman *g*
un **wáter** *m*	toiled *g*; tŷ *g* bach; lle *g* chwech
el **web** *m*	y We *b*
un **web site** *m*	gwefan *b*
un **western** *m*	ffilm *b* gowboi
el **windsurf** *m*	hwylfyrddio *g*
hacer v[C14] *windsurf*	hwylfyrddio
una plancha de windsurf	hwylfwrdd *g*

X

Xunta *f*	senedd Galicia; senedd Aragón

Y

y	a; ac
y cuarto	chwarter wedi
las cinco y cuarto	chwarter wedi pump
ya	yn barod; eisoes
¡ya era hora!	mae'n hen bryd!; roedd hi'n hen bryd!
ya es hora de…	mae'n hen bryd ...
ya está	dyna fe / fo / ni
ya no	ni(d) ... ((d)dim) mwy / mwyach / rhagor
ya que	oherwydd; gan fod
ya veremos (o **ver** *v*[C29])	cawn weld
ya viene (o **venir** *v*[C28])	mae ar ei ffordd; mae'n dod
un **yelmo** *m*	helmed *b*
el **yeso** *m*	plastr *g*
yo	fi; mi; minnau; finnau;
yo misma	fi / mi fy hun(an) [benywaidd]
yo mismo	fi / mi fy hun(an) [gwrywaidd]
un **yogur** *m*	iogwrt *g*

una **zambullida** *f*	plymio *g*
zambullirse *v*[A3D]	plymio
una **zanahoria** *f*	moronen *b*
una **zapatilla** *f*	sliper *b* / slipan *b*; esgid *b*; esgid *b* chwaraeon / ymarfer
las zapatillas de ballet	esgidiau bale
las zapatillas de deporte	esgidiau chwaraeon / ymarfer
las zapatillas de tenis	esgidiau tenis
un **zapato** *m*	esgid *b*
limpiarse v[D] *los zapatos*	glanhau / brwsio esgidiau
zarandear *v*[A1]	ysgwyd; siglo
un **zarcillo** *m*	clustdlws *g*
una **zarpa** *f*	pawen *b*
una **zona** *f*	ardal *b*; rhanbarth *g*; man *g/b*
una zona azul	ardal lle mae'n rhaid talu i barcio [Sbaen]
una zona residencial	stad *b* dai; ardal breswyl
una zona verde	ardal werdd; llecyn *g* gwyrdd
un **zoo** *m*	sŵ *g*
un **zorro** *m*	cadno *g*; llwynog *g*
un **zumo** *m*	sudd *g*
un zumo de fruta	sudd ffrwythau
un zumo de naranja	sudd oren
un zumo de piña	sudd pîn-afal
un zumo de tomate	sudd tomato
zurdo *adj*	(yn defnyddio) llaw chwith

Cymraeg – Sbaeneg

a, ac	y; [o flaen geiriau'n dechrau ag 'i', 'hi' ond nid 'hie'] e
a chi(thau)	igualmente
a thi(thau)	igualmente
a	que
â, ag	con, por
aberthu	sacrificar v^{A1}
academi *b*	una academia *f*
academi gerdd	un conservatorio *m*
actor *g*	un actor *m*
bod yn actor / actores	hacer v^{C14} teatro; hacer v^{C14} cine
actores *b*	una actriz *f*
acw	allí
y(r)…. acw	aquel/aquella/aquellos/aquellas
y rhai acw	aquellos/aquellas
acwariwm *g*	un acuario *m*
Acwariws	Acuario *m*
ach *b*	un linaje *m*
coeden b/ *tabl* g *achau*	un árbol *m* genealógico
achlysur *g*	una ocasión *f*
ar achlysur	con motivo de
achos *g*	una causa *f*; un caso *m*
o achos	por; a causa de; por causa de
achosi	causar v^{A1}; provocar v^{A1}
achub	salvar v^{A1}
adareg *b*	la ornitología *f*
adeg *b*	una ocasión *f*
adeilad *g*	un edificio *m*
adeiladu	construir v^{C15}
wedi ei adeiladu	construido *adj*
adeiladydd *g*	un/a albañil *m/f*; un/a constructor/a *m/f*
aderyn *g*	un pájaro *m*; un ave *f*
aderyn du	un mirlo *m*
adio	sumar v^{A1}; añadir v^{A3}
adloniant *g*	el entretenimiento *m*; un espectáculo *m*
adnabod	conocer v^{C5}; identificar v^{A1}
dod i adnabod	conocer v^{C5}; llegar v^{A1} a conocer
adnabyddiaeth *f*	el conocimiento *m*
adnabyddus	conocido *adj*; célebre *adj*; famoso *adj*
adnewyddu	renovar v^{A1}
adnoddau *ll*	recursos *m pl*
adolygu	repasar v^{A1}
adran *b*	un departamento *m*; [mewn siop] una sección *f*

adref	a casa
adrodd	recitar v^{A1}
adrodd hanes/straeon	contar v^{B1}
adroddiad *g*	un informe *m*; un reportaje *m*
adroddiad diwedd tymor	un boletín *m* trimestral
adroddiad ysgol	un boletín *m* de notas; una cartilla *f* de notas *f*
aduniad	una reunión *f*
adweithio	reaccionar v^{A1}
addas	apropiado *adj*; adecuado *adj*
addfwyn	de carácter dulce
addo	prometer v^{A2}
addurno	decorar v^{A1}; adornar v^{A1}
addysg *b*	la educación *f*; la enseñanza *f*
addysg gorfforol	la educación física
addysg grefyddol	la religión *f*; la enseñanza religiosa
ael *b*	una ceja *f*
aelod *g*	un miembro *m*; un socio *m*; una socia *f*
afal *g*	una manzana *f*
afal pîn	una piña *f*; [AmL] un ananá(s) *m*
afanc *g*	un castor *m*
afanen *b*	una frambuesa *f*
afiechyd *g*	una enfermedad *f*
aflonydd	inquieto *adj*; preocupado *adj*
aflonyddu	molestar v^{A1}; agitarse v^{D}; inquietarse v^{D}
afluniaidd	deforme *adj*; deformado *adj*
afon *b*	un río *m*
afon Rhein	el Rin *m*
afon Tafwys	el Támesis *m*
Affrica	África *f*
o Affrica	africano *adj*
Affricanaidd	africano *adj*
ager *g*	el vapor *m*
agor	abrir v^{A3}
ar agor	abierto *adj*
agored	abierto *adj*
agoriad *g*	una llave *f*; una abertura *f*; [dechrau] un comienzo *m*; un principio *m*
agorwr *g* **tun**	un abrelatas *m* (abrelatas *ll*)

agos	cercano *adj*
yn agos (at)	cerca (de)
agosáu	acercarse v^{D}
agwedd *b*	una actitud *f*; un aspecto *m*
angau *g*	la muerte *f*
angen *g*	la necesidad *f*
bod angen	necesitar v^{A1}; hacer v^{C14} falta; hay que
mae angen	hay que; hace falta
mae angen ...	falta...
mae angen ... arnoch	tiene(s) que... ; necesita(s) ...
angenrheidiol	necesario *adj*
angerdd *g/b*	una pasión *f*
angerddol	apasionado *adj*
yn angerddol	apasionadamente; con pasión
anghenfil *g*	un monstruo *m*
anghofio	olvidar v^{A1}
anghofus	despistado *adj*; olvidadizo *adj*
anghwrtais	descortés *adj*; mal educado *adj*
anghydfod *g*	una disputa *f*; una discusión *f*; una riña *f*
anghyfleus	inoportuno *adj*; inconveniente *adj*
anghyfleuster *g*	una inconveniencia *f*; una incomodidad *f*; una molestia *f*
anghyffredin	poco común *adj*; fuera de lo normal; extraordinario *adj*; raro *adj*
anghysbell	lejano *adj*; remoto *adj*; aislado *adj*
anghywir	incorrecto *adj*; erróneo *adj*; falso *adj*
bod yn anghywir	equivocarse v^{D}
angladd *g/b*	un funeral *m*; un entierro *m*
ai	si
ail	segundo *adj*
ailadrodd	repetir v^{B5}
ailadroddiad	una repetición *f*
ailafael (yn)	volver v^{B4} a dedicarse a; volver v^{B4} a ocuparse de; reemprender v^{A2}
ailddarganfod	redescubrir v^{A3}; volver v^{B4} a descubrir
ailddarlllediad	una repetición *f*; una reposición *f*
ailddarllen	releer v^{A2}; volver v^{B4} a leer
ailddechrau	recomenzar v^{B2}
ailddigwyddiad *g*	una repetición *f*
ail-ddweud	repetir v^{B5}
ailgodi	reconstruir v^{C15}; volver v^{B4} a levantar; volver v^{B4} a recoger

ailgroesi	volver v^{B4} a cruzar; volver v^{B4} a atravesar
ailgychwyn	recomenzar v^{B2}
ailgylchu *g*	el reciclaje *m*
ailgysylltu	volver v^{B4} a conectar; volver v^{B4} a comunicarse con
ail-law	de segunda mano *adj*
ail-wneud	rehacer v^{C14}; volver v^{B4} a hacer
ailymuno â	reincorporarse a v^{D}
alarch	un cisne *m*
yr **Alban** *b*	Escocia *f*
Albanaidd	escocés *adj*
alcohol	el alcohol *m*
alcoholaidd	alcohólico *adj*
alergedd *g*	una alergía *f*
alergol	alérgico *adj*
yr **Almaen** *b*	Alemania *f*
o'r Almaen	alemán *adj*
Almaenaidd	alemán *adj*
Almaeneg *b*	[yr iaith] alemán *m*
Almaeneg/Almaenig	alemán *adj*
almon *g*	una almendra *f*
allan	fuera; afuera
mae e(f)o allan	ha salido; no está
tu g *allan*	el exterior *m*
tu allan	fuera; afuera
allanfa *b*	una salida *f*
allanfa dân	una salida de incendios
allanfa frys	una salida de emergencia
allblyg	extrovertido *adj*
alltudio	desterrar v^{B2}
allwedd *b*	[clo] una llave *f*; [piano, cyfrifiadur] una tecla *f*; [problem, cod] una clave *f*
allweddair *g*	una palabra clave
allweddell *b*	un teclado *m*
am	sobre; durante; por; para
am faint o'r gloch?	¿A qué hora?
amaethyddol	agrícola *adj*
amau	dudar v^{A1}; sospechar v^{A1}
afon *b* **Amazon**	el (Río) Amazonas
ambell	alguno

ambell waith	a veces
ambiwlans *b*	una ambulancia *f*
amddiffyn	defender v^{B3}; proteger v^{C3}
amddiffyniad *g*	una defensa *f*
America *b*	América *f*
o America	americano *adj*; indiano *adj*
brodor o America	indio / india *m/f*
o America Ganol	centroamericano *adj*
America Ladin	Hispanoamérica *f*
o America Ladin	hispanoaméricano *adj*; iberoaméricano *adj*
Americanaidd	americano *adj*
amgueddfa *b*	un museo *m*
o **amgylch**	alrededor de
yr **amgylchedd** *g*	el medio ambiente *m*
amgylchynu	rodear v^{A1}
amheuaeth *b*	la duda *f*
amheus	dudoso *adj*; sospechoso *adj*; desconfiado *adj*
amhosibl	imposible *adj*
aml	frecuente *adj*
yn aml	a menudo
amlen *b*	un sobre *m*
amlieithog	políglota *adj*
amlinell *b*	un perfil *m*; un contorno *m*; una silueta *f*
amlinellu	perfilar v^{A1}; esbozar v^{A1}; calcar v^{A1}
amlwg	evidente *adj*; claro *adj*; obvio *adj*
yn amlwg	obviamente
mae hynny'n gwbl amlwg	eso es de cajón; eso está claro
amnaid *g*	una indicación *f* de la cabeza; un gesto *m* con la cabeza; una señal *f* con la cabeza
amod *g/b*	una condición *f*
amrant *g/b*	un párpado *m*
amryw	varios *adj*; diversos *adj*; distintos *adj*
amrywiad *g*	una variante *f*
amrywiaeth *b*	la variedad *f*
amrywiol	distinto *adj*; variado *adj*
amser *g*	el tiempo *m*; [o'r dydd] la hora *f*; [cyfnod byr] un rato *m*
amser chwarae	un recreo *m*
(am) amser hir	(durante) mucho tiempo

amser rhydd/hamdden	el tiempo *m* libre; el ocio *m*
amserlen *b*	un horario *m*
amynedd *g*	la paciencia *f*
amyneddgar	paciente
yn amyneddgar	pacientemente
anabl	minusválido *adj*; discapacitado *adj*
anabledd *g*	la discapacidad *f*; la minusvalía *f*
anadlu	respirar *v*[A1]
anadnabyddus	desconocido *adj*
anaml	raro *adj*
yn anaml	raramente
mynyddoedd *ll* yr **Andes**	los Andes *m pl*
o'r Andes	andino *adj*
andwyo	estropear *v*[A1]
anesmwyth	inquieto *adj*; agitado *adj*; intranquilo *adj*
anfantais *b*	una desventaja *f*
anferth	enorme *adj*
anfodlon	descontento *adj*
anfonwr	un remitente *m*
anffawd *b*	un accidente *m*; una desgracia *f*
anffodus	desafortunado *adj*; desgraciado *adj*
yn anffodus	desafortunadamente; desgraciadamente
anhapus	infeliz *adj*
anhapusrwydd *g*	la tristeza *f*; la infelicidad *f*
anhawster *g*	una dificultad *f*
anhrefn *g*	el desorden *m*; el caos *m*
anhygoel	increíble *adj*
(yn) anhygoel (o)	increíblemente
anhysbys	desconocido *adj*
anialwch *g*	un desierto *m*
anifail *g*	un animal *m*
anifail anwes	una mascota *f*; un animal *m* doméstico
anlwc	una desgracia *f*; la mala suerte *f*
anlwcus	desgraciado *adj*; desafortunado *adj*
annibynnol	independiente *adj*
annifyr	molesto *adj*; irritante *adj*; pesado *adj*
annioddefol	insoportable *adj*; intolerable *adj*
annog	animar *v*[A1]; alentar *v*[B2]
annwyd *g*	un resfriado *m*; un constipado *m*; un catarro *m*

bod ag/yn llawn annwyd	estar v^{C10} resfriado; estar v^{C10} constipado; estar v^{C10} acatarrado
annwyl	querido *adj*
annwyl syr	estimado señor; muy señor mío
annwyl fadam	estimada señora; muy señora mía
annwyl miss	estimada señorita
annymunol	desagradable *adj*
anobaith *g*	la desesperación *f*; la desesperanza *f*
anobeithiol	desesperado *adj*; inútil *adj*
anodd	difícil
anorac *g*	un anorak *m*
anrheg *b*	un regalo *m*
ansawdd *g*	la calidad *f*
ansiofi *g*	una anchoa *f*; [ffres] un boquerón *m*
ansoddair *g*	un adjetivo *m*
antiseptig	antiséptico *adj*
antur *gb*	una aventura *f*
anwaraidd	salvaje *adj*
anwesu	acariciar v^{A1}
anwylyd *gb*	un querido *m*; una querida *f*
ar	en; sobre
ar bwys	cerca de; al lado de
ar draws	por; a través; [croesair] horizontal
ar ei ben	en punto
ar ôl	después (de)
ar wahân i	aparte de; menos; excepto
mae arnaf .... i…	debo … a
Arab *g/b*	un árabe *m/f*
Arabaidd	árabe *adj*
Arabeg *b*	[iaith] el árabe *m*
araf	lento *adj*
yn araf	lentamente; despacio
arall	otro *adj*
un arall (eto)	un otro
arbed	ahorrar v^{A1}; evitar v^{A1}
arbennig	especial
yn arbennig	especialmente; sobre todo; en particular
arbrawf *g*	un experimento *m*
arcêd *g/b*	una galería *f*; un salón *m* de juegos
archaeoleg *b*	la arqueología *f*
archeb *b*	un pedido *m*; un encargo *m*; [am sedd ayyb] una reserva *f*

archebu	pedir v^{B5}; encargar v^{A1}; reservar v^{A1}
archfarchnad	un supermercado *m*
archwaeth	un apetito *m*
archwilio	reconocer v^{C5}; repasar v^{A1}; revisar v^{A1}; inspeccionar v^{A1}; examinar v^{A1}
archwiliwr *g*	un inspector *m*; [tocynnau] un revisor *m*
archwilwraig *b*	una inspectora *f*; [tocynnau] una revisora *f*
ardal *b*	una región *f*; un barrio *m*; una zona *f*
ardal o amgylch	los alrededores *m pl*; el entorno *m*
arddangosfa *b*	una exposición *f*
yr **arddegau** *ll*	la adolescencia *f*
un g/b *yn ei (h) arddegau*	un / una adolescente *m* / *f*
ardderchog	estupendo *adj*; fantástico *adj*; sobresaliente; alucinante *adj*; guay *adj* [byth yn newid]; genial *adj*; magnífico *adj*; [AmL] regio *adj*; una pasada *f*; chévere *adj*
arddull *g/b*	un estilo *m*
arddwrn *g/b*	una muñeca *f*
arestio	arrestar v^{A1}; detener v^{C24}
arfbais *b*	un escudo *m*
arfer *g/b*	una costumbre *f*
fel arfer	de costumbre; normalmente
arfer	soler v^{B4}
arferol	acostumbrado *adj*; habitual *adj*; usual *adj*; normal *adj*; corriente *adj*
arfordir *g*	una costa *f*
argraff *b*	una impresión *f*
gwneud argraff ar	impresionar v^{A1}
argraffydd *g* [peiriant]	una impresora *f*
argraffu	imprimir v^{A3}
argymell	recomendar v^{B2}
arholiad *g*	un examen *m*
arhosfa *b*	una parada *f*
arhosfa fysiau	una parada de autobús
arhosiad *g*	una estancia *f*
arhosol	permanente *adj*
arian *g*	el dinero *m*; [AmL] la plata *f*
wedi'i wneud o arian	de plata
arian Costa Rica a El Salvador	el colón *m*

arian Ecuador	el sucre *m*
arian Panama	la balboa *f*
arian Peru	el inti *m*
arian papur	un billete [de banco] *m*
arian poced	la paga *f*
arian Venezuela	el bolívar *m*
yr **Ariannin**	Argentina *f*
o'r Ariannin	argentino *adj*
ariannwr *g*	un cajero *m*
arianwraig *b*	una cajera *f*
Aries	Aries *m*
arlunio	el dibujo *m*
arlunio	dibujar v^{A1}
arlunwraig *b*	una pintora *f*; una artista *f*
arlunydd *g*	un pintor *m*; un artista *m*
arlywydd *g*	un / una presidente *m/f*; una presidenta *b*
arllwys	verter v^{B3}; echar v^{A1}
arllwys y glaw	llover v^{B4} a cántaros
arnofio	flotar v^{A1}
arogl	un olor *m*; un aroma *m*; un perfume *m*
arogli	oler v^{B6}
arolwg *g* **barn**	una encuesta *f*; un sondeo *m*
arolygwr *g*	un inspector *m*
arolygwraig *b*	una inspectora *f*
aros	esperar v^{A1}; aguardar v^{A1}; quedarse v^{D}; [mewn gwesty] alojarse v^{D}; hospedarse v^{D}
aros/arhoswch funud	espere un momento
arswyd	el horror *m*
ffilm b *arswyd*	una película *f* de miedo
arth *b*	un oso *m*
artisiog	una alcachofa *f*
artist *g*	un / una artista *m/f* un pintor *m*; una pintora *f*
artistig	artístico *adj*
arwain	conducir v^{C4}; llevar v^{A1}
arweinydd	un jefe *m*; una jefa *f*; un / una guía *m/f*
arwerthiant	una subasta *f*
arwr *g*	un héroe *m*
arwres *b*	una heroína *f*
arwydd *g*	una señal *f*; un indicio *m*; un gesto *m*; una seña *f*

arwyddair un lema *m*; un slogan *m*
arwyddion las señales *f pl* (de tráfico)
arwyddo firmar v^{A1}
arwynebedd *g* una superficie *f*
asbirin *b* una aspirina *f*
asen *b* una costilla *f*
asesu valorar v^{A1}; evaluar v^{C6}
asgwrn *g* un hueso *m*
Asia *b* Asia *f*
Asiaidd asiático *adj*
asiantaeth *b* una agencia *f*
asiantaeth deithio una agencia de viajes
asiantaeth gyhoeddusrwydd una agencia de publicidad
astec azteca *adj*
astrolegol astrológico *adj*
astrolegydd *g* un astrólogo *m*; una astróloga *f*
astud atento *adj*
yn astud atentamente
astudiaeth *b* un estudio *m*
astudiaethau busnes las empresariales *f pl*
astudiaethau cyfrifiaduron la informática *f*
astudiaethau cymdeithasol las sociales *f pl*
astudio estudiar v^{A1}
asyn un burro *m*
at a
atal parar v^{A1}; detener v^{C24}; impedir v^{B5}
atalnod *g* **llawn** un punto *m*
ateb *g* una contestación *f*; una respuesta *f*; una solución *f*
ateb contestar v^{A1}; responder v^{A2}
atgas odioso *adj*
atgof *g* un recuerdo *m*
atgoffa *g* recordar v^{B1}
atgyweirio reparar v^{A1}; remendar v^{B2}
atig *g* un desván *m*
atlas *g* un atlas *m*
atmosffer *g* una atmósfera *f*
atodol suplementario *adj*
atseiniol resonante *adj*; sonoro *adj*
athletau *ll* el atletismo *m*
athletwr *g* un atleta *m*

athletwraig *f*	una atleta *f*
athrawes *b*	[uwchradd] una profesora *f*; [cynradd] una maestra *f*
athro *g*	[uwchradd] un profesor *m*; [cynradd] un maestro *m*
athrylith *b*	un genio *m*
aur *g*	el oro *m*
wedi'i wneud o aur	de oro
aw!	¡Ay!
awdur *g*	un autor *m*
awdures *b*	una autora *f*
awdurdod *g/b*	la autoridad *f*
awdurdodol	de gran autoridad; autoritario *adj*
awgrym *g*	una sugerencia *f*
awgrymu	sugerir *v*[B7]; proponer *v*[C18]
awr *b*	una hora *f*
awr a hanner	una hora y media
Awst *g*	agosto *m*
Awstralaidd	australiano *m*
Awstralia *b*	Australia *f*
o Awstralia	australiano *adj*
Awstria *b*	Austria *f*
o Awstria	austríaco *adj*
Awstriaidd	austríaco *adj*
awydd *g*	un deseo *m*
oes arnat ti awydd...?	¿Te apetece… ?
awyddus	deseoso *adj*
bod yn awyddus i...	tener *v*[C24] muchas ganas de…
awyr *b*	el aire *m*; el cielo *m*
yn yr awyr iach / agored	al aire libre
awyren *b*	un avión *m*
mewn awyren	en avión
awyrgylch	un ambiente *m*

baban *g*	un bebé *m*
baco *g*	el tabaco *m*
bacwn *g*	el beicon *m*; el tocino *m*; la panceta *f*
bach	pequeño *adj*
bachgen *g*	un niño *m*; un chico *m*; un muchacho *m*; un chaval *m*
bad *g*	un barco *m*; [bach] una barca *f*
badminton *g*	el bádminton *m*
bae *g*	la bahía *f*
baedd *g* **gwyllt**	un jabalí *m*
bag *g*	una bolsa *f*
bag bach	una bolsita *f*; un sobre *m*; un sobrecito *m*
bag cefn	una mochila *f*
bag dogfennau	una cartera *f*; un maletín *m*
bag llaw	un bolso *m*
bag ymolchi	un neceser *m*
bag ysgol	una bolso *m*
bagiau *ll*	el equipaje *m*
baglau *ll*	las muletas *f pl*
bai *g*	la culpa *f*
balch	orgulloso *adj*; contento *adj*
rwy'n falch bod...	me alegra....
balconi *g*	un balcón *m*
balŵn *g*	un globo *m*
banana *g*	un plátano *m*; [AmL] una banana *f*
banc *g*	un banco *m*
banc cynilo	una caja *f* de ahorros
bancwr *g*	un banquero *m*
band *g*	una orquesta *f*; un conjunto *m*; [pres] una banda *f*; [pop] un grupo *m*
baner *b*	una bandera *f*
bar *g*	[metal] una barra *f*; [siocled] una tableta *f*; [ffenest, cawell] una reja *f*; [yfed] un bar *m*; [AmL] una cantina *f*
bara *g*	un pan *m*
barbaraidd	bárbaro *adj*; salvaje *adj*
barbeciw *g*	una barbacoa *f*; una parrillada *f*; [AmL] un asado *m*
bardd *g*	un poeta *m/f*
barddoniaeth *b*	la poesía *f*

barf *b*	una barba *f*
bargen *b*	una ganga *f*; un chollo *m*
barn *b*	una opinión *f*
barnu	juzgar v^{A1}
barus	comilón *adj*; glotón *adj*; goloso *adj*
bas *g* **dwbl**	un contrabajo *m*
basged *b*	una cesta *f*; una canasta *f*
bat *g*	una paleta *f*; una pala *f*; [criced, pêl fas] un bate *m*; [tenis] una raqueta *f*
batri *g*	una pila *f*; una batería *f*
bath *g*	un baño *m*; una bañera *f*
bathodyn *g*	una insignia *f*; [ar gôt] un distintivo *m*; una placa *f*; [metal] una chapa *f*
baw *g*	el lodo *m*; la suciedad *f*; la mugre *f*; [tom] el estiércol *m*
bawd *g*	un pulgar *m*; [troed] un dedo gordo (del pie) *m*
be?	¿Qué?; ¿Cómo?
bechingalw *g* / **betinglaw** *g*	un chisme *m*
beic *g*	una bicicleta *f*; una bici *f*
ar gefn beic	en bicicleta; en bici
mynd ar gefn beic	hacer v^{C14} ciclismo; ir v^{C16} en bicicleta; montar v^{A1} en bicicleta
beic modur	una moto *f*; un ciclomotor *m*
beicio *g*	el ciclismo *m*
beicio	hacer v^{C14} ciclismo
beiciwr *g*	un ciclista *m*
beicwraig *b*	una ciclista *f*
beichio wylo / crio	sollozar v^{A1}; llorar v^{A1} como una Magdalena; llorar v^{A1} a mares
beiddgar	atrevido *adj*; audaz *adj*
beiddgarwch *g*	la audacia *f*; el atrevimiento *m*
beirniadu	criticar v^{A1}
beiro *g*	un bolígrafo *m*; un boli *m*
Gwlad *b* **Belg**	Bélgica
o Wlad Belg	bélgico *adj*; belga *adj*
Belgaidd	bélgico *adj*; belga *adj*
bendigedig	estupendo *adj*; fantástico *adj*; alucinante *adj*; guay *adj* [byth yn newid]; genial *adj*; magnífico *adj*; [AmL] regio *adj*; chévere *adj* una pasada *f*; [crefyddol] sagrado *adj*

benthyca	pedir v^{B5} prestado; prestar v^{A1}; dejar v^{A1}
cael benthyg	pedir v^{B5} prestado
rhoi benthyg	prestar v^{A1}; dejar v^{A1}
berdys *ll*	los camarones *m pl*
berf *b*	un verbo *m*
berwi	hervir v^{B7}; bullir v^{A3}
mae'r dŵr yn berwi	hierve el agua; el agua está hirviendo
betysen *b*	una remolacha *f*
beth	qué; lo que
beth bynnag	de todas formas; de todos modos
beth?	¿qué?; ¿cómo?
beth am fynd i ...?	¿Vamos a....?
beth sy'n bod?	¿Qué pasa?
beth sy'n bod (arnat ti)?	¿Qué te pasa?; ¿Qué tienes?
beth sy'n digwydd?	¿Qué pasa?
Beth wnawn ni?	¿Qué hacemos?
beth wyt ti'n ei feddwl o...?	¿Qué opinas de…? ¿Qué te parece ...?
beth yw / ydy dy enw di?	¿Cómo te llamas?
beunyddiol	diario *adj*
bil *g*	una cuenta *f*
biliards *ll*	el billar *m*
bin *g*	una papelera *f*
bin sbwriel	un cubo *m* de la basura
bingo *g*	el bingo *m*
bioleg *b*	la biología *f*
bisgeden *b*	una galleta *f*
blaen	primero *adj*; principal *adj*; más destacado *adj*
tu **blaen** *g*	la parte de delante *f*; la parte delantera *f* ; [llyfr] el principio *m*; la cabeza *f*; [darn o arian] la cara *f*; [adeilad] una fachada *f*
o flaen	delante de
blaendal *g*	un depósito *m*; una señal. *f*; un desembolso inicial *m*
blaenwr *g*	un delantero *m*; una delantera *f*
blaidd *g*	un lobo *m*
blanced *g*	una manta *f*; [AmL] una cobija *f*; una frazada *b*
blas *g*	un sabor *m*; un gusto *m*
blaslyn *g*	una salsa *f*
blasu	saber v^{C20}; probar v^{B1}

blasu *g*	[gwin] una cata (de vinos)
blasus	sabroso *adj*; rico *adj*; delicioso *adj*; bueno *adj*; buenísimo *adj*; bonísimo *adj*
blawd *g*	la harina *f*
ble	donde
ble?	¿dónde?
bleind *g*	una persiana *f*
blewyn *g*	un pelo *m*
blin	enfadado *adj*; enojado *adj*; irritante *adj*
bod yn flin gan	sentir v^{B7}; lamentar v^{A1}
blinder *g*	el cansancio *m*
blinedig	cansado *adj*
blino	cansar(se) $v^{A1(D)}$; enfadar v^{A1}; fastidiar v^{A1}; enojar v^{A1}
wedi blino	cansado *adj*
wedi blino'n lân	agotado *adj*; hecho polvo *adj*; muerto *adj*
blodfresychen *b*	una coliflor *f*
blodyn *g*	una flor *f*
blows *g/b*	una blusa *f*
blwyddyn *f*	un año *m*
y Flwyddyn Newydd	el año nuevo
Blwyddyn Newydd Dda!	¡Feliz año!; ¡Feliz año nuevo!
blwyddyn ysgol	un año escolar
ym mlwyddyn 7	en primero (de secundaria)
ym mlwyddyn 8	en segundo (de secundaria)
bob	cada *adj*; todo *adj*
bob amser	siempre
bob x *awr*	cada *x* horas
bob dydd	todos los días
bob tro	siempre (que); cada vez (que)
bob yn eilddydd	un día sí y otro no; cada segundo día
bocs *g*	una caja *f*; [theatr] un palco *m*
bocsio *g*	el boxeo *m*; [AmL] el box *m*
bocsio	boxear v^{A1}
boch *g*	una mejilla *f*; un pómulo *m*
bod	ser v^{C23}; estar v^{C10}
mae rhywbeth yn bod	hay algo mal; hay algo que no está bien; algo anda mal
bod wedi	haber v^{C13}
bod yn hwyr	llevar v^{A1} retras

bodlon	contento *adj*; satisfecho *adj*
boi *g*	[slang] un tío *m*; un tipo *m*
bol(a) *g*	un estómago *m*; una barriga *f*
rydwi wedi cael llond bol(a)	estoy harto; estoy hasta las narices
bolaheulo	tostarse v^{BID}; broncearse v^{D}
Bolifia *b*	Bolivia *f*
o Bolifia	boliviano *adj*
bom *g*	una bomba *f*
bôn *g*	el fondo *m*; el pie *m*
yn y bôn	en el fondo; fundamentalmente
boneddiges *b*	una señora *f*
foneddigesau *ll*	[wrth gyfarch] señoras *f pl*
foneddigion *ll*	[wrth gyfarch] señores *m pl*
foneddigion a boneddigesau *ll*	señoras y señores; damas y caballeros
bord *b*	una mesa *f*
bore *g*	una mañana *f*
Bore da!	¡Buenos días!; [AmL] ¡buen día!
boreol	mañanero *adj*; matinal *adj*; matutino *adj*
bos *g*	un jefe *m* / una jefa *f*; un patrón *m* / una patrona *f*
botwm *g*	un botón *m*
bowlen *b*	un bol *m*; un tazón *m*; un cuenco *m*; una fuente *f*
bowlio	jugar v^{BI} al boliche; jugar v^{BI} a las bochas; lanzar v^{AI} (la pelota)
bra *g*	un sujetador *m*; un sostén *m*
braf	bueno *adj*; hermoso *adj*; bello *adj*; agradable *adj*
mae'n braf	hace bueno; hace buen tiempo
braich *b*	un brazo *m*
braidd	bastante; algo; un poco
brân *b*	un cuervo *m*
bras	gordo *adj*; graso *adj*; grasiento *adj*; aproximado *adj*
yn fras	aproximadamente; más o menos
braslun *g*	un esbozo *m*; un bosquejo *m*; un croquis *m*; un borrador *m*; un esquema *m*
braslyfr *g*	un cuaderno *m* de borrador
braster *g*	la grasa *f*

brathiad *g*	una mordedura *f*; una picadura *f*
brathu	morder *v*[B4]; [pryf] picar *v*[A1]
brau	frágil *adj*; quebradizo *adj*
braw *g*	el miedo *m*
brawd *g*	un hermano *m*
brawdoliaeth *b*	una fraternidad *f*; una hermandad *f*
brawddeg *b*	una frase *f*; una oración *f*
brawychus	espantoso *adj*; aterrador *adj*
brêc *g*	un freno *m*
brêcio	frenar *v*[A1]
brecwast *g*	un desayuno *m*
brechdan *b*	un bocadillo *m*; un sandwich *m*; un bocata *m*; un emparedado *m*
bregus	frágil *adj*
brenhines *b*	una reina *f*
brenin *g*	un rey *m*
brest *b*	un seno *m*; un pecho *m*
bresychen *b*	un col *m*; un repollo *m*; una berza *f*
bresys *ll*	los tirantes *m pl*
breuddwyd *g/b*	un sueño *m*
breuddwydio (am)	soñar *v*[B1] (con)
breuddwydiol	soñador *adj*; distraído *adj*
bricyllen *b*	un albaricoque *m*
brifo	hacer *v*[C14] daño (a); doler *v*[B4]
mae'n brifo	(me) duele
wedi brifo	herido *adj*
brig *g*	una cima *f*; una cumbre *f*; lo alto *m*; lo más alto *m*
ar y brig	arriba del todo
brithyll *g*	una trucha *f*
briw *g*	una herida *f*; una lesión *f*
briwgig *g*	la carne picada *f*
broets *g*	un broche *m*; un prendedor *m*
broga *g*	una rana *f*
bron *b*	un seno *m*; un pecho *m*
bron	casi
bod bron â	por poco
roedd e bron â chwympo	por poco se cae
bod bron â marw eisiau	morirse *v*[B8D] por
brown	marrón *adj*; [gwallt] castaño *adj*; moreno *adj*
brwd(frydig)	entusiasta *adj*; apasionado *adj*
brwnt	sucio *adj*; cruel *adj*

brws *g* — un cepillo *m*; una escobilla *f*
Brwsel — Bruselas
brwsio — barrer v^{A2}; cepillar v^{A1}
brwsio dannedd — lavarse v^{D} los dientes
brwsio sgidiau — limpiarse v^{D} los zapatos
brwydr *b* — una batalla *f*; una lucha *f*
brwydro — luchar v^{A1}; pelear(se) $v^{A1(D)}$
bryn *g* — una colina *f*; un cerro *m*
brys *g* — la prisa *f*
brys — urgente *adj*
ar frys — de prisa
bod ar frys — tener v^{C24} prisa
brysia! — ¡date prisa!; ¡rápido !
brysia i wella — ¡Que te mejores !
brysio — darse v^{C8D} prisa; apresurarse v^{D}
buan — rápido *adj*
yn fuan — pronto; rápido; [cloc] adelantado;
budr — sucio *adj*
o **Buenos Aires** — bonaerense *adj*
bugail *g* — un pastor *m*
bugeiles *b* — una pastora *f*
burum *g* — la levadura *f*
busnes *g* — los negocios *f pl*; el comercio *m*; una empresa *f*
fy musnes i yw hynny — eso es cosa mía
bustach *g* — un buey *m*
buwch *b* — una vaca *f*
bwa *g* — un arco *m*
bwa'r arch — un arco iris
bwced *g/b* — un cubo *m*; [AmL] un balde *m*
bwcl *g* — una hebilla *f*
bwlch *g* — un vacío *m*; un intervalo *m*; [testun] un blanco *m*; [mynyddoedd] un puerto
bwletin *g* — un comunicado *m*; un parte *m*; un boletín *m*
bwli *g* — [gwrywaidd] un matón *m*; [benywaidd] una matona *f*
bwndel *g* — un bulto *m*; un paquete *m*
bwrdeisdref *b* — un municipio *m*
bwrdd *g* — una mesa *f*; [gêm] un tablero *m*
bwrdd (gweinyddol) — una junta *f*; un consejo *m*; una comisión *f*

(dewch) at y bwrdd — ¡a la mesa!
wrth y bwrdd — a la mesa
ar fwrdd — [llong ayyb] a bordo (de)
bwrdd du — una pizarra *f*
bwrdd erchwyn gwely — una mesilla de noche *f*; [AmL] un velador *m*
bwrdd gwyddbwyll — un tablero *m* de ajedrez
bwrdd smwddio — una tabla *f* de planchar
bwriad *g* — una intención *f*; un propósito *m*; un objetivo *m*
o fwriad — adrede; aposta; a propósito
yn fwriadol — a propósito; deliberadamente
bwrw — tirar v^{A1}; echar v^{A1}; lanzar v^{A1}; arrojar v^{A1}; pegar v^{A1}; golpear v^{A1}
bwrw eira — nevar v^{B2}
bwrw glaw — llover v^{B4}
mae hi'n bwrw (glaw) — llueve (o **llover** v^{B4}); está lloviendo
roedd hi'n bwrw (glaw) — llovía (o **llover** v^{B4}); estaba lloviendo
bws *g* — un autobús *m*; un autocar *m*; [AmL] un colectivo *m*; un micro *m*
ar y / mewn bws — en autobús; en autocar
bwth *g* — una cabina *f*
bwthyn *g* — una casita *f*; una choza *f*
bwyd *g* — la comida *f*; un alimento *m*
bwyd môr — el marisco *m*; los mariscos *m pl*
bwydlen *b* — una carta *f*
bwydo — dar v^{C8} de comer a; alimentar v^{A1}
bwydydd ll — los comestibles *m pl* ; [AmL] los abarrotes *m pl*
bwystfil *g* — una bestia *f*
bwyta — comer v^{A2}
bwyty *g* — un restaurante *m*
byclu — abrochar v^{A1}
bychan — pequeño *adj*
byd *g* — el mundo *m*
bydysawd *g* — el universo *m*
byddar — sordo *adj*
byddin *b* — un ejército *m*
bygwth — amenazar v^{A1}
byji *g* — un periquito *m*
bylb *g* — [golau] una bombilla *f*; [planhigyn] un bulbo *m*
byr — corto *adj*; breve *adj*; [person] bajo *adj*

bod yn fyr o	faltar v^{A1}
rydw i 2 bunt yn fyr	me faltan dos libras
byrbryd *g*	un tentempié *m*; una tapa *f*; un aperitivo *m*
bys *g*	un dedo *m*; [ar oriawr] una aguja *f*; una manecilla *f*
bys blaen / yr uwd	un dedo índice
bys troed	un dedo del pie
(ni(d)...) **byth**	nunca; jamás
byth a hefyd / beunydd	continuamente; sin cesar; sin parar
byw	vivir v^{A3}
byw	vivo *adj*; [darllediad] en vivo; en directo
bywiog	vivaz *adj*; animado *adj*; alegre *adj*
bywoliaeth *b*	un sustento *m*
ennill bywoliaeth	ganarse v^{D} la vida
bywyd *g*	una vida *f*
bywyd gwyllt	la fauna *f* y flora *f*

caban *g*	una cabina *f*
cabets(i)en *b*	una col *f*; un repollo *m*; una berza *f*
caboledig	pulido *adj*
caboli	pulir v^{A3}; limpiar v^{A1}
cacen *b*	un pastel *m*; una tarta *f*; una torta *f*; un bizcocho *m*
cacynen *b*	una avispa *f*
cadach *g*	un paño *m*
cadach poced	un pañuelo *m*
cadair *b*	una silla *f*
cadair blyg	una silla plegable; una silla de tijera
cadair freichiau	un sillón *m*; una butaca *f*
cadair olwyn	una silla de ruedas
cadeirydd *g*	un presidente *m*
cadeiryddes *b*	una presidenta *f*
cadno *g*	un zorro *m*
cadw	quedarse v^{D} (con); guardar v^{A1}; conservar v^{A1}; réservar v^{A1}
rhoi i gadw	guardar v^{A1}
cadw at [addewid]	cumplir v^{A3}
cadw('n ôl)	retener v^{C24}; entretener v^{C24}
cadw-mi-gei g	una hucha *f*
cadwyn *b*	una cadena *f*
caddug *g*	la niebla *f*
cae *g*	un campo *m*
caead *g*	una tapa *f*
cael	conseguir v^{C22}; obtener v^{C24}; [diod] tomar v^{A1}
cael lliw haul	tostarse v^{B1D}
caer *b*	una fortaleza *f*; un fuerte *m*; un alcázar *m*; una ciudadela *f*
caethferch *b*	una esclava *f*
caethwas *g*	un esclavo *m*
caffi *g*	un café *m*; una cafetería *f*
cain	elegante *adj*; hermoso *adj*; bello *adj*
Calan *g* **Gaeaf**	el día de Todos los Santos *m*
caled	duro *adj*
calendr *g*	un calendario *m*
calon *b*	un corazón *m*
calonogi	animar v^{A1}; alentar v^{B2}
call	razonable *adj*; sabio *adj*

(dim) hanner call — loco *adj*; chalado *adj*; [slang] chiflado *adj*

cam *g* — un paso *m*; un peldaño *m*; un mal *m*; [annhegwch] una injusticia *f*

cam — torcido *adj*

camarwain — engañar v^{A1}

cambren *g* — una cartera *f*; un maletín *m*

camel *g* — un camello *m*

camera *g* — una cámara *f*; una máquina *f* fotográfica

camgymeriad *g* — una falta *f*; un error *m*

gwneud camgymeriad — hacer v^{C14} una falta; equivocarse v^{D}

trwy gamgymeriad — por error; sin querer

camgymryd — equivocarse v^{D}

campfa *b* — un gimnasio *m*

campwaith *g* — una obra *f* maestra *m*

camu — pisar v^{A1}

cân *b* — una canción *f*

can *g* — una lata *f*; un bote *m*

can olew/dŵr — un bidón *m*

Canada *b* — el Canadá *m*

o Ganada — canadiense *adj*

Canadaidd — canadiense *adj*

canfas *g* — la lona *f*; una tela *f*

canfed ran *b* — un centésimo *m*; una centésima parte *f*

cangarŵ *g* — un canguro *m*

caniad *g* — una llamada *f* (de teléfono)

rhoi caniad — telefonear v^{A1}; llamar v^{A1}

caniatâd *g* — el permiso *m*

gyda chaniatâd — con permiso

caniatáu — permitir v^{A3}

canlyn — seguir v^{C22}

canlyniad *g* — un resultado *m*; una consecuencia *f*

canlynol — siguiente *adj*; próximo *adj*

cannoedd o... — centenares de ... *m pl*; cientos de ... *m pl*

cannwyll *b* — una vela *f*

canol *g* — un centro *m*

canol y dref — el centro (de la ciudad / del pueblo)

ar ganol — en mitad de

yng nghanol — en el centro de; en medio de

canolfan *b*	un centro *m*
canolfan chwaraeon	un polideportivo *m*
canolfan groeso	una oficina *f* de turismo
canolfan hamdden	un polideportivo *m*
canolfan ieuenctid	un club *m* juvenil
canolfan sglefrio	[ar iâ] una pista *f* de hielo; [sglefrolio] una pista *f* de patinaje
canolfan siopa	un centro *m* comercial
canolig	medio *adj*
canoloesol	medioeval *adj*
canrif *b*	un siglo *m*
Canser *g*	Cáncer *m*
canslo	anular v^{A1}; cancelar v^{A1}
cant / can	cien; ciento
hanner cant	cincuenta
(pump) y cant	(cinco) por ciento
cantîn *g*	una cantina *f*; un comedor *m*
cantor *g*	un cantante *m*
cantores *b*	una cantante *f*
canu *g*	el canto *m*
canu	cantar v^{A1}; [offeryn] tocar v^{A1}; [cloch] sonar v^{B1}
canu grwndi	ronronear v^{A1}
canŵ *g*	una canoa *f*; una piragua *f*
canŵio *g*	el piragüismo *m*
canŵio	hacer v^{C14} piragüismo; ir v^{C16} en canoa
canwr *g*	un / una cantante *m / f*
cap *g*	una gorra *f*
Capricorn	Capricornio *m*
capten *g*	un capitán *m*
car *g*	un coche *m*; un turismo *m*; [AmL] un carro *m*; un auto *m*
yn y / mewn car	en coche
car llusg	un trineo *m*
carafan *b*	una caravana *f*
carate *g*	el kárate *m*
carcharor *g*	un preso *m*; una presa *f*; un prisionero *m* /una prisionera *f*
cardigan *b*	una chaqueta *f* de punto; una rebeca *f*
caredig	amable *adj*
caredigrwydd *g*	la amabilidad *f*; la bondad *f*
cariad *g*	el amor *m*
mewn cariad	enamorado *adj*

cariad *g/b*	[gwrywaidd] un querido *m*; un novio *m*; un amante *m*; [benywaidd] una querida *f*; una novia *f*; una amante *f*
cariadus	amoroso *adj*
Y Caribi	el Caribe *m*
cario	llevar v^{A1}
carlamu	galopar v^{A1}
carn *g*	un mango *m*; [anifail] una pezuña *f*; [ceffyl] un casco *m*
carnifal *g*	un carnaval *m*
carped *g*	una alfombra *f*
carreg *b*	una piedra *f*
cartref *g*	una casa *f*; un hogar *m*; un domicilio *m*; una residencia *f*; un asilo *m*
gartref	en casa; en tu casa [ayyb]
cartŵn *g*	una viñeta *f*; [ffilm] los dibujos animados *m pl*
caru	querer v^{B3}; amar v^{A1}
carw *g*	un ciervo *m*; un reno *m* [Llychlyn]
cas	[person]; desagradable *adj*; feo *adj*; [tywydd] malo *adj*
cas *g*	un estuche *m*; una funda *f*
cas pensiliau	un estuche (para lápices) un plumero *m*; un plumier *m*
casáu	detestar v^{A1}; odiar v^{A1}
casét *g*	un cassette *m*; un casete *m*; una cinta *f*
casét fideo	un vídeo *m*; una videocinta *f*
casgliad *g*	una colección *f*; [post] una recogida *f*; [barn] una conclusión *f*
casglu	coleccionar v^{A1}; recoger v^{C3}; reunir v^{A3}
casglu stampiau	la filatelia *f*
castell *g*	un castillo *m*; un alcázar *m*
categori *g*	una categoría *f*
cath *b*	un gato *m*
cath fach	un gatito *m*
cath fanw	una gata *f*
cau	cerrar v^{B2}
cau / caea dy geg / ben!	¡cállate!
ar gau	cerrado *adj*
cawell *g*	una jaula *f*

cawg *g*	un florero *m*; un jarrón *m*
cawl *g*	una sopa *f*; un caldo *m*; un consomé *m*;
cawod *b*	[o law] un chubasco *m*; [i olchi] una ducha *f*
cael cawod	ducharse v^{D}; tomar v^{AI} una ducha
cawr *g*	un gigante *m*
cawres *b*	una gigante *f*
caws *g*	un queso *m*
CD-ROM *g*	un CD-ROM *m*
cefn *g*	la espalda *f*; el fondo *m*; la parte *f* de atrás
wysg y cefn	hacia atrás
yn y cefn	en el fondo
cefnder *g*	un primo *m*
cefnfor *g*	un océano *m*
cefnogi	apoyar v^{AI}; respaldar v^{AI}
cefnogwr *g*	un hincha *m*; un partidario *m*; un forofo *m*
cefnogwraig *b*	una hincha *f*; una partidaria *f*; una forofa *f*
cefnwr *g* **de / chwith**	un / una defensa *m f* derecho/a / izquierdo/a *m f*
ceffyl *g*	un caballo *m*
mynd ar gefn ceffyl	montar v^{AI} a caballo
ceffylau ll *bach*	[ffair] un tiovivo *m*
ceg *b*	una boca *f*
agor eich ceg	bostezar v^{AI}
cegddu	la merluza *f*
cegin *b*	una cocina *f*
cei *g*	un muelle *m*
ceidwad *g*	un/una guardia *m/f*
ceiliog *g*	un gallo *m*
ceiriosen *b*	una cereza *f*
ceisio	tratar v^{AI} de; intentar v^{AI}
ceit *g*	una cometa *f*
celfyddyd *b*	un arte *m*
y celfyddydau cain	las Bellas Artes *f pl*
celwydd *g*	una mentira *f*
celwyddog	mentiroso *adj*
cellwair	bromear v^{AI}
cemeg *b*	la química *f*
cemegol	químico *adj*

cemegydd *g*	[gwrywaidd] un químico *m*; [benywaidd] una química *f*
cen *g*	el liquen *m*; la caspa *f*
cenedl *b*	una nación *f*; un pueblo *m*
cenedlaethol	nacional *adj*
cenfigennus	celoso *adj*; envidioso *adj*
cenhinen *b*	un puerro *m*
cennad *g*	el permiso *m*
centimetr *g*	un centímetro *m*
cer!	¡vete!
cer o'ma!	¡lárgate !
cerbyd *g*	un vehículo *m*
cerbydran *b*	[trên] un compartimiento *m*
cerdyn *g*	una tarjeta *f*
cerdyn adnabyddiaeth	un carnet *m* de identidad; un DNI *m*
cerdyn credyd	una tarjeta de crédito
cerdyn Nadolig	una tarjeta de Navidad
cerdyn pen-blwydd	una tarjeta de cumpleaños
cerdyn post	una (tarjeta) postal
cerdd *b*	una poesia *f*; un poema *m*
cerdded	caminar; v^{A1}; andar v^{A1}; ir v^{C16} a pie
cerdded ar	pisar v^{A1}
cerddor *g*	[gwrywaidd] un músico *m*; [benywaidd] una música *f*
cerddorfa *b*	una orquesta *f*
cerddoriaeth *b*	la música *f*
cerddwr *g*	un peatón *m*; un excursionista *m*; un senderista *m*
cerddwraig *b*	una peatona *f*; una excursionista *f*; una senderista *f*
i gerddwyr yn unig	peatonal *adj*
cerflun *g* / **cerfddelw** *b*	una estatua *f*
cês *g*	una maleta *f*; [AmL] una valija *f*
ceunant *g*	un cañón *m*; un barranco *m*
ci *g*	un perro *m*
ci bach	un cachorro *m*; un perrito *m*
ci blaidd	un pastor *m* alemán; un perro lobo
ci defaid	un perro pastor
ci poeth	un perrito *m* caliente
cig *g*	la carne *f*
cig dafad /gwedder	el cordero *m*
cig eidion	la carne de vaca

cig eidion rhost	el rosbif
cig llo	la ternera *f*
cig moch	el beicon *m*; el tocino *m*; la panceta *f*
cig mochyn	la carne de cerdo
cig oen	el cordero *m*
cig oer	las fiambres *f pl*; la chacina *f*
cigydd *g*	[gwrywaidd] un carnicero *m*; [benywaidd] una carnicera *f*
cilio	retirarse v^{D}
cilo *g*	un kilo *m*
cilometr *g*	un kilómetro *m*
x cilometr i ffwrdd	a x kilómetros
x cilometr o...	a x kilómetros de...
x cilometr yr awr	x kilómetros por hora
cimono *g*	un kimono *m*
cimwch *g*	una langosta *f*
ciniawa	cenar v^{A1}
cinio *g*	una comida *f*; [canol dydd]; un almuerzo *m*; [nos] una cena *f*; [AmL] un lonche *m*
cael cinio	comer v^{A2}; [canol dydd] almorzar v^{B1}; [nos] cenar v^{A1}
ciosg *g*	un quiosco *m*
ciosg ffôn	una cabina *f* telefónica
cip *g*	un vistazo *m*
cipio	coger v^{C3}; tomar v^{A1}
cipolwg *g/b*	un vistazo *m*
cist *b*	una caja *f*; [â droriau] una cómoda *f*; [car] un maletero *m*; [AmL] un baúl *m*
ciw *g*	una cola *f*
ciwb *g* **rhew**	un cubito *m* de hielo
ciwio	hacer v^{C14} cola
claddu *g*	un entierro *m*
claear	tibio *adj*
claf *g*	[gwrywaidd] un enfermo *m*; [benywaidd] una enferma *f*
clais *g*	un cardenal *m*; un moretón *m*
clarinet *g*	un clarinete *m*
clasurol	clásico *adj*
clawr *g*	una tapa *f*
clecian	chasquear v^{A1}
cleddyfa *g*	la esgrima *f*

clefyd *g*	una enfermedad *f*
clên	simpático *adj*
clip *g* **papur**	un clip *m*; un sujetapapeles *m* [byth yn newid]
clirio	despejar v^{A1}; [bwrdd] quitar la mesa v^{A1}; [ystafell] ordenar v^{A1}; [tywydd] escampar v^{A1}; despejarse v^{D}
cliw *g*	una pista *f*; un indicio *m*; [croesair] una indicación *f*
clo *g*	una cerradura *f*
cloc *g*	un reloj *m*
cloc larwm	un despertador *m*
cloch *b*	una campana *f*; [un fach] un timbre *f*
mae'n un o'r gloch	es la una
mae'n ddau o'r gloch	son las dos
cloch iâ	un carámbano *m*
clod *g*	los elogios *m pl*; las alabanzas *f pl*; la gloria *f*
clogyn *g*	una capa *f*
cloi	cerrar v^{B2} con llave
i gloi	para terminar; en conclusión
clorian *b*	una balanza *f*
clos *g*	[trowsus] un pantalón *m*;
clos pen-glin	un pantalón de pirata; un calzón *m*;
clòs	pesado *adj*; [tywydd] bochornoso *adj*; cercano *adj*; íntimo *adj*
clown *g*	un payaso *m*
cludo	transportar v^{A1}
clun *b*	un muslo *m*
clust *b*	una oreja *f*
clustdlws *g*	un pendiente *m*; un arete *m*; un zarcillo *m*
clustffonau *ll*	los auriculares *m pl*
clustog *b*	un cojín *m*; una almohadilla *f*
clwb *g*	un club *m*
clwb cefnogi	un club de admiradores *m*; [cerddoriaeth] un club de fans *m*
clwb ieuenctid	un club juvenil
clwb jiwdo	un club de judo
clwb nos	una sala *f* de fiestas; un club nocturno
clwyd *b*	[pren] una puerta *f*; [metal] una verja *f*; [ar reilffordd] una barrera *f*; [adar] una percha *f*

clyfar	inteligente *adj*; listo *adj*
clymu	atar v^{A1}
clywed	oir v^{C17}
cnaf *g*	un/a granuja *m / f*
cneifio	esquilar v^{A1}
cneuen *b* **almon**	una almendra *f*
cneuen bistasio	un pistacho *m*
cneuen Ffrengig	una nuez *f*
cneuen goco	un coco *m*
cneuen gyll	un avellana *f*
cnoi	masticar v^{A1}; morder v^{B4}; roer v^{A2}
Coca-Cola *g*	una coca-cola *f*
coco *g*	el cacao *m*
coch	rojo *adj*; [gwin] tinto *adj*
codi	levantar(se) $v^{A1(D)}$; ponerse v^{C18D} de pie; educar v^{A1}; criar v^{A1}; recoger v^{C3}; alzar v^{A1}; [ffôn] descolgar v^{B1}
codi eto	volver v^{B4} a levantarse
codi llaw	saludar v^{A1} con la mano; decir v^{C9} adiós con la mano; hacer v^{C14} señas con la mano
codwm *g*	una caída *f*
coed / o goed	de madera
coeden *b*	un árbol *m*
coeden afalau	un manzano *m*
coeden banana	[AmL] un banano *m*
coeden Nadolig	un árbol de Navidad *f*
coedwig *b*	un bosque *m*; una selva *f*
coes *b*	una pierna *f*; [anifail] una pata *f*; [brws, ayyb] un mango *m*
coets *b*	un autocar *m*; un coche *m*; [trên] un vagón *m*
mewn coets	en autocar
coets gysgu	[mewn trên] un coche-cama *m*
coets fwyta	[mewn trên] un coche-comedor *m*
cof *g*	una memoria *f*; un recuerdo *m*
cofgolofn *b*	un monumento *m*
cofio	recordar v^{B1}; acordarse (de) v^{B1D}
cofion cu / annwyl	[ar ddiwedd llythyr] un saludo; saludos; un abrazo; un beso; besos
cofion gorau	[ar ddiwedd llythyr] un saludo; saludos; un abrazo
cofleidio	abrazar(se) $v^{A1(D)}$

cofrestr *g*	un registro *m*; [ysgol] una lista *f*
cofrestriad *g*	una inscripción *f*; una matriculación *f*
cofrestru	inscribir(se)$^{A3(D)}$; matricular(se) $v^{A1(D)}$; registrar(se) $v^{A1(D)}$; [ysgol] pasar v^{A1} la lista
cofrodd *b*	un recuerdo *m*; un souvenir *m*
coffi *g*	un café *m*
coffi â llaeth	un café con leche
coffi ag ychydig o laeth	un cortado *m*
coffi heb laeth	un (café) solo
coginio *g*	la cocina *f*
coginio	cocinar v^{A1}; guisar v^{A1}; cocer v^{C2}
wedi'i goginio	cocido *adj*
cogydd *g*	un cocinero *m*
cogyddes *b*	una cocinera *f*
coleg *g*	un colegio *m*
coler *g*	un cuello *m*
colio	picar v^{A1}
colofn *b*	una columna *f*
Colombia *b*	Colombia *f*
o Golombia	colombiano *adj*
person o Golombia g/b	[gwrywaidd] un colombiano *m*; [benywaidd] una colombiana *f*
colur *g*	el maquillaje *m*
rhoi colur	maquillarse v^{D}
coluro	maquillarse v^{D}
colyn *g*	un aguijón *m*
ar goll	perdido *adj*; desaparecido *adj*
mynd ar goll	perderse v^{B3D}
colledig	perdido *adj*
colli	perder v^{B3}; echar v^{A1} de menos; extrañar v^{A1}
mae e'n gweld fy ngholli	me echa de menos
colli pwysau	adelgazar v^{A1}
colli tro	perder v^{B3} la vez; perder v^{B3} el turno
colli tymer	enfadarse v^{D}; perder v^{B3} los estribos
comic *g*	un cómic *m*; un tebeo *m*
concwest *b*	una conquista *f*
condemnio	condenar v^{A1}
copa *g*	una cima *f*; una cumbre *f*
copi *g*	una copia *f*
copïo	copiar v^{A1}; imitar v^{A1}

côr *g*	un coro *m*
coraches *b*	una enana *f*
corcyn *g*	un corcho *m*; un tapón *m*
corff *g*	un cuerpo *m*
corgimwch *g*	una gamba *f*; un langostino *m*
coridor *g*	un pasillo *m*; un corredor *m*
corn *g*	[anifail] un cuerno *m*; [offeryn] una trompa *f*; [car] una bocina *m*; un claxon *m*; [india-corn] el maíz *m*
corn melys	el maíz dulce
cornel *g/b*	una esquina *f*; un rincón *m*; [pêl-droed] un córner *m*
corrach *g*	un enano *m*
corryn *g*	una araña *f*
cortyn *g*	una cuerda *f*
cost *b*	el coste *m*
o **Costa Rica**	costarricense *adj*; costarriqueño *adj*
costau *ll*	los gastos *m pl*
costio	costar v^{B1}
yn costio x ewro	a x euros
costus	caro *adj*
côt / cot *b*	un abrigo *m*; una chaqueta *f*; una americana *f*
côt / cot fawr/uchaf	un abrigo *m*
côt / cot law	una gabardina *f*; un impermeable *m*; un chubasquero *m*
cotwm *g*	el algodón *m*
wedi'i wneud o gotwm	de algodón
cownter *g*	un mostrador *m*; una taquilla *f*
crac	enfadado *adj*
crafangu	agarrar v^{A1}; agarrarse v^{D} a
crafion *ll*	las raspaduras *f pl*
crafu	rascar(se) $v^{A1(D)}$; arañar v^{A1}
craff	astuto *adj*; perspicaz *adj*
craffter *g*	la astucia *f*; la perspicacia *f*
cragen *b*	una cáscara *f*; una concha *f*; un caparazón *m*
cragen las	un mejillón *m*
craig *b*	una roca *f*
crasfa *b*	una paliza *f*
credu	creer v^{A2}
crefydd *b*	la religión *f*
crefyddol	religioso *adj*

crefft *b*	un oficio *m*; la artesanía *f*
crefftau ll	[addysg] los trabajos manuales *m pl*
crefftau'r cartref	el bricolaje *m*
creision *ll*	las patatas fritas *f pl*
crempogen *b*	una tortita *f*; [AmL] un panqué *m*
creu	crear v^{A1}
creulon	cruel *adj*
crib *g/b*	un peine *m*
cribo gwallt	peinar(se) v^{D}
criced *g*	el cricket *m*
crio	llorar v^{A1}
cripio	rascar v^{A1}; arañar v^{A1}; arrastrarse v^{D}
Crist *g*	Cristo *m*
Cristnogol	cristiano *adj*
crochenwaith *b*	[y grefft] la cerámica *f*
darn o grochenwaith	una cerámica *f*
croen *g*	una piel *f*
bod yn groen gwydd	tener v^{C24} carne de gallina
croes *b*	una cruz *f*
y Groes Goch	la Cruz Roja
croes	malhumorado *adj*; gruñon *adj*
croesair *g*	un crucigrama *m*
croesawferch *b*	una recepcionista *f*
croesawu	dar v^{C8} la bienvenida a; acoger v^{C3}; recibir v^{A3}
croesawydd *g*	un recepcionista *m*
croesfan *b* (i gerddwyr)	un paso *m* de peatones
croesfan danddaear(ol)	un paso *m* subterráneo
croesffordd *b*	un cruce *m*; una encrucijada *f*
croesi	atravesar v^{A1}; cruzar v^{A1}
croeso *g*	una bienvenida *f*; un recibimiento *m*
croeso!	¡bienvenido !
croeso	[paid/peidiwch â sôn] de nada
cronfa	un embalse *m*
crwban *g*	una tortuga *f*
crwbi *g*	una joroba *f*
â chrwbi	jorobado *adj*
crwydr *g*	una excursión *f*; una caminata *f*
crwydryn *g*	un vagabundo *m*
crybwyll	mencionar v^{A1}
cryf	fuerte *adj*
yn gryf	fuertemente
cryndod *g*	un temblor *m*; un estremecimiento *m*; [oerfel] un escalofrío *m*

crynodeb *g* un resumen *m*

crynoddisg un disco (compacto) *m*; un CD *m*; un compact *m*

crynu temblar v^{B2}; [oerfel] tiritar v^{A1}

crys *g* una camisa *f*

crys chwys una sudadera *f*

crys nos una camisa de dormir

crys T una camiseta *f*; un niki *m*

o **Cuba** cubano *adj*

cucumer *g* un pepino *m*

cudd secreto *adj*

cuddio esconder(se) $v^{A2(D)}$

cuddwisgo disfrazarse v^{D}

cul estrecho *adj*

culfor *g* un estrecho *m*

curiad *g* una paliza *f*; una pulsación *f*; [y galon] un latido *m*

curo pegar v^{A1}; golpear v^{A1}; [drwy ennill] vencer v^{C27}; [y galon] latir v^{A3}

cusan *g/b* un beso *m*

cusanau mawr [ar ddiwedd llythyr] besos; un beso muy fuerte

cusanu besar v^{A1}

cwbl *g* el todo *m*; el conjunto *m*

dyna'r cwbl (eso) es todo

yn gwbl totalmente; completamente

cwblhau cumplir v^{A3}

cwcw *b* un cuco *m*; un cuclillo *m*

cwch *g* un barco *m*

cwch bach una barca *f*

cwch modur una lancha *f* motora; una motora *f*

cwdyn *g* una bolsa *f*; un sobre *m*

cweryl *g* una riña *f*; una pelea *f*; una disputa *f*

cweryla reñir v^{B5}; pelearse v^{D}

cwestiwn *g* una pregunta *f*; una cuestión *f*

cwis *g* un concurso *m*

cwlwm *g* un nudo *m*

cwlwm dolen un lazo *m*

cwm *g* un valle *m*

cwmni *g* una compañía *f*; una empresa *f*; una sociedad *f*

cwmpawd *g* una brújula *f*

cwmwl *g* una nube *f*

cwningen *b*	un conejo *m*
cwpan *g/b*	una taza *f*; una copa *f*
cwpan coffi	[AmL] un pocillo *m*
cwpanaid *g/b*	una taza *f*
cwpon *g*	un cupón *m*
cwpwrdd *g*	un armario *m*
cwpwrdd dillad	un armario *m*; un guardarropa *m*
cwpwrdd llyfrau	una estantería *f*; una librería *f*
cwrlid *g*	un cobertor *m*
cwrs *g*	un curso *m*; [bwyd] un plato *m*
cwrs hyfforddi	un curso de formación
ar gwrs	haciendo un curso
cwrt *g*	[llys] un tribunal *m*; [chwaraeon] una pista *f*; [tennis] una cancha *f*
cwrt tennis	una pista de tenis; una cancha de tenis
cwrtais	cortés *adj*
yn gwrtais	cortésmente
cwrw *g*	una cerveza *f*
cwrw casgen	una cerveza de barril
cwsg *g*	el sueño *m*
cwsmer *g*	un/una cliente *m f*
cwstard *g*	las natillas *f pl*
cwt *g*	[adeilad] un cobertizo *m*; una cabaña *f*; una barraca *f*; [cynffon] una cola *f*; un rabo *m*
cwt ci	[lle mae'n byw] una caseta *f* de perro
cwt cwningen	[lle mae'n byw] una conejera *f*
cwt ieir	[lle mae'n byw] un gallinero *m*
cwt mochyn	[lle mae'n byw] una pocilga *f*; una porqueriza *f*
cwymp *g*	una caída *f*
cwympo	caer(se) $v^{C1(D)}$
gadael i gwympo	dejar v^{A1} caer; soltar v^{B1}
cŵyro	encerar v^{A1}; pulir v^{A3}
cychwyn	comenzar v^{B2}; empezar v^{B2}; salir v^{C21}; ponerse v^{C18D} en camino; ponerse v^{C18D} en marcha; [car, ayyb] arrancar v^{A1}
cychwyn yn dda	empezar v^{B2} bien; [car, ayyb] arrancar v^{A1} bien
(man) cychwyn	un punto *m* de partida
cydbwysedd *g*	un equilibrio *m*

cydio yn	coger v^{C3}; agarrar v^{A1}; agarrarse v^{D} a; asir v^{A3}
cydio'n dynn yn	apretar v^{B2}
cydnabod *g*	[person] un conocido *m* / una conocida *f*
cydnabod	reconocer v^{C5}; admitir v^{A3}
cydradd	igual *adj*
cydraddoldeb *g*	la igualdad *f*
cydweithiwr *g*	un colega *m*
cydweithwraig *b*	una colega *f*
cyd-weld	estar v^{C10} de acuerdo
cydwybodol	concienzudo *adj*
cyfaill *g* / **cyfeilles** *b*	un amigo *m* / una amiga *f*; un compañero *m*; una compañera *f*
yn y cyfamser	entre tanto; mientras tanto
cyfan *g*	el todo *m*; el conjunto *m*
cyfan	entero *adj*; completo *adj*
dyna'r cyfan	eso es todo
yn gyfan gwbl	completamente; totalmente
cyfandir *g*	un continente *m*
cyfansoddwr *g*	un compositor *m*
cyfansoddwraig *b*	una compositora *f*
cyfanswm *g*	un total *m*; una suma *f*; un importe *m*
cyfarch	saludar v^{A1}
cyfarchion *ll*	los saludos *m pl*
cyfaredd *b*	el encanto *m*
cyfareddol	encantador *adj*
cyfarfod *g*	una reunión *f*; una cita *f*
man cyfarfod	un lugar *m* de cita; un lugar *m* de reunión
cyfarfod	quedar v^{D} con; verse v^{C29D} con; reunirse v^{A3D} con; encontrarse v^{B1D}con; conocer v^{C5}
cyfarpar *g*	un equipo *m*; las herramientas *f pl*
cyfartal	igual *adj*
cyfartaledd *g*	una media *f*; un promedio *m*
ar gyfartaledd	como promedio; como / por término medio
cyfarwydd	conocido *adj*; familiar *adj*
cyfarwyddwr *g*	un director *m*
cyfarwyddwraig *b*	una directora *f*
cyfarwyddyd *g*	una instrucción *f*
cyfateb	corresponder v^{A2}

cyfatebol	correspondiente *adj*
cyfathrebu	comunicar v^{A1}
cyfeillgar	amistoso *adj*; simpático *adj*
cyfeillgarwch *g*	una amistad *f*
cyfeiriad *g*	una dirección *f*; las señas *f pl*; un sentido *m*
cyfeirio at	referirse v^{B7D} a
cyfeirlyfr *g*	un libro *m* de consulta
cyfenw *g*	un apellido *m*
cyferbyn	de enfrente; opuesto *adj*; contrario *adj*
gyferbyn â	enfrente de
cyfieithydd *g*	un traductor *m* / una traductora *f*; un / una intérprete *m* / *f*
cyflawni	efectuar v^{C6}; realizar v^{A1}; llevar v^{A1} a cabo; conseguir v^{C22}
cyfle *g*	una oportunidad *f*; una ocasión *f*
cyfleus	conveniente *adj*; práctico *adj*; apropiado *adj*
cyflog *g/b*	un salario *m*; un sueldo *m*
gŵr g *cyflog*	un empleado *m*
merch b *gyflog*	una empleada *f*
cyflogi	emplear v^{A1}
cyflwr *g*	una condición *f*; un estado *m*
cyflwyno (eich hunan)	presentar(se) $v^{A1(D)}$
cyflym	rápido *adj*
yn gyflym	rápidamente; de prisa
cyflymder *g*	la velocidad *f*; la rapidez *f*
cyfnewid *g*	un intercambio *m*
cyfnewid	cambiar v^{A1}; canjear v^{A1}
cyfnither *b*	una prima *f*
cyfnod *g*	un período *m*; un periodo *m*; una época *f*
cyfoes	contemporáneo *adj*; moderno *adj*
materion cyfoes	los temas *m pl* de actualidad
cyfoethog	rico *adj*
cyfogi	vomitar v^{A1}; devolver v^{B4}
cyfradd *b*	una tasa *f*
cyfradd gyfnewid	[arian] un tipo *m* de cambio
cyfradd llog	un tipo de interés; una tasa de interés
cyfrannu	contribuir v^{C15}
cyfres *b*	una serie *f*
cyfrif	contar v^{B1}

cyfrifo	calcular v^{AI}
cyfrifiadur *g*	un ordinador *m*; [AmL] un computador *m*; una computadora *f*
cyfrifiannell *b*	una calculadora *f*
cyfrinach *b*	un secreto *m*
cyfrinachol	secreto *adj*
cyfrwy *g*	una silla *f*
cyfrwys	astuto *adj*
cyfrwystra *g*	la astucia *f*
cyfundrefn *b*	un sistema *m*
cyf-weld	entrevistar v^{AI}
cyfweliad *g*	una entrevista *f*
y **cyffiniau** *ll*	el entorno *m*
yn y cyffiniau	cerca; por aquí
cyfforddus	cómodo *adj*
yn gyfforddus	cómodamente; fácilmente
cyffredin	corriente *adj*; común *adj*; normal *adj*
cyffredin(ol)	general *adj*
yn gyffredinol	en general; generalmente
cyffro *g*	la emoción *f*; la excitación *f*
cyffroi	excitar v^{AI}; entusiasmar v^{AI}
cyffrous	emocionante *adj*; apasionante *adj*
cyffur *g*	una droga *f*
yn / wedi cymryd cyffur(iau)	drogado *adj*; dopado *adj*
cyffwrdd	tocar v^{AI}
cyngerdd *g/b*	un concierto *m*
cynghorydd *g*	[gwrywaidd] un concejal *m*; [benywaidd] una concejala *f*
cynghrair *b*	una alianza *f*; una liga *f*
cyngor *g*	un consejo *m*; [cyngor tref] un concejo municipal *m*
cyhoeddi	anunciar v^{AI}; declarar v^{AI}; publicar v^{AI}
cyhoeddiad *g*	un anuncio *f*; un publicación *f*
cyhoeddus	público *adj*
cyhoeddusrwydd *g*	la publicidad *f*
(sy'n rhoi) cyhoeddusrwydd	publicitario *adj*
y **cyhydedd** *g*	el ecuador *m*
cyhyr *g*	un músculo *m*
cyhyrog	musculoso *adj*
cylch *g*	un círculo *m*; un grupo *m*; una sociedad *f*
cylch allweddi	un llavero *m*
cylch meithrin	una guardería *f*

cylchdaith *b*	un circuito *m*
cylchfan *g/b*	una rotonda *f*
cylchgrawn *g*	una revista *f*
cylchrediad *g*	una circulación *f*; una tirada *f*
cyllell *b*	un cuchillo *m*
cyllell boced	un cortaplumas *m*; una navaja *f*
cymaint (o)	tanto
cymdeithas *b*	una sociedad *f*
cymdoges *b*	una vecina *f*
cymedrol	moderado *adj*
cymeriad *g*	un carácter *m*; todo un personaje *m*; [drama] un personaje
cymhariaeth *b*	una comparación *f*
cymharu â	comparar v^{A1} con
cymhleth	complejo *adj*; complicado *adj*
cymhwyso	adaptar v^{A1}
cymhwyster *g*	un título *m*
cymorth *g*	la ayuda *f*; el socorro *m*
cymorth cyntaf	los primeros auxilios
pecyn g *cymorth cyntaf*	un botiquín de urgencia
Cymraeg *b*	[yr iaith] el galés *m*
Cymraeg / Cymreig	galés *adj*
Cymraes *b*	una galesa *f*
Cymreigaidd	galés *adj*
Cymro *g*	un galés *m*
Cymru *b*	Gales *m*; el País de Gales *m*
cymryd	tomar v^{A1}; coger v^{C3}; suponer v^{C18}
cymryd yn ôl	retomar v^{A1}; retirar v^{A1}
cymuned *b*	una comunidad *f*
cymwynas *b*	un favor *m*
cymwys	apropiado *adj*; adecuado *adj*; capacitado *adj*; cualificado *adj*
cymydog *g*	un vecino *m*
cymylog	nublado *adj*; nuboso *adj*
cymysg	mixto *adj*; variado *adj*
cymysglyd	confuso *adj*
cymysgu	mezclar v^{A1}
cymysgu cardiau	barajar v^{A1} las cartas
cyn	antes (de)
cyn-	antiguo *adj*; ex-;
cyn ... â / ag	tan ... como
cyn bo hir	pronto; dentro de poco
cyn gynted â phosibl	cuanto antes

cynaeafu	cosechar v^{A1}; [grawnwin] vendimiar v^{A1}
cyndad *g*	un antepasado *m*/ una antepasada *f*
cynddeiriog	furioso *adj*
cynfas *g/b*	[ar gyfer llun] la lona *f*; [ar gyfer gwely] una sábana *f*
cynffon *b*	una cola *f*; un rabo *m*
cynhaeaf *g*	una cosecha *f*; [grawnwin] una vendimia *f*; [casgliad] una recogida *f*
cynhesu	calentar(se) $v^{B2(D)}$
cynhwysion *ll*	[coginio] los ingredientes *m pl*
cynhyrchiol	productivo *adj*
cynhyrchu	fabricar v^{A1}; producir v^{C4}
cynhyrfu	excitar(se) $v^{A1(D)}$; agitar(se) $v^{A1(D)}$
paid / peidiwch â chynhyrfu!	¡cálmate!; ¡calmáos!
cynhyrfus	apasionante *adj*; emocionante *adj*; agitado *adj*; excitado *adj*; apasionado *adj*
cynifer (o)	tantos *adj*
cynilo	ahorrar v^{A1}
banc cynilo	un caja *f* de ahorros
cynllun *g*	un plan *m*; un proyecto *m*; [map] un plano *m*;
cynllunio	planear v^{A1}; planificar v^{A1}
cynllunydd *g* **trefol**	un / una urbanista *m / f*
cynnal	mantener v^{C24}; sostener v^{C24}
cynnar	temprano *adj*
yn gynnar	temprano; pronto
cynnau	encender v^{B3}; prender v^{A2}
wedi ei gynnau	[AmL] prendido *adj*
cynnes	caliente *adj*; cálido *adj*; caluroso *adj*
mae'n gynnes	[tywydd] hace calor
rydw i'n gynnes	tengo calor
cynnig *g*	una oferta *f*; una sugerencia *f*; una proposición *f*; una propuesta *f*
cynnig	ofrecer v^{C5}; proponer v^{C18}; sugerir v^{B7}
cynnig (eich hunan)	presentar(se) $v^{A1(D)}$
cynnil	económico *adj*
cynnwrf *g*	la agitación *f*; el alboroto *m*; una conmoción *f*
cynnwys *g*	el contenido *m*
cynnwys	contener v^{C24}; consistir v^{A3} en
mae'n cynnwys	contiene; consiste en

wedi'i gynnwys	incluido *adj*
yn cynnwys	incluido
cynnydd *g*	el progreso *m*; un aumento *m*
cynnyrch *g*	un producto *m*
cynrychioli	representar v^{A1}
cynrychiolydd *g*	un/una representante *m / f*
cynrhonyn *g*	un gusano *m*
cyntaf	primero *adj*
yn y lle cyntaf	primero; antes que nada; ante todo
cyntedd *g*	un hall *m*; una entrada *f*; un vestíbulo *m*
cyntun *g*	una siesta *f*; un sueñecito *m*
cael cyntun	echar v^{A1} una siesta; echar v^{A1} un sueñecito
cypreswydden *b*	un ciprés *m*
cyrens *ll* **cochion**	las grosellas *f pl* rojas
cyrens *ll* **duon**	las grosellas *f pl* negras
cyrliog	rizado *adj*
cyrn *ll* **beic**	un manillar *m*; un manubrio *m*
cyrraedd	llegar v^{A1} a; alcanzar v^{A1}; [AmL] arribar v^{A1}
o fewn cyrraedd	accesible *adj*; alcanzable *adj*; asequible *adj*
cyrten *g*	una cortina *f*; [cyrten bach] un visillo *m*
cysglyd	soñoliento *adj*; [lle] tranquilo *adj*;
bod yn / teimlo'n gysglyd	tener v^{C24} sueño
cysgod *g*	la protección *f*; un refugio *m*; [lloches] un asilo *m*; [dim haul] una sombra *f*
cysgodi	protegerse v^{C3D}; refugiarse v^{D}
cysgodlun *g*	una silueta *f*
cysgu	dormir v^{B8}
yn cysgu	dormido *adj*
sach b *gysgu*	un saco *m* de dormir
yn methu cysgu	insomne *adj*
mynd i gysgu	dormirse v^{B8D}
cysodydd *g*	un/una cajista *m f*
cystadleuaeth *b*	un concurso *m*; una competición *f*; la competencia *f*
cystadleuydd *g*	un competidor *m*/ una competidora *f*; un/una concursante *m / f*; un/una rival *m f*
cysurus	cómodo *adj*

cysylltiad *g* — una relación *f*; un enlace *m*; [trên] un empalme *m*

cysylltu — conectar v^{A1}; asociar v^{A1}; enlazar v^{A1}

cytbwys — equilibrado *adj*

cytgan *g/b* — un estribillo *m*

cytled *g* — una chuleta *f*

cytser *g* — una constelación *f*

cytser yr Afr b — Capricornio *m*

cytser y Cariwr Dŵr g — Acuario *m*

cytser y Cranc g — Cáncer *m*

cytser y Fantol b — Libra *f*

cytser y Forwyn b/ y *Wyryf* b — Virgo *m*

cytser y Gefeilliaid ll — Géminis *m*

cytser yr Hwrdd g — Aries *m*

cytser y Llew g — Leo *m*

cytser y Pysgod ll — Piscis *m pl*

cytser y Saethydd g — Sagitario *m*

cytser y Sgorpion g — Escorpión *m*

cytser y Tarw g — Tauro *m*

cytuno — estar v^{C10} de acuerdo; llevarse v^{D} bien

cyw *g* — un pajarito *m*; un pollito *m*; un polluelo *m*

cyw iâr — un pollo *m*

siop cyw iâr wedi'i rostio — [AmL] una rosticería *f*

cywilydd *g* — la vergüenza *f*

bod â chywilydd — avergonzarse v^{B1D}

cywilyddio — avergonzarse v^{B1D}

cywir — correcto *adj*; exacto *adj*; justo *adj*

yn gywir iawn — [ar ddiwedd llythyr] (le saluda) atentamente

cywiro — corregir v^{C7}

chi	vosotros *m pl*; vosotras *f pl*; ustedes *m f pl*
Chile	Chile
o Chile	chileno *adj*
person o Chile	un chileno *m*; una chilena *f*
chili	un chile *m*; una guindilla *f*
chwaer *b*	una hermana *f*
chwaeth *b*	un gusto *m*
chwaith	tampoco
na finne chwaith	ni yo tampoco
chwalu	dispersar(se) v^{D}; deshacer(se) $v^{C14(D)}$
chwant *g*	un deseo *m*; un apetito *m*
chwant bwyd	un apetito *m*; el hambre *f*
chwarae	jugar v^{B1}; [gêm] jugar v^{B1} a; [offeryn] tocar v^{A1}
chwarae bowls	jugar v^{B1} a las bochas
chwarae piano	tocar v^{A1} el piano
chwaraeon *ll*	el deporte *m*
chwaraeon dŵr	los deportes acuáticos
yn hoff o chwaraeon	deportista *adj*
yn ymwneud â chwaraeon	deportivo *adj*
chwaraewr *g*	un jugador *m*
chwaraewraig *b*	una jugadora *f*
chwaraeydd DVD	un reproductor *m* de DVD
chwaraeydd crynoddisgiau	un reproductor *m* de CD
chwaraeydd recordiau	un tocadiscos *m*
chwarter *g*	un cuarto *m*; [blwyddyn] un trimestre *m*
chwarter awr	un cuarto de hora
chwarter i	menos cuarto
chwarter wedi	y cuarto
chwe(ch)	seis
chwe deg	sesenta
un deg chwech	dieciseis
chweched	sexto *adj*
chwedl *b*	una leyenda *f*; un mito *m*
chwedlonol	legendario *adj*; mítico *adj*
Chwefror *g*	febrero *m*
chwerthin	reir v^{C19}
chwerthinllyd	ridículo *adj*
chwerw	amargo *adj*
chwibanu	pitar v^{A1}; silbar v^{A1}
chwifio	agitar(se) $v^{A1(D)}$; ondear v^{A1}; [yn y gwynt] mecerse v^{C27D}

chwilair *g*	una sopa *f* de letras
chwilfrydedd *g*	la curiosidad *f*
chwilfrydig	curioso *adj*
chwilio	registrar *v*[A1]; cachear *v*[A1]
chwilio am	buscar *v*[A1]
chwilota	buscar *v*[A1]
chwistrell *b*	una jeringa *f*; una jeringuilla *f*
chwistrellu	[pigiad] inyectar *v*[A1]; [â dŵr] regar *v*[B2]; rociar *v*[C11]
chwith *g*	la izquierda *f*
(yn defnyddio) llaw chwith	zurdo *adj*
ar y chwith	a la izquierda
i'r chwith	a la izquierda
o chwith	al revés
tu chwith	un revés *m*; un dorso *m*; [darn arian] un reverso *m*
tu chwith allan	al revés; del revés
chwydu	vomitar *v*[A1]; devolver *v*[B4]
chwydd *g*	una hinchazón *f*
chwyddwydr *g*	una lupa *f*
chwynnyn *g*	una mala hierba *f*; un hierbajo *m*
chwythu	soplar *v*[A1]

da	bueno *adj*
da i ddim	inútil *adj*
da iawn!	¡Muy bien!
mae e'n dda mewn mathemateg	es bueno en matemáticas; se le dan bien las matemáticas
yn dda	bien
mae'n beth da bod....	menos mal que....
dacw	allí está…
dad *g*	un papá *m*
da-da *g*	una golosina *f*; un caramelo *m*
dadbacio	deshacer v^{C14} las maletas
dadl *b*	un debate *m*; una discusión *f*
dadlaith	derretirse v^{B5D}; deshelarse v^{B2D}; descongelar(se) $v^{A1(D)}$
dadlau	debatir v^{A3}; discutir v^{A3}
dadlwytho	descargar v^{A1}
dadmer	derretirse v^{B5D}; deshelarse v^{B2D}; descongelar(se) $v^{A1(D)}$
daear *b*	la tierra *f*; el suelo *m*
daeargryn *g/b*	un terremoto *m*; un seísmo *m* un temblor *m* (de tierra)
daearol	terrestre *adj*
daearyddiaeth *b*	la geografía *f*
dafad *b*	una oveja *f*
daffodil *g*	un narciso *m*
dangos	enseñar v^{A1}; mostrar v^{B1}; indicar v^{A1}; pasar v^{A1}; [rhaglen, ffilm] poner v^{C18}
dal	coger v^{C3}; pillar v^{A1}; tener v^{C24}; sujetar v^{A1};contener v^{C24}; sostener v^{C24}
dal (ymlaen)	seguir v^{B5}; continuar v^{C6}
dall	ciego *adj*
damwain *b*	un accidente *m*
trwy ddamwain	por casualidad; sin querer; por accidente
(o) **dan**	debajo de; bajo
Danaidd	danés *adj*
dant *g*	un diente *m*
danteithiol	delicioso *adj*; rico *adj*
darbodus	económico *adj*
darfod	terminar v^{A1}; acabar v^{A1}; agotarse v^{D}
darganfod	descubrir v^{A3}; encontrar v^{B1}
darganfyddiad *g*	una descubierta *f*
dargyfeiriad *g*	un desvío *m*

dar(i)o!	¡jolín!; ¡jolines!
darlun *g*	un cuadro *m*; [person] un retrato *m*
darluniadwy	pintoresco *adj*
darlunio	ilustrar v^{A1}
darllediad *g*	un programa *m*
darllen	leer v^{A2}
darllen *g*	la lectura *f*
darllenwr *g*	un lector *m*
darllenwraig *b*	una lectora *f*
darn *g*	un pedazo *m*; un trozo *m*
darn arian	una moneda *f*
darn chwarae	[gêm fwrdd] una ficha *f*
dartiau *ll*	los dardos *m pl*
datgelu	revelar v^{A1}; [tollau] declarar v^{A1}
datod	desatar v^{A1}; desabrochar v^{A1}
datrys	solucionar v^{A1}; descifrar v^{A1}; resolver v^{B4}
dathliad *g*	una celebración *f*; una fiesta *f*
dathlu	celebrar v^{A1}; festejar v^{A1}
dau	dos
un deg dau	doce
dau ar bymtheg	diecisiete
dau ddeg	veinte
dawns *b*	un baile *m*; una danza *f*
dawnsio *g*	el baile *m*; la danza *f*
dawnsio	bailar v^{A1}; danzar v^{A1}
dawnsio tap	bailar claqué
dawnsiwr *g*	un bailarín *m*
dawnsiwr bale	un bailarín de ballet
dawnswraig *b*	una bailarina *f*
dawnswraig bale	una bailarina de ballet
dawnus	dotado *adj*
de *b*	la derecha *f*
(yn defnyddio) llaw dde	diestro *adj*
ar y dde	a la derecha
i'r dde	a la derecha
y **de** *g*	el sur *m*
y **de-ddwyrain** *g*	el sureste *m*; el sudeste *m*
y **de-orllewin** *g*	el suroeste *m*; el sudoeste *m*
deall	entender v^{B3}; comprender v^{A2}
dealltwriaeth *b*	la comprensión *f*; el entendimiento *m*; un acuerdo *m*
deallus	inteligente *adj*

deallusol	intelectual *adj*
dechrau *g*	el principio *m*; el comienzo *m*
dechrau	comenzar v^{B2}; empezar v^{B2}
ar y dechrau	al principio; al comienzo
dechrau'n dda	empezar v^{B2} bien
i ddechrau	primero
defnydd *g*	un empleo *m*; el uso *m*; la utilización *f*; [dillad] una tela *f*; un tejido *m*
defnyddio	emplear v^{A1}; usar v^{A1}; utilizar v^{A1}
mae'n cael ei (d)defnyddio fel ...	sirve de
defnyddiol	útil *adj*
defnyddiwr *g*	un usuario *m*; un consumidor *m*
defnyddwraig *b*	una usuaria *f*; una consumidora *f*
defod *b*	une ceremonia *f*; una costumbre *f*
deffro	despertar(se) $v^{B2(D)}$
deg / deng	diez
deg ar hugain	treinta
dehongli	descifrar v^{A1}; interpretar v^{A1}
dehonglydd *g*	un / una intérprete *m* / *f*
deiet *g*	un régimen *m*; una dieta *f*
bod ar ddeiet	estar v^{C10} a régimen; estar v^{C10} a dieta
mynd ar ddeiet	ponerse v^{C18D} a régimen; ponerse v^{C18D} a dieta
deilen *b*	una hoja *f*
deiliad *g*	[gwrywaidd] un súbdito *m*; un arrendatario *m* [benrywaidd] una súbdita *f*; una arrendataria *f*
deintio	picar v^{A1}; modisquear v^{A1}; roer v^{A2}
deintydd *g*	un / una dentista *m* / *f*
del	bonito *adj*; mono *adj*
delfrydol	ideal *adj*
delicatessen *g*	una charcutería *f*
delio â	ocuparse v^{D} de; encargarse v^{D} de
deniadol	atractivo *adj*: llamativo *adj*
bod yn ddeniadol (yng ngolwg rhywun)	gustar v^{A1} a
Denmarc *b*	Dinamarca *f*
o Ddenmarc	danés *adj*
denu	atraer v^{C26}
derbyn	aceptar v^{A1}; recibir v^{A3}
derbyniad *g*	una recepción *f*; una acogida *f*

derbyniadau *ll*	la recaudación *f*
derbynneb *b*	un recibo *m*
derbynnydd *g*	[ffôn] un auricular *m*
derwen *b*	un roble *m*
desg *b*	una mesa *f*; un escritorio *m*
dethol	elegido *adj*; de elite; exclusivo *adj*
detholiad *g*	un surtido *m*; una selección *f*
deuddeg / deuddeng	doce
deugain	cuarenta
deunaw	dieciocho
dewch!	¡vamos!
dewin *g*	un mago *m*; un hechicero *m*; un brujo *m*
dewines *b*	una maga *f*; una hechicera *f*; una bruja *f*
dewis	escoger v^{C3}; elegir v^{B5}; [tîm, ayyb] seleccionar v^{A1}
dewis *g*	una elección *f*; una selección *f*; una opción *f*
o ddewis	preferentemente; de preferencia
dewisedig	elegido *adj*
dewr	valiente *adj*
dewrder *g*	el valor *m*; la valentía *f*
di / ti	tú; te; ti
diagram *g*	un esquema *m*; una gráfica *f*; un diagrama *m*
diamedr *g*	un diámetro *m*
dianc	escapar(se) $v^{A1(D)}$; fugarse $v^{A1(D)}$
diarffordd	aislado *adj*; remoto *adj*
dibennu	acabar v^{A1}; terminar v^{A1}
dibynnu	depender v^{A2}
mae (hynny)'n dibynnu	depende; según; según y como
diddanu	divertir v^{B7}; entretener v^{C24}
diddordeb *g*	un interés *m*
diddori	interesar v^{A1}
diddorol	interesante *adj*
diddymu	abolir v^{A3}; suprimir v^{A3}
dieithr	extraño *adj*: desconocido *adj*
dyn g *dieithr*	un desconocido *m*; un extraño *m*; un forastero *m*
merch b *ddieithr*	una desconocida*f*; una extraña *f*; una forastera *f*
difetha	estropear v^{A1}; [plentyn] mimar v^{A1}; consentir v^{B7}

diflannu	desaparecer *v*[C5]
diflas	aburrido *adj*; pesado *adj*
di-flas	insípido *adj*; soso *adj*
diflasu	aburrir *v*[A3]
bod wedi diflasu	aburrirse *v*[A3D]
difreintiedig	desfavorecido *adj*
difrifol	grave *adj*; serio *adj*; solemne *adj*
difrod *g*	el daño *m*
difyr	divertido *adj*; gracioso *adj*; interesante *adj*
difyrru	divertir *v*[B7]; entretener *v*[C24]
difyrrwch *g*	una distracción *m*; una diversión *f*
diffaith	desierto *adj*; desértico *adj* [lle]; inútil *adj*
diffodd	apagar *v*[A1]
dyn / diffoddwr *g* **tân**	un bombero *m*
diffrwyth	estéril *adj*; árido *adj*; paralizado *adj*; entumecido *adj*
diffyg *g*	un defecto *m*; una falta *f*; una carencia *f*
dig	enfadado *adj*; enojado *adj*
digalon	deprimido *adj*; triste *adj*
digalondid *g*	el desánimo *m*; el desaliento *m*; la depresión *f*
digon	bastante
rydw i wedi cael digon	estoy harto
dyna ddigon	basta
dyna ddigon!	¡basta !
digon o	bastante
does dim digon o ...	falta(n)…
digrif	gracioso *adj*; divertido *adj*
digriflun *g*	una caricatura *f*
di-gwsg	insomne *adj*; sin dormir
digwydd	pasar *v*[A1]; ocurrir *v*[A3]; suceder *v*[A2]; tener *v*[C24] lugar; acontecer *v*[C5]
digwyddiad *g*	un suceso *m*; un incidente *m*; un acontecimiento *m*
digywilydd	descortés *adj*; insolente *adj*; mal educado *adj*; grosero *adj*; borde *adj*
dihangfa *b*	una fuga *f*; una huida *f*; una evasión *f*
di-haint	esterilizado *adj*
dihuno	despertar(se) *v*[B2(D)]
dileu	tachar *v*[A1]; suprimir *v*[A3]; borrar *v*[A1]

dillad *ll*	la ropa *f*
dillad isaf	la ropa interior
dilyn	seguir v^{B5}
dilys	auténtico *adj*; válido *adj*
dim *g*	un cero *m*
dim	nada
i'r dim	exactamente; perfectamente
dim (byd)	[AmL] nadita
dim cymaint â hynny	no tanto
dim llawer	no mucho; poco
dim o gwbl	en absoluto
dim ond	solamente; sólo; [AmL] nomás
dim ots	no pasa nada; no importa
dim ots gen i	me da igual; me importa un comino
dim ots (pa) beth	no importa qué
dim ots pa ...	no importa cuál ...
dim un	ninguno *adj*
dim yn arbennig	no especialmente
dim yn ddrwg	bien
dim ...	[gwahardd] prohibido ...
dim ysmygu	prohibido fumar; no fumador *adj*
am ddim	gratis; gratuito *adj*
dinas *b*	una ciudad *f*
dinesydd *g*	[gwrywaidd] un ciudadano *m*; [benywaidd] una ciudadana *f*
dingi *g*	una lancha neumática *f*; un bote *m*
diod *b*	una bebida *f*
cymryd diod	tomar v^{A1} algo; tomar una copa
diod lemwn	una limonada *f*
diod siocled	un chocolate *m*
dioddef	sufrir v^{A3}; padecer v^{C5}; soportar v^{A1}
'fedra' i ddim dioddef hwnna	no aguanto eso; no soporto eso
dioddefwr *g* / **dioddefwraig** *b*	una víctima *f*
diog	perezoso *adj*; vago *adj*; [AmL] flojo *adj*
diogel	seguro *adj*; a salvo
diogelwch *g*	la seguridad *f*
diogelwch ar y ffordd	la seguridad vial
diolch	gracias; dar v^{C8} las gracias a; agradecer v^{C5}
diolch byth!	¡menos mal!; ¡gracias a Dios!
diolch i	gracias a

diosg	quitar v^{A1}
yn **ddirfawr**	enormemente
dirgel	secreto *m adj*
dirgelwch *g*	un misterio *m*; un secreto *m*
dirwy *b*	una multa *f*
dis *g*	un dado *m*
disg *b*	un disco *m*
disg gyfrifiadur	un disquete *m*
disglair	brillante *adj*
disgleirio	brillar v^{A1}
disgo *g*	una discoteca *f*
disgrifiad *g*	una descripción *f*
disgrifio	describir v^{A3}
disgybl *g*	[gwrywaidd] un alumno *m*; [benywaidd] una alumna *f*
disgybl (mewn ysgol)	[gwrywaidd] un colegial *m*; [benywaidd] una colegiala *f*
disgybl (preswyl)	[gwrywaidd] un interno *m*; [benywaidd] una interna *f*
disgyn	bajar v^{A1}; caer v^{C1}; soltar v^{B1}
disodli	reemplazar v^{A1}; sustituir v^{A3}
distaw	tranquilo *adj*; calmo *adj*; callado *adj*; silencioso *adj*
bydd ddistaw!	¡cállate!
distawrwydd *g*	un silencio *m*
diswyddo	despedir v^{B5}; echar v^{A1}
di-waith	en paro; desempleado *adj*
dyn g *di-waith*	un parado *m*; un desempleado *m*
dynes b *ddi-waith*	una parada *f*; una desempleada *f*
diwedd *g*	el fin *m*; el final *m*
ar ddiwedd	al fin de; al final de; a fines de; al cabo de
o'r diwedd	por fin
yn y diwedd	por fin; finalmente
diweddar	reciente *adj*
diweddaraf	último *adj*; más reciente *adj*
diweithdra *g*	el paro *m*; el desempleo *m*; [AmL] la desocupación *f*
diwethaf	pasado *adj*; último *adj*
diwrnod *g*	un día *m*; una jornada *f*
diwrnod ffair	un día de fiesta; un día feriado
diwrnod o wyliau	un día libre; un día feriado; un día de asueto; un día festivo

y diwrnod cyn / cynt	la víspera *f*
ar y diwrnod cyn…	en vísperas de
diwyd	trabajador *adj*; aplicado *adj*
diwydiant *g*	una industria *f*
diysgog	fijo *adj*
do	sí
doctor *g*	[gwrywaidd] un médico *m*; un doctor *m*; [benywaidd] una médica *f*; una doctora *f*
yn lle'r doctor	en el médico; en la consulta / el consultorio del médico
dod	venir v^{C28}
dod â (rhywbeth, rhywun)	traer v^{C26}
dod â ... allan / mas	sacar v^{A1}
dod â ... i fyny / lan	subir v^{A3}
dod â ... i lawr	bajar v^{A1}
dod â ... i lawr eto	volver v^{B4} a bajar
dod â ... i mewn	hacer v^{C14} entrar; hacer v^{C14} pasar; traer v^{C26}; entrar v^{A1}; introducir v^{C4}
dod â ... yn ôl	devolver v^{B4}; restaurar v^{A1}
dod allan / mas	salir v^{C21}
dod ar draws	dar v^{C8} con; topar v^{A1} con; encontrarse v^{B2D} con
dod gyda	acompañar v^{A1}
dod i ben	terminar v^{A1}
dod i lawr	bajar v^{A1}
dod i lawr eto	volver v^{B4} a bajar
dod i mewn	entrar v^{A1}; pasar v^{A1}
dod i fyny / lan	subir v^{A3}
dod ymlaen	avanzar v^{A1}; presentarse v^{D}; llevarse v^{D} (bien, mal)
dod yn	hacerse v^{C14D}; ponerse v^{C18D}; convertirse v^{B7D} volverse v^{B4D}
dod yn nes	acercarse v^{D}
dod yn ôl	volver v^{B4}; regresar v^{A1}
Rydw i'n dod	[wrth fynd i agor y drws] voy; ya voy; va; ya va
dodrefnyn *g*	un mueble *m*
doe / ddoe	ayer
doeth	sabio *adj*
dôl *b*	un prado *m*; una pradera *f*; una vega *f*
dol(i) *b*	una muñeca *f*
dolen *b*	una relación *f*; [basged] un asa *f*

dolffin *g* — un delfín *m*
dolur *g* — un dolor *m*
mae gen i ddolur — me duele…
dolurio — doler *v*[B4]; hacer *v*[C14] daño a
domino *g* — una ficha *f* de dómino
doniol — gracioso *adj*; divertido *adj*
dos! — ¡vete!
dos o'ma! — ¡lárgate!
dosbarth *g* — una clase *f*; un curso *m*; una categoría *f*
yn y dosbarth — en clase
dosbarth cyntaf — primera clase
dosbarthu — distribuir *v*[C15]; repartir *v*[A3]
draenog *g* — un erizo *m*
drafftiau *ll* — las damas *f pl*
drama *b* — una obra *f* de teatro
drannoeth — al día siguiente
drennydd — pasado mañana
drewi (o) — apestar *v*[A1]
dringo — escalar *v*[A1]; subir *v*[A3]; trepar *v*[A1]
dringo *g* — la escalada *f*; el alpinismo *m*; el montañismo *m*; [AmL] el andinismo *m*
drôr *g* — un cajón *m*
dros — por; através de; por encima de
dros dro — temporal *adj*
drud — caro *adj*; costoso *adj*
drwg *g* — el mal *m*
drwg — malo *adj*; travieso *adj*; fatal *adj*
drwg ei hwyliau — de mal humor
bod yn ddrwg gan — lamentar *v*[A1]; sentir *v*[B7]
mae'n ddrwg gen i! — ¡perdón!
mae'n ddrwg iawn gen i — lo siento
drwgdybio — desconfiar *v*[C11] de; sospechar *v*[A1]
drwgdybus — desconfiado *adj*
drwm *g* — un tambor *m*
drws *g* — una puerta *f*
drwy'r amser — todo el tiempo
drwy'r dydd — todo el día
drych *g* — un espejo *m*; [car] un retrovisor *m*
drychiolaeth *b* — un fantasma *m*
drygionus — travieso *adj*; malo *adj*
dryll *b* — una pistola *f*; una escopeta *f*; un revólver *m*; un fusil *m*; un rifle *m*

drymiau *ll* — la batería *f*
drymiwr *g* — un /una batería *m f*; un tambor *m*
drysu — confundir *v*[A3]
wedi drysu — confuso *adj*
du — negro *adj*
dug *g* — un duque *m*
duges *b* — una duquesa *f*
dull *g* — un modo *m*; un método *m*; una manera *f*; un estilo *m*
duw *g* — un dios *m*
duw(cs) annwyl! — ¡Dios mío!
dwbl — doble *adj*
dweud — decir *v*[C9]; [hanes] contar *v*[B1]
dwfn — profundo *adj*
dwl — tonto *adj*; estúpido *adj*; idiota *adj*; imbecil *adj*; [lliw] apagado *adj*; [dydd, tywydd] sombrío *adj*; gris *adj*
gwneud pethau dwl — hacer *v*[C14] tonterías
dwlu ar — ser *v*[C23] un fanático de
rydw i'n dwlu ar.... — me encanta...; me chifla; estoy loco por...
dŵr *g* — el agua *f*
dŵr croyw — el agua dulce
dwsin *g* — una docena *f*
dwster *g* — un trapo *m*; [bwrdd du] un borrador *m*
dwy — dos
un deg dwy — doce
dwy ar bymtheg — diecisiete
dwyieithog — bilingüe *adj*
dwyn — robar *v*[A1]; traer *v*[C26]; llevar *v*[A1]
dwyrain *g* — el este *m*
y Dwyrain Canol — el Oriente *m* Medio
dwys — profundo *adj*; solemne *adj*
dy — [o flaen enw unigol] tu; [o flaen enw lluosog] tus
dy hun — tú mismo *m*; tú misma *f*
dychmygol — imaginario *adj*
dychmygu — imaginarse *v*[D]; figurarse *v*[D]
dychryn *g* — un miedo *m*
dychrynllyd — terrible *adj*; espantoso *adj*; horrible *adj*; horrendo *adj*; horroroso *adj*
dychweliad *g* — una vuelta *f*; un regreso *m*

dychwelyd	volver v^{B4}; regresar v^{A1}; devolver v^{B4}
dychwelyd adref	volver v^{B4} a casa
dydd *g*	un día *m*; una jornada *f*
fesul dydd	por día; al día
dydd Calan	el día de Año Nuevo
dydd Gwener	viernes *m*
dydd Gwener y Groglith	Viernes Santo
dydd gŵyl	una fiesta *f*; un día de fiesta; un día feriado; un día festivo
dydd Iau	jueves *m*
dydd Llun	lunes *m*
dydd Mawrth	martes *m*
dydd Mawrth Ynyd	el martes de carnaval
dydd Mercher	miércoles *m*
Dydd Nadolig	el día de Navidad
dydd Sadwrn	sábado *m*
dydd sant	el día de mi santo
dydd Sul	domingo *m*
dyddiad *g*	una fecha *f*
dyddiad geni	una fecha de nacimiento
dyddiadur *g*	un diario *m*; una agenda *f*
dyddiol	cotidiano *adj*
dyfais *b*	un aparato *m*
dyfalu	adivinar v^{A1}
dyfeisio	inventar v^{A1}
dyfodiad *g*	una llegada *f*
dyfodol *g*	un futuro *m*; un porvenir *m*
dyfrhau	regar v^{B2}
dyfyniad *g*	una cita *f*
dyffryn *g*	un valle *m*
dylanwad *g*	la influencia *f*
dylanwadu (ar)	influir v^{C15} en
dylunwraig *b*	una diseñadora *f*
dylunydd *g*	un diseñador *m*
dylwn i	debería (o **deber** v^{2}); tendría (o **tener** v^{C24}) que
dylyfu gên	bostezar v^{A1}
dyma	aquí está...
dymchwel(yd)	derribar v^{A1}
dymuno	querer v^{B3}; desear v^{A1}; tener v^{C24} ganas de
dymunol	agradable *adj*; simpático *adj*
dyn *g*	un hombre *m*; un caballero *m*; un tipo *m*; [slang] un tío *m*

dyn camera	un cámara *m*
dyn eira	un muñeco *m* de nieve
dyn sbwriel / lludw	un basurero *m*
dyn y tu ôl i'r bar	un barman *m*; un camarero *m*
(*cyfleusterau*) *dynion*	caballeros *m pl*; señores *m pl*
dyna	¡qué...!; allí está…
dyna ti	ahí lo tienes; [yn rhoi rhywbeth i rywun] toma
dyna biti / drueni!	¡Qué pena!; ¡Qué lástima!
dyna'r cwbl / cyfan	es todo
dyna ddigon	eso basta
dyna fe / fo / ni	ya está
dynamig	dinámico *adj*
dynamo *g*	un dínamo *m*
dynes *b*	una señora *f*; una mujer *f*; una dama *f*
dyngarîs *ll*	un pantalón de peto *m*; un peto *m*; un mono *m*
dyngarol	humanitario *adj*
dynodi	significar v^{A1}; indicar v^{A1}
dynol	humano *adj*
dynwared	imitar v^{A1}
dysg *b*	el saber *m*; los conocimientos *m pl*
dysgl *b*	un plato *m*
dysgu	aprender v^{A2}; enseñar v^{A1}
dysgu ar y cof	aprender de memoria; memorizar v^{A1}
dyweddi *g/b*	[gwrywaidd] un novio *m* un prometido *m*; [benywaidd] una novia *f*; una prometida *f*

eang	ancho *adj*; amplio *adj*
e-bost *g*	el correo *m* electrónico; el email *m*
Ebrill *g*	abril *m*
ecoleg *b*	la ecología *f*
economaidd	económico *adj*
Ecuador	Ecuador *m*
o Ecuador	ecuatoriano *adj*
echdoe	anteayer
echnos	anteanoche
edau *b*	un hilo *m*
edifarhau	lamentar v^{A1}; arrepentirse de v^{B7D}
edrych	mirar v^{A1}
edrych am	buscar v^{A1}
edrych ar	mirar v^{A1}
edrych ar ôl	cuidar v^{A1}; cuidar de; encargarse v^{D} de
edrych yn	parecer v^{C5}; aparentar v^{A1}
edrych yn debyg i	parecerse v^{C5D} a; darse v^{C8D} un aire a
ef / fo / fe / o / e	él; ella; lo; le; la
efallai	quizá(s); a lo mejor; tal vez
efelychu	imitar v^{A1}
efo	con; por
egluro	explicar v^{A1}
eglwys *b*	una iglesia *f*
eglwys gadeiriol	une catedral *f*
egni *g*	una energía *f*
egnïol	enérgico *adj*
egwyl *b*	un intermedio *m*; un recreo *f*; [pêl-droed, ayyb] un descanso *m*
enghraifft *b*	un ejemplo *m*
ei ... e(f)o / hi	[o flaen enw unigol] su; [o flaen enw lluosog] sus
eich	[ffurfiol o flaen enw unigol] su; [ffurfiol o flaen enw lluosog] sus; [anffurfiol o flaen enw unigol] vuestro/a; [anffurfiol o flaen enw lluosog] vuestros/as
eich hun(ain)	usted mismo/a; ustedes mismos/as; vosotros/as mismos/as
yr **Eidal** *b*	Italia *f*
o'r Eidal	italiano *adj*
Eidalaidd / Eidaleg	italiano *adj*
Eidaleg *b*	[yr iaith] el italiano *m*

eiddigeddus	celoso *adj*; envidioso *adj*
eiddo *g*	la propiedad *f*; las pertenencias *f pl*
eiliad *g/b*	un segundo *f*; un instante *m*; un momento *m*; un rato *m*
eillio	afeitarse v^{D}
ein	[o flaen enw unigol] nuestro/a; [o flaen enw lluosog] nuestros/as
eira *g*	la nieve *f*
eirinen *b*	une ciruela *f*
eirinen wlanog	un melocotón *m*
bod eisiau	querer v^{B3}; tener v^{C24} ganas de; desear v^{A1}
bod bron â marw eisiau	morirse v^{B8D} por; no ver v^{C29} la hora de
bod eisiau bwyd	tener v^{C24} hambre
gweld eich eisiau	echar v^{A1} de menos
mae e(f)o / hi eisiau	él/ella quiere (o **querer** v^{B3})
rydw i eisiau	yo quiero (o **querer** v^{B3})
eisoes	ya
eistedd	sentarse v^{B2D}
yn eistedd / ar ei eistedd	sentado *adj*
eitem *b*	un artículo *m*; un punto *m*
eitha	bastante
ac **eithrio**	aparte de; menos; excepto; salvo
o **El Salvador**	salvadoreño *adj*
eliffant *g*	un elefante *m*
elusen *b*	una organización *f* benéfica; una obra *f* benéfica
elwa (ar)	aprovecharse v^{D} de
embaras *g*	la vergüenza *f*; un corte *m*
yn achosi embaras	violento *adj*; embarazoso *adj*; bochornoso *adj*
yn llawn embaras	violento *adj*; incómodo *adj*
Mae'n achosi embaras i fi	me da corte
enaid *g*	un alma *f*
enfawr	enorme *adj*
enfys *b*	un arco iris *m*
enillydd *g*	[gwrywaidd] un ganador *m*; [benywaidd] una ganadora *f*
ennill	ganar v^{A1}
enw *g*	un nombre *m*; [gwneuthurwr] una marca *f*
eich enw yw / ydy	llamarse v^{D}
o'r enw	llamado *adj*; titulado *adj*

enw cyntaf / bedydd	un nombre de pila
enwebu	proponer v^{C18}
yn **enwedig**	sobre todo; especialmente
enwi	nombrar v^{A1}
enwog	famoso *adj*; célebre *adj*
eog *g*	un salmón *m*
er	desde; aunque
er enghraifft	por ejemplo
er gwaethaf	a pesar de
er hynny	sin embargo; no obstante
er mwyn	para
erbyn	para
yn erbyn	contra
erfinen *b*	un nabo *m*
erfyn (ar)	rogar v^{A1}; suplicar v^{A1}
ergyd *g/b*	un golpe *m*
erioed	nunca; jamás
ers	desde; desde hace
ers blwyddyn	desde hace un año
ers hynny	desde entonces
ers talwm	antiguamente; hace mucho tiempo; antaño; en el año de la pera / nana
erthygl *b*	un artículo *m*
eryr *g*	un águila *f*
(fe / mi) **es i**	yo fui (o **ir** v^{C16})
esbonio	explicar v^{A1}
esgid *b*	un zapato *m*; una zapatilla *f*
esgidiau ll	los calzados *m pl*
esgidiau bale	las zapatillas *f pl* de ballet
esgidiau eira	las raquetas *f pl* (de nieve)
esgidiau rholio	los patines *m pl* de ruedas
esgidiau sglefrio	los patines *m pl*
esgidiau tennis	las zapatillas de tenis
esgidiau uchel	las botas *f pl*
esgidiau ymarfer	las zapatillas de deporte
esgidiau ysgafn (fflat)	las zapatillas
esgus	fingir v^{C12}
esgusodi	excusar v^{A1}
esgusodwch fi / esgusoda fi	perdón
esgusodwch fi!	¡perdón!; con permiso; [i dynnu sylw] oiga
esgyn	subir v^{A3}; escalar v^{A1}; trepar v^{A1}; [AmL] embarcar v^{A1}

esgyniad *g*	una subida *f*; una ascensión *f*; una escalada *f*; [awyren] un despegue *m*
esmwyth	cómodo *adj*; liso *adj*; suave *adj*
estron(ol)	extranjero *adj*; forastero *adj*
estrys *g/b*	un avestruz *m*
estyllen *b*	una tabla *f*; un tablón *m*
eto	otra vez; de nuevo
dim eto	todavía no; aún no
eu	su(s)
euraid	de oro *adj*; dorado *adj*
euthum	yo fui (o **ir** *v*[C16])
ewch!	¡largáos!; ¡largaros!
ewch yn syth yn eich blaen	siga todo derecho; siga todo recto
ewin *g*	una uña *m*
Ewrop *b*	Europa *f*
Ewropeaidd	europeo *adj*
ewrosiec *b*	un eurocheque *m*
ewyn *g*	una espuma *f*
ewyn ymolchi	un baño *m* de espuma
ewythr *g*	un tío *m*

	faint o?	¿cuánto?
	faint o'r gloch yw / ydy hi?	¿Qué hora es?
	faint yw / ydy dy oed di?	¿Cuántos años tienes?
	fan *b*	una furgoneta *f*; una camioneta *f*
(yn y)	fan (a)cw / co	allí; allá
draw	*fan'na*	allí; allá
(*yn*)	*fan'na*	ahí; allí
	fanila *g*	la vainilla *f*
	fe / e	él; ella; lo; le, la
	fel	como
(yn union)	*fel*	igual que
	fel arall	si no; de lo contrario
	fel arfer	en general; generalmente; como siempre; normalmente
	felly	así; así que; entonces; por tanto; por lo tanto
	fesul tipyn	poco a poco
	fi / i	yo; me; mí
	fi sy'ma	soy yo
	ficer *g*	un cura *m*; un párroco *m*
	fideo *g*	un vídeo *m*
	finegr *g*	el vinagre *m*
	Firgo	Virgo *m*
	fo / o	él; lo; le; la
	fy	[o flaen enw unigol] mi; [o flaen enw lluosog] mis
	fy rhai i	los míos *m pl* / las mías *f pl*
	fy un i	el mío *m* / la mía *f*
	i fyny	arriba; hacia arriba; para arriba; en el aire; al aire
	i fyny'r grisiau	arriba

ffa *ll* las habas *f pl*; las alubias *f pl*; las judías *f pl*; las habichuelas *f pl*; los frijoles *m pl*

ffa Ffrengig las judías verdes; [AmL] las vainitas *f pl*

ffa pob las judías en salsa de tomate

ffäen *b* / **ffeuen** *b* una haba *f*; una alubia *f*; una judía *f*; un frijol *m*; una habichuela *f*

ffair *b* une feria *f*; un parque *m* de atracciones; un parque temático

diwrnod ffair un día *m* de fiesta; un día festivo; una verbena *f*

ffals falso *adj*; desleal *adj*; infiel *adj*

ffan *b* un ventilador *m*; [llaw] un abanico *m*

ffan *g/b* [cefnogwr] un hincha *m*; un aficionado *m*; un forofo *m*; un fan *m*; un admirador *m*; [cefnogwraig] una hincha *f*; una aficionada *f*; una forofa *f*; una fan *f*; una admiradora *f*

ffansïo tener v^{C24} ganas de; gustar v^{A1}

rydw i'n ei ffansïo fe / hi me gusta; me hace tilín

wyt ti'n ffansïo...? ¿te apetece …?; [slang] ¿te mola… ?; [AmL] ¿te provoca ...?

ffantastig estupendo *adj*; fantástico *adj*; alucinante *adj*; genial *adj*; magnífico *adj*; guay *adj*; una pasada *f*; [AmL] regio *adj*; chévere *adj*

ffarm *b* una granja f; [AmL] una estancia *f*; un rancho *m*

ffarmwr *g* un granjero *m*

ffarmwraig *b* una granjera *f*

ffarwél *g/b* un adiós *m*; una despedida *f*

ffasiwn *g* la moda *f*

yn y ffasiwn de moda; a la moda

ffasiynol de moda; a la moda; elegante *adj*

ffatri *b* una fábrica *f*

ffawd *b* el destino *m*; la suerte *f*

ffedog *b* un delantal *m*

ffefryn *g* [gwrywaidd] un favorito *m*; un preferido *m*; [benywaidd] una favorita *f*; una preferida *f*

ffeil *b* un archivo *m*; un expediente *m*; una carpeta *f*; una lima *f*

ffeirio	canjear v^{A1}
ffelt *g*	el fieltro *m*; [pen] un rotulador *m*
ffenestr *b*	una ventana *f*; un cristal *m*; [cerbyd] una ventanilla *f*; [AmL] un vidrio *m*
ffenestr siop	un escaparate *m*
ffêr *b*	un tobillo *f*
fferen *b*	un caramelo *m*; una golosina *f*
fferins *ll*	las golosinas *f*; los caramelos *m pl*
fferm *b*	una granja *f*; [AmL] una estancia *f*; un rancho *m*
ffermwr *g*	un campesino *m*; un granjero *m*; [AmL] un chacarero *m*; un ranchero *m*
ffermwraig *b*	una campesina *f*; una granjera *f*; [AmL] una ranchera *f*
fferyllfa *b*	una farmacia *f*
ffiaidd	asqueroso *adj*; repugnante *adj*; odioso *adj*; detestable *adj*
ffidil *b*	un violín *m*
ffieiddio	detestar v^{A1}; odiar v^{A1}
ffilm *b*	un film *m*; una película *f*; [rôl ar gyfer camera] un carrete *m*
gwneud ffilm	rodar v^{B1} una película
ffilm antur	una película de aventuras
ffilm arswyd	una película de miedo / de terror
ffilm ddogfen	un documental *m*
ffilm gowboi	un western *m*
ffilm serch	una pelicula de amor
ffilmio	rodar v^{B1} una película
ffin *b*	una frontera *f*
ffiol *b*	un frasquito *m*
ffiseg *b*	la física *f*
ffisegwr *g*	un fisico *m*
ffisegwraig *g*	una física *f*
ffisig *g*	un medicamento *m*
ffit	en forma; sano
bod yn ffit iawn	estar v^{C10} en plena forma
fflachlamp *b*	una linterna *f*
fflag *b*	una bandera *f*
fflasg *b*	un termo *m*
fflat *b*	un piso *m*; un apartamento *m*
bloc g *o fflatiau*	un bloque *m* de pisos

fflat	llano *adj*; plano *adj*; [teiar] pinchado *adj*; [diod] sin burbujas; sin gas; [teimlo'n isel] deprimido *adj*
fflat smwddio	una plancha *f*
ffliw *g*	la gripe *f*
ffliwt *b*	une flauta *f*
fflôt *g*	un flotador *m*
fflworoleuol	fluorescente *adj*
ffodus	con suerte; afortunado *adj*
bod yn ffodus	tener v^{C24} suerte
yn ffodus	afortunadamente; por suerte
ffôl	estúpido *adj*; idiota *adj*; imbecil *adj*
ffon *b*	un palo *m*; un bastón *m*
ffon hoci	un palo de hockey
ffôn *g*	un teléfono *m*
ar y ffôn	hablando por teléfono
caban g *ffôn*	une cabina *f* telefónica
rhif g *ffôn*	un numero de teléfono
ffôn symudol	un teléfono móvil; un móvil *m*
ffonio	telefonear v^{A1}; llamar v^{A1}
fforc(en) *b*	un tenedor *m*
fforch *b*	una horca *f*; una horquilla *f*
ffordd *b*	un camino *m*; una carretera *f*; una calle *f*; [dull] una manera *f*; un modo *m*; un método *m*; una forma *f*
mae ar ei ffordd	ya viene; ya está de camino; ya va de camino
ar y ffordd	en camino
y ffordd yma / hyn / hon	por aquí
y ffordd yna / acw	por allí
ffordd fawr	una carretera *f*
ffordd i lawr	un descenso *m*; una bajada *f*; una cuesta *f*; una pendiente *f*
fforiwr *g*	un explorador *m*
fforwraig *b*	una exploradora *f*
ffotograff *g*	una foto *f*; una fotografía *f*
ffotograffiaeth *b*	la fotografia *f*
ffotograffydd *g*	[gwrywaidd] un fotógrafo *m*; [benywaidd] una fotógrafa *f*
ffowlyn *g*	un pollo *m*
ffrae *b*	una discusion *f*; una pelea *f*; una riña *f*
ffraeo	pelearse v^{D}; discutir v^{A3}; reñir v^{B5}

Ffrainc *b* — Francia *f*
ffrâm *g* — un marco *m*
Ffrances *b* — una francesa *f*
Ffrancwr *g* — un francés *m*
Ffrangeg *b* — [yr iaith] el francés *m*
Ffrangeg / Ffrengig — francés *adj*
ffres — fresco *adj*
ffreutur *g* — un comedor *m*
ffrind *g* — [gwrywaidd] un amigo *m*; un compañero *m*; [benywaidd] una amiga *f*; una compañera *f*
ffrind llythyru — un amigo *m* / una amiga *f* por correspondencia
wedi'i **ffrio** — frito
ffroenuchel — arrogante *adj*; prepotente *adj*
ffrog *b* — un vestido *m*
ffrwydriad *g* — una explosión *f*
ffrwydro — explotar v^{A1}; estallar v^{A1}; explosionar v^{A1}
ffrwyth *g* — una fruta *f*; un fruto *m*
ffug — falso *adj*; postizo *adj*
ffurf *b* — una forma *f*
ffurfio — formar v^{A1}
ffurflen *b* — un formulario *m*
ffurflen archeb — una hoja *f* de pedido
ffurflen noddi / nawdd — una hoja de donaciones
ffŵl *g* — [gwrywaidd] un imbécil *m*; [benywaidd] una imbécil *f*
actio'r / chwarae'r ffwl — hacer v^{C14} el tonto
ffwlbri *g* — la tontería *f*
ffwndrus — confundido *adj*; confuso *adj*
ffwr *g* — el pelo *m*; el pelaje *m*
i **ffwrdd** — fuera; ausente *adj*; a lo lejos; lejos
rhai metrau i ffwrdd — a algunos metros
(i) ffwrdd â chi — ¡largáos!; ¡largaros!
ffwrn *b* — un horno *m*; una cocina *f*
ffwrn bwten — una cocina de butano
ffwrn ficrodon — un microondas *m*
ffwrn nwy — una cocina de gas
ffyddlon — fiel *adj*
ffynidwydden *b* — un abeto *m*
ffyrnig — feroz *adj*

gad / gadewch i ni weld	vamos a ver
gadael	dejar v^{A1}; salir v^{C21} de; permitir v^{A3}
gadael i gwympo	dejar v^{A1} caer; soltar v^{B1}
gadael llong	desembarcar v^{A1}
y **gaeaf** *g*	el invierno *m*
yn y gaeaf	en invierno
gafael (yn)	coger v^{C3}; agarrar v^{A1}; agarrarse v^{D} a
gafael yn dynn yn	apretar v^{B2}
gafaelgar	apasionante *adj*; impactante *adj*; tenaz *adj*
gafr *b*	una cabra *f*
gair *g*	una palabra *f*
galw	llamar v^{A1}
galwad *g*	una llamada *f*
galwad ffôn	una llamada (telefónica)
gall	él / ella puede (o **poder** v^{B4})
gallaf	yo puedo (o **poder** v^{B4})
gallu	poder v^{B4}
mae e(f)o / hi'n gallu	él / ella puede (o **poder** v^{B4})
rydw i'n gallu	yo puedo (o **poder** v^{B4})
gallu *g*	la capacidad *f*; la aptitud *f*
galluog	capaz *adj*: dotado *adj*; inteligente *adj*
gan	de; de la parte de; por; puesto que; ya que
gan mwyaf	principalmente
bod gan	tener v^{C24}
mae ganddo e(f)o	él tiene (o **tener** v^{C24})
mae ganddi hi	ella tiene (o **tener** v^{C24})
mae ganddyn nhw	ellos / ellas tienen (o **tener** v^{C24})
gardd *b*	un jardín *m*; un huerto *m*
garddio	trabajar v^{A1} en el jardín
garddio *g*	la jardinería *f*
garddwrn *g/b*	una muñeca *f*
garej *b*	un garaje *m*; [gweithdy] un taller *m*
garej betrol	una gasolinera *f*
garlleg *g*	el ajo *m*
gartref	en casa; en mi / tu / su [ayyb] casa
garw	brusco *adj*; tosco *adj*; áspero *adj*; severo *adj*; rudo *adj*; salvaje *adj*; [tywydd] tormentoso *adj*
yn arw	muchísimo; enormemente
bod yn arw gan	sentir v^{B7}; lamentar v^{A1}
mae'n arw gen i!	¡perdón !

mae'n arw iawn gen i	lo siento mucho
gast *b*	una perra *f*
gât *b*	[pren] una puerta *f*; [metal] una verja *f*; [ar reilffordd] una barrera *f*;
gefeillio *g*	[tref, ayyb] el hermanar *m*
gefeillio	hermanar v^{A1}
gefell *g*	un gemelo *m*; un mellizo *m*
gefeilles *b*	una gemela *f*; una melliza *f*
geid *b*	una exploradora *f*
geirfa *b*	un vocabulario *m*
geiriadur *g*	un diccionario *m*
gellygen *b*	una pera *f*
gêm *b*	un juego *m*; un partido *m*; una partida *f*
gêm bêl-droed	un partido de fútbol
gêm fideo	un vídeojuego *m*
gêm fwrdd	un juego de tablero
y Gêmau ll *Olympaidd*	los Juegos *m pl* Olímpicos
Gemini	Géminis *m*
mae gen i	yo tengo (o **tener** v^{C24})
mae gen ti	tú tienes (o **tener** v^{C24})
roedd gen i	yo tenía (o **tener** v^{C24})
gên *b*	una barbilla *m*; un mentón *m*
genedigaeth *b*	un nacimiento *m*
bod yn enedigol o	ser v^{C23} de
geneteg *b*	la genética *f*
geneth *b*	una niña *f*; una chica *f*; una chavala *f*; una muchacha *f*; una moza *f*
geni *g*	un nacimiento *m*
cael eich geni	nacer v^{C5}
cefais / ces fy ngeni	yo nací (o **nacer**) v^{C5}
mae gennych chi	usted tiene; vosotros/as tenéis; ustedes tienen (o **tener** v^{C24})
mae gennym ni	nosotros/as tenemos (o **tener** v^{C24})
ger	cerca de
gêr *g/b*	una velocidad *f*; una marcha *f*
gerfydd	por
gerllaw	cerca (de)
giât *b*	[pren] una puerta *f*; [metal] una verja *f*; [ar reilffordd] una barrera *f*
at ei gilydd	en total
gyda'i [ayyb] gilydd	juntos *adj m pl*; juntas *adj f pl*
gitâr *g/b*	una guitarra *f*

glân	limpio *adj*
glan *b*	una orilla *m*
ar lan y môr	a orillas del mar
glanhau	limpiar v^{A1}; lavar v^{A1}
glanhau â hwfer	pasar v^{A1} la aspiradora / el aspirador
glanheuwraig *b*	una asistenta *f*; una encargada de la limpieza *f*
glanio	[awyren] aterrizar v^{A1}; [ar y lleuad] alunizar v^{A1}; [llong] desembarcar v^{A1}
glas	azul *adj*
glas tywyll	azul marino *adj*
glaswellt *g*	la hierba *f*
glaw *g*	la lluvia *f*
glaw asid	la lluvia ácida
glawio	llover v^{B4}
mae hi'n glawio	llueve; está lloviendo (o **llover** v^{B4})
roedd hi'n glawio	llovía; estaba lloviendo (o **llover** v^{B4})
glin *g/b*	una rodilla *f*
gliniadur *g*	un portátil *m*; un ordenador *m* portátil
glôb *g*	un globo *m*; una esfera *f*; una esfera terrestre
glud *g*	un pegamento *m*; una cola *f*
glynu	pegar v^{A1}; pegarse v^{D} a
go	bastante
go lew	bastante bien *adj*
tipyn / nifer go lew o	bastante(s)
gobaith *g*	la esperanza
gobeithio	esperar v^{A1}
gobennydd *g*	una almohada *m*
godidog	magnífico *adj*; espléndido *adj*
goddef	soportar v^{A1}; aguantar v^{A1}; tolerar v^{A1}
goddefgar	tolerante *adj*
goddrych *g*	un sujeto *m*
gofal *g*	el cuidado *m*; la atención *f*
cymer(wch) ofal!	¡cuidado!; ¡ojo !
gofalu	tener v^{C24} cuidado; llevar v^{A1} cuidado; cuidar v^{A1}
gofalu am	cuidar v^{A1} (de); encargarse v^{D} de; ocuparse v^{D} de
gofalus	cuidadoso *adj*; cauteloso *adj*
yn ofalus	con cuidado; cuidadosamente; atentamente
bod yn ofalus	tener v^{C24} cuidado

gofalwr *g*	un portero *m*; un conserje *m*
gofalwraig *b*	una portera *f*; una conserje *f*
gofidio	preocuparse v^{D}
gofidus	preocupado *adj*; inquieto *adj*
gofod *g*	un espacio *m*
gofodwr *g*	un astronauta *m*
gofodwraig *b*	una astronauta *f*
gofyn	preguntar v^{A1}; pedir v^{B5}; rogar v^{B1}
gofyn am	pedir v^{B5}
gofyn cwestiwn	hacer v^{C14} una pregunta
y **gogledd** *g*	el norte *m*
y gogledd-ddwyrain g	el noreste *m*; el nordeste *m*
y gogledd-orllewin g	el noroeste *m*
gogoniant *g*	la gloria *f*; el esplendor *m*
gohebu *g*	un reportaje *m*
gohiriad *g*	un aplazamiento *m*
gohirio	aplazar v^{A1}; suspender v^{A2}
gôl *b*	un gol *m*; un tanto *m*; una portería *f*; [AmL] un arco *m*
golau	claro *adj*; rubio *adj*
golau *g*	una luz *f*; la iluminación *f*
golau blaen	[car, ayyb] un faro *m*
golch *g* / **golchi** *g*	la ropa *f* sucia; la colada *f*
golchi	lavar v^{A1}; [dillad] hacer v^{C14} la colada
golchi('r) llestri	lavar los platos; fregar v^{B2} los platos
goleuadau *ll* **traffig**	un semáforo *m*
goleudy *g*	un faro *m*
goleuni *g*	una luz *f*
goleuo	iluminar(s) v^{A1}; [awyr] clarear v^{A1}
gôl-geidwad *g*	un portero *m*
golwg *g/b*	un aspecto *m*; una pinta *f*; una mirada *f*; un vistazo *m*
golwg *g*	la vista *f*
golwyth *g*	una chuleta *f*
golygfa *b*	una vista *f*; un espectáculo *m*; [theatr] una escena *f*
golygu	querer v^{B3} decir; significar v^{A1}; redactar v^{A1}
mae hynny'n golygu	eso quiere decir
gollwng	soltar v^{B1}; dejar v^{A1} caer; perder v^{B3}
gollwng gwynt o	desinflar v^{A1}
gollwng i lawr	bajar v^{A1}
gonest	sincero *adj*; franco *adj*; honrado *adj*; honesto *adj*

a bod yn onest	francamente; si te soy sincero; a decir verdad
o'r gorau	vale; bien; de acuerdo
y ... gorau	el / la mejor... *adj*
gorau oll / i gyd	tanto mejor
gorau'n y byd	tanto mejor
orau	mejor
gorchudd *g*	una cubierta *f*; un velo *m*
gorchuddio	cubrir v^{A3}; tapar v^{A1}
gorchymyn *g*	una orden *f*; un mandamiento *m*
gor-ddweud	exagerar v^{A1}
gorfod	tener v^{C24} que; deber v^{A2}
gorfodi i	obligar v^{A1} a; forzar v^{B1} a
gorfodol	obligatorio *adj*
gorfoledd *g*	la alegría *f*
gorffen	acabar v^{A1}; terminar v^{A1}
wedi gorffen	acabado *adj*; terminado *adj*
wedi'i orffen	acabado *adj*; terminado *adj*
Gorffennaf *g*	julio *m*
y **gorffennol** *g*	el pasado *m*
gorffwyll	loco *adj*
gorffwys(o)	descansar v^{A1}
gorila *g*	un gorila *m*
gorliwio	exagerar v^{A1}
y **gorllewin** *g*	el oeste *m*
gormod (o)	demasiado
gornest *b*	un concurso *m*; [bocsio ayyb] un combate *m*; una contienda *f*
goroeswr *g*	un superviviente *m*; un sobreviviente *m*
goroeswraig *b*	una superviviente *f*; una sobreviviente *f*
gorsaf *b*	una estación *f*
gorsaf betrol	una gasolinera *f*; [AmL] un grifo *m*
gorsaf drenau	[tanddaear(ol)] una estación de metro
gorsaf fysiau	una estación de autobuses
gorsaf heddlu	una comisaría *f*
gorsaf ofod	una estación espacial
goruchwylio	supervisar v^{A1}
goruchwyliwr *g*	un supervisor *m*
goruchwylwraig *b*	una supervisora *f*
goruwchnaturiol	sobrenatural *adj*
gorwedd	estar v^{C10} echado; estar v^{C10} tumbado; estar v^{C10} acostado; echarse v^{D}; tumbarse v^{D}; acostarse v^{B1D}

gorymdaith *b* — un desfile *m*; un cortejo *m*

gosod — poner v^{C18}; meter v^{A2}; [tŷ, fflat, car ayyb] alquilar v^{A1}

gosod allan — exponer v^{C18}

gosod y bwrdd — poner v^{C18} la mesa

gostwng — bajar v^{A1}; reducir v^{C4}

gostyngiad *g* — un descuento *m*; una reducción *f*; una rebaja *f*

gostyngol — reducido *adj*; rebajado *adj*

gradd *b* — un grado *m*; [addysg] una licenciatura *f*

graddol — gradual *adj*; paulatino *adj*

yn raddol — gradualmente; paulatinamente; poco a poco

graff *g* — una gráfica *f*; un gráfico *m*

gram *g* — un gramo *m*

gramadeg *g* — una gramática *f*

gratio — rallar v^{A1}

grawnfwyd *g* — un cereal *f*

grawnffrwyth *g* — un pomelo *m*; una toronja *f*

grawnwin *ll* — las uvas *f pl*

greddfol — instintivo *adj*

yn reddfol — instintivamente

grefi *g* — una salsa *f* de carne

grêt — estupendo *adj*; fantástico *adj*; alucinante *adj*; genial *adj*; magnífico *adj*; guay *adj*; una pasada *f*; [AmL] regio *adj*; chévere *adj*

grid *g* — una cuadrícula *f*; una reja *f*

gris *g* — un peldaño *m*; un escalón *m*; un grado *m*

grisiau *ll* — una escalera *f*

i fyny'r grisiau — arriba

i lawr y grisiau — abajo

grisiau ll *symudol* — una escalera mecánica; una escalera móvil

(Gwlad) Groeg *b* — Grecia *f*

o Wlad Groeg — griego *adj*

Groegaidd — griego *adj*

groser *g* — un tendero; [AmL] un almacenero *m*

grwgnachlyd — gruñón *adj*; quejica *adj*

grŵn *g* — un ronroneo *m*

grwnan — ronronear v^{A1}

grŵp *g* — un grupo *m*; una pandilla *f*

grŵp ysgol	un grupo escolar
grym *g*	un poder *m*
o **Guatemala**	guatemalteco *adj*
gwacáu	vaciar v^{C11}
gwadn *b*	[troed] una planta *f*; [esgid] una suela *f*
gwaed	la sangre *f*
gwael	malo *adj*; mediocre *adj*; inferior *adj*; enfermo *adj*; malito *adj*
yn wael	mal
gwaelod *g*	el fondo *m*; el pie *m*
ar waelod	al fondo de; al pie de
gwaetha'r modd!	por desgracia; desgraciadamente
gwag	vacío *adj*; hueco *adj*
gwagio / gwagu	vaciar v^{C11}
ar wahân i	aparte de; excepto; salvo; menos
gwahaniaeth *g*	una diferencia *f*
gwahanol	diferente *adj*; distinto
yn wahanol	de modo distinto; diferentemente; distintamente
gwahanu	separar(se) $v^{A1(D)}$
gwahardd	prohibir v^{A3}; suspender v^{A2}
gwaharddiad *g*	una prohibición *f*
gwaharddedig	prohibido *adj*
gwahodd	invitar v^{A1}; convidar v^{A1}
gwahoddiad *g*	una invitación *f*; [cerdyn] una tarjeta *f* de invitación
gwaith *g*	un trabajo *m*; una obra *f*; una tarea *f*; una profesión *f*; un empleo *m*; una fábrica *f*; [slang] el curre *m*
gwaith cartref	los deberes *m pl*
gwaith D.I.Y.	el bricolaje *m*
gwneud gwaith D.I.Y.	hacer v^{C14} bricolaje
gwaith tŷ	las tareas domésticas; las tareas de la casa
gwneud gwaith tŷ	hacer v^{C14} las tareas de la casa
gwaith *b*	[tro] una vez *f*
ambell waith	a veces
llawer gwaith	muchas veces
sawl gwaith	muchas veces
gwalch *g*	[person] un pillo *m*; un granuja *m*; una granuja *f*; un trasto *m*; [aderyn] un halcón *m*
gwall *g*	una falta *f*; un error *m*

gwallgof	loco *adj*
gwallt *g*	el pelo *m*; los cabellos *m pl*
un g/b *sy'n trin gwallt*	[gwrywaidd] un peluquero *m*; [benywaidd] una peluquera *f*
gwallt gosod	una peluca *f*
gwan	débil *adj*; flojo *adj*
y **gwanwyn** *g*	la primavera *f*
yn y gwanwyn	en primavera
gwarchod	vigilar v^{A1}; cuidar v^{A1} (de); supervisar v^{A1}
gwarchodfa *b*	una reserva *f*
gwarchodfa natur	una reserva natural
Gwarchodlu Sifil	la Guardia Civil
gwaredu	librarse v^{D} de; deshacerse v^{C14D} de; suprimir v^{A3}; eliminar v^{A1}
cael gwared o / â	librarse v^{D} de; deshacerse v^{C14D} de
gwariant *g*	los gastos *m pl*
gwario	[arian / pres] gastar
gwarthus	vergonzoso *adj*; escandaloso *adj*
gwas *g*	un criado *m*; un sirviente *m*; un muchacho *m*
gwas ffarm	un obrero *m* agrícola; un jornalero *m*; un peón *m*; un campesino *m*
gwas sifil	[gwrywaidd] un funcionario *m*; [benywaidd] una funcionaria *f*
gwasanaeth *g*	un servicio *m*; [crefyddol] un oficio (religioso) *m*; [offeren] una misa *f*
gwasanaethu	servir v^{B5}; cumplir v^{A3}
gwasg *g/b*	[canol y corff] una cintura *f*
y wasg *b*	[argraffu] la prensa *f*
gwasgod *b*	un chaleco *m*
gwasgu	[botwm] apretar v^{B2}; pulsar v^{A1}; [rhoi pwysau ar] presionar v^{A1}
gwastad	plano *adj*; llano *adj*; constante *adj*
(yn) wastad	siempre; continuamente
gwastraff *g*	un desperdicio *m*; un derroche *m*; [amser] una pérdida *f*; [sbwriel] los desperdicios *m pl*
gwastraffu	derrochar v^{A1}; malgastar v^{A1}; perder v^{B3}; deperdiciar v^{A1}
gwastraffus	derrochador *m* / derrochadora *f adj*; pródigo *adj*
gwau *g*	la labor *f* de punto

gwau	hacer v^{C14} punto; hacer v^{C14} calceta; tejer v^{A2}; tricotar v^{A1}
gwawdlun *g*	una caricatura *f*
gwaywffon *b*	una jabalina *m*; una lanza *f*
gwdihŵ *g*	una lechuza *f*; un buho *m*; un mochuelo *m*
gwddf *g* / **gwddw** *g*	un cuello *m*; una garganta *f*
â gwddf isel	[gwisg] escotado *adj*
(y) **gweddill** g	el resto *m*; lo demás *m*; los demás *m pl*; las demás *f pl*; los otros *m pl*; las otras *f pl*
gweddïo	rezar v^{A1}; orar v^{A1}
gweddol	pasable *adj*; regular; *adj*
yn weddol	bastante; bastante bien; regular; así así
gweddu i	quedar v^{A1} bien a; sentar v^{B2} bien a
gweddw	viudo *adj*
gwefr *b*	la emoción *f*; el morbo *m*
gwefreiddiol	apasionante *adj*; emocionante *adj*; excitante *adj*
gwefus *b*	un labio *m*
gweiddi	gritar v^{A1}
gweini	servir v^{B5}
gweinidog *g*	[gwrywaidd] un ministro *m*; [mewn eglwys] un pastor *m*; [benywaidd] una ministra *f*; [mewn eglwys] una pastora *f*
y Prif Weinidog	[gwrywaidd] el primer ministro *m*; [benywaidd] la primera ministra *f*
gweinydd *g*	un camarero *m*
gweinyddes *b*	una camarera *f*
gweithdy *g*	un taller *m*
gweithgar	trabajador *m* / trabajadora *f adj*
gweithgaredd *b*	una actividad *f*
gweithgareddau hamdden	los pasatiempos *m pl*
gweithio	trabajar v^{A1}; funcionar v^{A1}
gweithio'n galed	trabajar v^{A1} como una mula; dar v^{C8} el callo; [gwaith ysgol] empollar v^{A1}
gweithiwr *g*	un trabajador *m*; un obrero *m*
gweithredu	cumplir v^{A3}
gweithwraig *b*	una trabajadora *f*; una obrera *f*
gweld	ver v^{C29}
gweld eich eisiau	faltar v^{A1} a
gweld eto	volver v^{B4} a ver

cawn weld	ya veremos (o **ver** v^{C29})
wela'i di / chi (cyn hir)	hasta luego
gwelw	pálido *adj*
gwely *g*	una cama *f*
mynd i'r gwely	acostarse v^{D}; ir v^{C16} a la cama
gwely aer	un colchón *m* de aire; un colchón inflable
gwely bync	una litera *f*
gwely cynfas / plygu	una cama *f* de campaña; una cama plegable
gwell	mejor *adj*; superior *adj*
yn well	mejor
bod yn well gan	preferir v^{B7}
wyt ti / ydych chi'n well?	¿está(s) mejor?
gwella	mejorar(se) $v^{A1(D)}$; recuperarse v^{D}; reponerse v^{C18D}
gwên *b*	una sonrisa *f*
gwenith *g*	el trigo *m*
gwennol *b*	una golondrina *f*
rhedeg gwasanaeth gwennol	organizar v^{A1} un servicio regular de enlace
gwenu	sonreir v^{C19}
gwenynen *b*	una abeja *f*
gwenynen feirch	una avispa *f*
gwerin	folklórico *adj*
gweriniaeth *b*	una república *f*
Gweriniaeth Dominica	la República Dominicana *f*
o Weriniaeth Dominica	dominicano *adj*
gwers *b*	una clase *f* [dosbarth]; una lección *f*
gwersyll *g*	un camping *m*; un campamento *m*
gwersyll gwyliau	una colonia *f* de vacaciones; una colonia de veraneo
gwersylla	hacer v^{C14} camping; ir v^{C16} de camping; acampar v^{A1}; ir v^{C16} de acampada
gwerth *g*	un valor *m*
ar werth	en venta
gwerthfawr	de (gran) valor; valioso *adj*
gwerthfawrogi	apreciar v^{A1}
gwerthfawrogiad *g*	el aprecio *m*; la gratitud *f*; el agradecimiento *m*
gwerthiant *g*	una venta *f*
gwerthu	vender v^{A2}
wedi'i werthu	vendido *adj*

gwerthwr *g*	un vendedor *m*
gwerthwraig *b*	una vendedora *f*
gwestai *g*	[gwrywaidd] un invitado *m*; [benywaidd] una invitada *f*
gwesty *g*	un hotel *m*
gwestywr *g*	un hotelero *m*
gwestywraig *b*	una hotelera *f*
gweu *g*	la labor *f* de punto
gweu	hacer v^{C14} punto; hacer v^{C14} calceta; tejer v^{A2}; tricotar v^{A1}
gwialen *b*	un palo *m*; un bastón *m*; una vara *f*
gwialen bysgota	una caña *f* de pesca
gwibdaith *b*	una excursión *f*
gwibio	precipitarse v^{D}; esprintar v^{A1}; revolotear v^{A1}
gwibio heibio	pasar v^{A1} corriendo
gwifren *b*	un cable *m*; un alambre *m*
gwin *g*	un vino *m*
gwinllan *b*	una viña *f*; un viñedo *m*
gwinwydden *b*	una vid *f*
gwir	verdadero *adj*; real *adj*; auténtico *adj*
a dweud y gwir	a decir verdad
yn wir	en efecto; de hecho; efectivamente
gwir(ionedd) *g*	una verdad *f*
gwirfoddolwr *g*	un voluntario *m*
gwirfoddolwraig *b*	una voluntaria *f*
gwirio	comprobar v^{B1}; revisar v^{A1}
gwirion	tonto *adj*; idiota *adj*; imbécil *adj*; burro *adj*; ridículo *adj*
bod yn wirion	hacer v^{C14} el tonto
gwneud pethau gwirion	hacer v^{C14} tonterías
mewn gwirionedd	en efecto; efectivamente; de verdad; realmente
gwirioneddol	verdadero *adj*; real *adj*
yn wirioneddol	verdaderamente; totalmente
gwisg *b*	un vestido *m*; un traje la ropa *f*
gwisg nofio	un traje *m* de baño; [AmL] una malla *f* de baño
gwisgo	llevar v^{A1}
gwisgo amdanoch	vestirse v^{B5D}
gwisgo i fyny	disfrazarse v^{D}
gwlad *b*	un país *m*; el campo *m*
yng nghefn gwlad	en el campo

ym mherfedd(ion) y wlad	en pleno campo
yn y wlad	en el campo
gwlad ddatblygedig	un país desarrollado
Gwlad Belg	Bélgica *f*
o Wlad Belg	belga *adj*; bélgico *adj*
Gwlad Pwyl	Polonia *f*
o Wlad Pwyl	polaco *adj*
gwladwriaeth *b*	un estado *m*
gwlân *g*	la lana *f*
wedi'i wneud o wlân	de lana
gwlân cotwm	el algodón *m* hidrófilo
gwlanen *b*	la franela *f*
gwlanen ymolchi	una toallita *f*
gwleidydd *g*	[gwrywaidd] un político *m*; [benywaidd] una política *f*
gwleidyddiaeth *b*	la política *f*
gwleidyddol	político *adj*
gwlyb	mojado *adj*; húmedo *adj*; empapado *adj*; [diferol] calado *adj*
gwlychu	mojar(se) $v^{A1(D)}$
gwn *g*	una pistola *f*; una escopeta *f*; un revólver *m*; un fusil *m*; un rifle *m*
gŵn *g*	un vestido *m* largo; [prifysgol] una toga *f*
gŵn llofft / tŷ	una bata *f*
bod a wnelo â	tener v^{C24} que ver con; concernir v^{B7}; afectar v^{A1}; estar v^{C10} relacionado con; tratar v^{A1} de
gwneud	hacer v^{C14}; producir v^{C4}; fabricar v^{A1}
gwneuthuriad *g*	una fabricación *f*; una producción *f*; una marca *f*
gwneuthurydd *g*	[gwrywaidd] un fabricante *m*; un creador *m*; [benywaidd] una fabricante *f*; una creadora *f*
gwneuthurydd ffilmiau	[gwrywaidd] un productor *m* (cinematográfico); [benywaidd] una productora *f* (cinematográfica)
gwnïo	coser v^{A2}
gwaith g *gwnïo*	la costura *f*
bocs g *gwnïo*	un costurero *m*
gwobr *b*	un premio *m*
gŵr *g*	un hombre *m*; [priod] un marido *m*; un esposo *m*
gŵr a gwraig	los esposos *m pl*

	gŵr bonheddig	un señor *m*; un caballero *m*
	gŵr busnes	un hombre de negocios; un negociante *m*
	gwrach *b*	una bruja *f*; una hechicera *f*
	gwraig *b*	una mujer *f*; una señora *f*; [briod] una esposa *f*
	gwraig fusnes	una mujer de negocios; una negociante *f*
	gwraig tŷ	un ama *f* de casa
	gwrandawyr *ll*	los / las oyentes *m* /*f* *pl*; los / las radioyentes *m* / *f pl*
	gwrando (ar)	escuchar v^{A1}
	gwregys *g*	un cinturón *m*
	gwregys diogelwch	un cinturón de seguridad
	gwreiddiol	original *adj*; primero *adj*
bod yn	*wreiddiol o*	ser v^{C23} de
	gwres *g*	el calor *f*; una fiebre *f*; una calentura *f*
bod â	*gwres*	tener v^{C24} fiebre; tener v^{C24} calentura
â	*gwres arno / arni*	febril *adj*; calenturiento *adj*
	gwres canolog	la calefacción *f* central
	gwresog	caliente *adj*; cálido *adj*; caluroso *adj*
	gwresogi	calentar v^{B2}
	gwrthdystiad *g*	una manifestación *f*; una protesta *f*
	gwrth-heintiol	antiséptico *adj*
	gwrthod	rechazar v^{A1}; negarse v^{D} a
	gwrthrych *g*	un objeto *m*
	gwrthryfel *g*	una rebelión *f*; una sublevación *f*; un motín *m*
y	**gwrthwyneb** *g*	lo contrario *m*; el reverso *m*
i'r	*gwrthwyneb*	al contrario; todo lo contrario
	gwrthwynebol	opuesto *adj*; hostil *adj*; confrontacional *adj*
	gwrych *g*	un seto *m*
	gwthio	empujar v^{A1}
	gwybedyn *g*	una mosca *f*
	gwybod	saber v^{C20}
rhoi	*gwybod*	informar v^{A1}; avisar v^{A1}
	gwybodaeth *b*	el conocimiento *m*; el saber *m*; los conocimientos *m pl*; la información *f*; datos informativos *m pl*
	gwych	estupendo *adj*; fantástico *adj*; alucinante *adj*; genial *adj*; magnífico *adj*; guay *adj*; una pasada *f*; [AmL] regio *adj*; chévere *adj*

	gwych!	¡qué bien!
	gwydr *g*	el vidrio *m*; un cristal *m*; [drych] un espejo *m*; [car] un retrovisor *m*
	gwydryn *g*	un vaso *m*; una copa *f*
	gwydraid *g*	un vaso *m*; una copa *f*
	gŵydd *b*	una oca *f*
bod yn groen	*gŵydd*	tener v^{C24} carne de gallina
	gwyddbwyll *b*	el ajedrez *m*
chwarae	*gwyddbwyll*	jugar v^{B1} al ajedrez
	Gwyddeleg *b*	[yr iaith] el irlandés *m*
	Gwyddeleg / Gwyddelig	irlandés *m* / irlandesa *f adj*
	gwyddonol	científico *adj*
	gwyddonwraig *b*	una científica *f*
	gwyddonydd *g*	un científico *m*
	gwyddoniaeth *b*	la ciencia *f*
	gŵyl *b*	una fiesta *f*
	gŵyl banc	un día *m* de fiesta; un día *m* feriado
	gwylan *b*	una gaviota *f*
	gwyliau *ll*	las vacaciones *f pl*
ar	*wyliau*	de vacaciones
	gwyliau blynyddol	las vacaciones anuales
	gwyliau'r haf	las vacaciones de verano
	gwyliau ysgol	las vacaciones escolares
	gwylio	mirar v^{A1}; contemplar v^{A1}; ver v^{C29}
	gwyliwr *g*	un espectador *m*; un telespectador *m*; un televidente *m*
	gwylwraig *b*	una espectadora *f*; una telespectadora *f*; una televidente *f*
y	*gwylwyr*	el público *m*
	gwyllt	salvaje *adj*; silvestre *adj*
	gwylltio	enojar(se) v^{A1D}; enfadar(se) $v^{A1(D)}$; perder v^{B3} los estribos
	gwyn *g* / **gwen** *b*	blanco *adj*
	gwynt *g*	un viento *m*; un olor *m*
	gwyntyll *b*	un abanico *m*
	gwyntog	[diwrnod] de mucho viento; [lle] expuesto al viento
mae'n	*wyntog*	hace viento
	gwyrdd	verde *adj*
	gwyro	inclinar(se) $v^{A1(D)}$; torcer v^{C25}
i	*gyd*	todo *m* / toda *f* / todos *m pl* / todas *f pl adj*; en total

gyda / gydag	con; por
gyda llaw	a propósito
gyda'i [ayyb] gilydd	junto *m*; junta *f*; juntos *m pl*; juntas *f pl*
gyda'r nos	por la tarde; por la noche
gyferbyn	(de) enfrente
gyferbyn â	enfrente de
gymnasteg *b*	la gimnasia *f*
gynt	antiguamente
gyr *g*	un rebaño *m*; una manada *f*
gyrru	[car] conducir *v*[C4]; [AmL] manejar *v*[A1]; [anfon] mandar *v*[A1]; enviar *v*[A1]
gyrrwr *g*	un conductor *m*; un chófer *m*
gyrrwr tacsi	un taxista *m*
gyrwraig *b*	una conductora *f*; una chófer *f*
gyrwraig tacsi	una taxista *f*

haearn *g*	el hierro *m*; [AmL] el fierro *m*
wedi'i wneud o haearn	de hierro
haearn smwddio	una plancha *f*
hael	generoso *adj*
haen(en) *b*	una capa *f*
yr haen osôn	la capa de ozono
yr **haf** *g*	el verano *m*
yn yr haf	en verano
haid *b*	[adar] un vuelo *m*; [gwenyn] un enjambre *m*; [plant] una pandilla *f*
o **Haiti**	haitiano *adj*
halen *g*	la sal *f*
hallt	salado *adj*
ham *g*	el jamón *m*
hambwrdd *g*	una bandeja *f*
hambyrgyr *g*	una hamburguesa *f*
hamdden *g*	el ocio *m*; el tiempo *m* libre
hamddenol	relajado *adj*; sin prisas *adj*
hamster *g*	un hámster *m*
hances *b*	un pañuelo *m*
hanes *g*	una historia *f*
hanesyddol	histórico *adj*
hanner *g*	una mitad *f*; medio *m* / media *f*; [chwaraeon] un tiempo *m*
hanner awr	media hora *f*
hanner awr wedi deuddeg	las doce y media
hanner awr wedi un	la una y media
hanner brawd g	un medio hermano *m*; un hermanastro *m*
hanner chwaer b	una media hermana *f*; una hermanastra *f*
hanner diwrnod g	media jornada *f*
hanner dydd g	mediodía *m*
hanner nos g	medianoche *f*
hapus	feliz *adj*; contento *adj*
hapusrwydd *g*	la felicidad *f*
hardd	hermoso *adj*
ar hast	apresurado *adj*; de prisa
bod ar hast	tener *v*[C24] prisa
haul *g*	el sol *m*
â *lliw haul*	bronceado *adj*
eli g *haul*	un bronceador *m*
llosg g *haul*	las quemaduras *f pl* de sol

hawdd	fácil *adj*
yn hawdd	fácilmente
hawdd mynd ato / ati	accesible *adj*
hawddgar	amistoso *adj*; simpático *adj*; amable *adj*
hawl *b*	un derecho *m*
heb	sin
heb os / amheuaeth	sin duda
heblaw (am)	salvo; aparte de; excepto
hedfan	volar v^{B1}
hedfan dros	sobrevolar v^{B1}
heddiw	hoy
heddlu *g*	la policía *f*; [slang] la poli *f*
heddwch *g*	la paz *f*; la tranquilidad *f*; la calma *f*
heddychlon	pacífico *adj*; tranquilo *adj*
hefyd	también; igualmente
hei!	¡ay!
heia!	¡hola!
heini	ágil *adj*; en forma
hel	coleccionar v^{A1}; recoger v^{C3}; levantar v^{A1}; coger v^{C3}; reunir v^{A3}
hela *g*	la caza *f*; la cacería *f*; la busca *f*; la búsqueda *f*
hela	cazar v^{A1}
helfa *b*	una partida *f* de caza
helfa drysor	la caza del tesoro *m*
helmed *b*	un casco *m*; un yelmo *m*
helô!	¡hola!; ¡buenos días!; ¡buenas tardes!; ¡buenas noches!; ¡buenas!; ¿¡buen día!
helô [ar y ffôn]	¡dígame!; ¡dime!; ¿quién?; ¡hola !; [AmL] aló
help *g*	la ayuda *f*; el socorro *m*
help!	¡socorro!
rhoi help llaw i	echar v^{A1} una mano a; echar v^{A1} un cable a
helpa dy hun(an)	sírvete
helpu	ayudar v^{A1}; socorrer v^{A2}
helpu eich hun(an)	servirse v^{B5D}
hen	viejo *adj*; anciano *adj*; mayor *adj*; antiguo *adj*
hen-daid g / *hen dad-cu* g	un bisabuelo *m*
hen-nain b / *hen fam-gu* b	una bisabuela *f*

heno	esta tarde; esta noche
het *b*	un sombrero *m*
heulog	soleado *adj*
cyfnod g *heulog*	un claro *m*; un intervalo *m* soleado
mae'n heulog	hace sol
heulol	solar *adj*
hi	ella; la; le; lo
hidia befo	no te preocupes; no pasa nada; no importa
Hindŵaidd	hindú *adj*
hinsawdd *b*	un clima *m*
hipopotamws *g*	un hipopótamo *m*
hir	largo *adj*
hir oes i ...!	¡viva ... !
hirgrwn	oval *adj*; ovalado *adj*
hirsgwar	rectangular *adj*
hobi *g*	un hobby *m* (lluosog: hobbys)
hoci *g*	el hockey *m*
hoelen *b*	un clavo *m*
hofranlong *b* / **hofrenfad** *g*	un aerodeslizador *m*
hofrennydd *g*	un helicóptero *m*
hoff	favorito *adj*; preferido *adj*
hoffi	amar v^{A1}; querer v^{B3}; gustar v^{A1}
rydw i'n hoffi hwnna	eso me gusta
hoffet ti (goffi)?	[AmL] ¿te provoca (un café)?
hoffus	amable *adj*; simpático *adj*; buena gente
(fe / mi) hoffwn i	quisiera (o **querer** v^{B3}); me gustaría (o **gustar** v^{A1})
hogan *b*	una chica *f*; una chavala *f*; una muchacha *f*
hogi	afilar v^{A1}; [pensil] sacar v^{A1} punta a
hogwr *g* **pensil**	un sacapuntas *m*
hogyn *g*	un chico *m*; un chaval *m*; un muchacho
hongian	[dillad] colgar v^{B1}
holiad *g*	un interrogatorio *m*
holiadur *g*	un cuestionario *m*
holwyddoreg *b*	[addysg grefyddol] el catequismo *m*
holl	entero *adj*; todo *m* / toda *f* / todos *m pl* / todas *f pl adj*
hollol	completo *adj*; total *adj*; absoluto *adj*

yn hollol	totalmente; absolutamente; completamente
hon	ésta *f*; éste *m*
yr hon	que; la que / el que; la cual / el cual
y(r) ... hon	esta *f adj*; este *m adj*
Honduras	Honduras *f*
o Honduras	hondureño *adj*
honno / honna	ésa *f*; ése *m*; aquella *f*; aquél *m*
y(r) ... honno	esa *f adj*; ese *m adj*; aquella *f adj*; aquel *m adj*
horosgop *g*	un horóscopo *m*
hosan *b*	un calcetín *m*; una calceta *f*
hostel *b*	un albergue *m*; un hostal *m*
hostel ieuenctid	un albergue juvenil
hud *g*	la magia *f*
hudol(us)	mágico *adj*
hudolus	encantador *m adj* / encantadora *f adj*
hufen *g*	la nata *f*; la crema *f*
hufen iâ	un helado *m*; [AmL] una nieve *f*
hufenfa *b*	una lechería *f*; una vaquería *f*
hun	propio *adj*
fy hun	yo mismo *m*; yo misma *f*
ein hunain	nosotros mismos *m*; nosotras mismas *f*
hunanol	egoísta *adj*
hunan-bortread *g*	un autorretrato *m*
hunllef *b*	una pesadilla *f*
hurio	alquilar v^{AI}
hurt	estúpido *adj*; idiota *adj*; imbécil *adj*; tonto *adj*; burro *adj*
hwfer *g*	una aspiradora *f*; un aspirador *m*
hwfro	pasar v^{AI} la aspiradora
hwligan *g*	[gwrywaidd] un gamberro *m*; [benywaidd] una gamberra *f*
hwn	éste *m*; ésta *f*
yr hwn	que; el que; la que; el cual; la cual
y(r) ... hwn	este *m adj*; esta *f adj*
Hwngaraidd	húngaro *adj*
Hwngari *b*	Hungría *f*
o Hwngari	húngaro *adj*
hwnnw / hwnna	ése *m*; ésa *f*; aquél *m*; aquella *f*
y(r) ... hwnnw	ese *m adj*; esa *f adj*; aquel *m adj*; aquella *f adj*

hwrdd *g*	un carnero *m*
hwy	ellos; ellas; les; los; las
hwyaden *b*	un pato *m*
hwyl *b*	un humor *m*; la alegría *f*; el cachondeo *m*; [llong] una vela *f*
cael hwyl	divertirse v^{B7D}; pasárselo v^{D} bien
hwyl!	adiós; hasta luego
hwyl fawr	adiós; hasta luego
hwylbren *g*	un mástil *m*; un palo *m*
hwylfwrdd *g*	una plancha *f* de windsurf
hwylfyrddio	hacer v^{C14} windsurf
mewn hwyliau da / drwg	de buen / mal humor
hwylio *g*	la vela *f*
(mynd i) hwylio	hacer v^{C14} vela
hwyr *g*	la tarde *m*
yn hwyr	tarde
hwyrach	quizá(s); a lo mejor
yn hwyrach	luego; más tarde
hyd *g*	el largo *m*; la longitud *f*; la extensión *f*; la duración *f*
ar ei hyd	echado *adj*; tumbado *adj*; acostado *adj*; alargado *adj*; extendido *adj*
o hyd	continuamente; todavía; aún; siempre
dod o / cael hyd i	encontrar v^{B1}; hallar v^{A1}
hyd at	hasta
hyd yn oed	hasta; incluso
hyder *g*	la confianza *f*
hyderus	seguro *adj*; seguro de sí mismo
(mis) **Hydref** *g*	octubre *m*
yr **hydref** *g*	el otoño *m*
yn yr hydref	en otoño
hyfryd	agradable *adj*; simpático *adj*
hyfrydwch *g*	la amenidad *f*; la simpatía *f*; la amabilidad *f*
hyfforddi	entrenarse v^{D}
hyfforddiant *g*	la formación *f*; la instrucción *f*; la enseñanza *f*
hyfforddwr *g*	un entrenador *m*
hyfforddwraig *b*	una entrenadora *f*
hylif *g*	un líquido *m*
hyll	feo *adj*; desagradable *adj*; repugnante *adj*
hyn	esto

o hyn allan	de ahora en adelante; a partir de ahora
yr hyn	lo que
y(r) ... hyn	estos *m pl adj*; estas *f pl adj*
hynafiad *g*	un ancestro *m*
hynafol	antiguo *adj*
hynny / hynna	eso; aquello
y(r) ... hynny	esos *m pl adj*; esas *f pl adj*; aquellos *m pl adj*; aquellas *f pl adj*
hynny yw / ydy	es decir
hynod	extraordinario *adj*; notable *adj*; singular *adj*
yn hynod o	extraordinariamente; increíblemente; totalmente
hyrddio	lanzar v^{A1}; arrojar v^{A1}; echar v^{A1}
hysbyseb *b*	[papur] un anuncio *m*; la publicidad *f*
hysbyseb deledu	la publicidad *f*
hysbysebol	publicitario *adj*
hysbysebu	anunciar v^{A1}; hacer v^{C14} publicidad
hysbysfwrdd *g*	un tablón *m* de anuncios
hysbysu	informar v^{A1}; avisar v^{A1}
yn **hytrach**	más bien

i	a; para
i / fi	yo; me; mí
i fyny	arriba; hacia arriba; para arriba; en el aire; al aire
i fyny'r grisiau	arriba
i ffwrdd	a lo lejos; lejos; fuera; ausente *adj*
rhai metrau i ffwrdd	a algunos metros
i ffwrdd â chi	¡largáos!; ¡largaros!; ¡lárguese!; ¡lárguense!
i gyd	todo *m* / toda *f* / todos *m pl* / todas *f pl adj*; en total
i lawr	abajo; hacia abajo; a tierra; [croesair] vertical
i lawr â	abajo
i lawr y grisiau / sta(e)r	abajo
i mewn	dentro; en el interior
i mewn i	en
i mewn yn fann'a / yn hwnna [ayyb]	allí dentro
iâ *g*	el hielo *m*
iach	sano *adj*; saludable *adj*
iaith *b*	un idioma *m*; una lengua *f*; el lenguaje *m*
iaith dramor	una lengua extranjera
iâr *b*	una gallina *f*
iâr fach yr haf	una mariposa *f*
iard b	un patio *f*
iarll *g*	un conde *m*
iarlles *b*	una condesa *f*
ias *b*	un escalofrío *m*
iau	menor
iawn	bueno *adj*; bien; justo *adj*; exacto *adj*; correcto; de acuerdo; [cytuno] vale
hapus iawn	muy contento *adj*
(rydw i'n) iawn	(estoy) bien
bod yn iawn	tener *v*[C24] razón
mae popeth yn iawn	está todo bien
yn iawn	bien
Iddewig	judío *adj*
ie	sí
iechyd *g*	la salud *f*
iechyd da!	¡salud!

yr **ifainc** *ll*	los jóvenes *m pl*
ifanc	joven *adj*
ifancach	menor
ifori *g*	el marfil *m*
yr **ig** *g*	el hipo *m*
igian	hipar v^{A1}; [crio] sollozar v^{A1}
ildio	rendirse v^{B5D}; darse v^{C8D} por vencido; ceder v^{A2}
yr **India** *b*	India *f*
o'r India	indio *adj*; hindú *adj*
Indiad *g*	[AmL] un indio / una india *m/f*
Indiaidd	indio *adj*; hindú *adj*
india-corn *g*	el maíz *m*
injan *b*	un motor *m*; una máquina *f*; una locomotora *f*
iogwrt *g*	un yogur *m*
Ionawr *g*	enero *m*
iro	engrasar v^{A1}
yn **is**	más abajo
is i lawr	más abajo
is-deitl *g*	un subtítulo *m*
isel	bajo *adj*; deprimido *adj*
yn isel	bajo
Iseldiraidd / Iseldirol	holandés *adj*; neerlandés *adj*
yr **Iseldiroedd** *ll*	Holanda *f*; los Países Bajos *m pl*
o'r Iseldiroedd	holandés *adj*; neerlandés *adj*
islawr *g*	una planta *f* baja
is-lwythiad *g*	una descarga *f*
is-lwytho	descargar v^{A1}
isod	abajo; más abajo
israddol	inferior *adj*
mewn italig	en cursiva; en bastardilla
Iwerddon *b*	Irlanda *f*
o Iwerddon	irlandés *adj*
Gogledd g *Iwerddon*	Irlanda del Norte
Gweriniaeth b *Iwerddon*	la República *f* de Irlanda
iwnifform *b*	un uniforme *m*

J

jam *g*	una mermelada *f*; una confitura *f*
Jamaica *b*	Jamaica *f*
o Jamaica	jamaicano *adj*
Jamaicaidd	jamaicano *adj*
Japan *b*	Japón *m*
o Japan	japonés *adj*
Japaneaidd	japonés *adj*
jar *g*	un tarro *m*; un bote *m*
jerbil *g*	un gerbo *m*; un jerbo *m*
jîns *ll*	los vaqueros *m pl*
jiraff *g*	una jirafa *f*
jiwdo *g*	el judo *m*
jôc *b*	un chiste *f*; una broma *f*
jocan / jocio	bromear v^{A1}; [esgus] fingir v^{C12}
jogio *g*	el footing *m*; el jogging *m*
siwt b *jogio*	un chandal *m*
jwg *g*	un jarro *m*; una jarra *f*

K

karate *g*	el kárate *m*

L

lab(ordy) *g*	un laboratorio *m*
labordy iaith	un laboratorio de idiomas
label *g*	una etiqueta *f*; [gwneuthurwr] una marca *f*
lafant *g*	el espliego *m*; la lavanda *f*
lamp *b*	una lámpara *f*
lan	arriba; hacia arriba; al aire; en el aire
lan sta(e)r / lan (l)lofft	arriba
lapio	envolver v^{B4}
la(w)nsio	lanzar v^{A1}; botar v^{A1}
lawnt *b*	un césped *m*; [AmL] un prado *m*
i lawr	abajo; hacia abajo; para abajo; a tierra; [croesair] vertical
i lawr â	abajo

i lawr y grisiau / sta(e)r	abajo
lawr-lwythiad *g*	una descarga *f*
lawr-lwytho *v*	descargar v^{A1}
lefel *b*	un nivel *m*
lemwn, lemon *g*	un limón *m*
lemwnêd *g*	una limonada *f*; una gaseosa *f*
lens *b*	una lente *f*; [camera] un objetivo *m*
lensys ll *cyffwrdd*	unas lentillas *f pl*; unas lentes *f pl* de contacto
Leo	Leo *m*
les *g*	el encaje *m*
letysen *b*	una lechuga *f*
Libra	Libra *f*
lifft *g*	un ascensor *m*; [AmL] un elevador *m*
lindys *g*	una oruga *f*
liotard *g*	una malla *f*
lipstic *g*	un lápiz *m* de labios; una barra *f* de labios
litr *g*	un litro *m*
lodes *b*	una chica *f*; una chavala *f*; una muchacha *f*; una niña *f*
lolfa *b*	un salón *m*; una sala *f* de estar
lolipop *g*	un pirulí *m*; una piruleta *f*; un chupa-chups *m*
lôn *b*	un camino *m*; una callejuela *f*; un callejón *m*; un carril *m*
loncian *g*	el footing *m*; el jogging *m*
siwt b *loncian*	un chandal *m*
lori *b*	un camión *m*
losin *g*	una golosina *f*; un caramelo *m*; un chuche *m*; una chuchería *f*
loteri *b*	una lotería *f*
lwc *b*	la suerte *f*
Lwcsembwrg *b*	Luxemburgo *m*
o Lwcsembwrg	luxemburgués *adj*
Lwcsembwrgaidd	luxemburgués *adj*
lwcus	afortunado *adj*; con suerte
bod yn lwcus	tener v^{C24} suerte

Cymraeg	Español
llac	suelto *adj*; descuidado *adj*; flojo *adj*; holgado *adj*; [dillad] amplio *adj*
llachar	fuerte *adj*; vivo *adj*; chillón *adj*
lladmerydd *g*	un / una intérprete *m* / *f*
lladrad *g*	un robo *m*
lladrata	robar *v*[A1]
lladd	matar *v*[A1]
lladd-dŷ *g*	un matadero *m*
llaes	largo *adj*
llaeth *g*	la leche *f*
llaeth powdwr	la leche en polvo
llafariad *b*	una vocal *f*
llai	más pequeño *adj*; menos; menor
llai o	menos
llai na	menos de [rhif]
mae e(f)o'n llai ... na	es menos ... que
llais *g*	una voz *f*
llaith	húmedo *adj*
llam *g*	un salto *m*
llamu (dros)	saltar *v*[A1] (por encima de)
llanast *g*	un desorden *m*; una porquería *f*; un desastre *m*
llaw *b*	una mano *f*
(yn defnyddio) llaw chwith	zurdo *adj*
(yn defnyddio) llaw dde	diestro *adj*
ar y llaw arall	por otra parte; por otro lado
efo / â llaw	a mano
yn ei [ayyb] law	en la mano
llaw fer	la taquigrafía *f*
llawdriniaeth *b*	una operación *f*; una intervención *f* (quirúrgica)
llawen	alegre *adj*
llawenydd *g*	la alegría *f*
llawer	mucho
llawer iawn o	un montón de; cantidad de
llawer o	mucho *m adj*; mucha *f adj*; muchos *m pl adj*; muchas *f pl adj*
llawer o bobl	mucha gente
llawes *b*	una manga *f*
llawfeddyg *g*	[gwrywaidd] un cirujano *m* [benywaidd] una cirujana *f*
llawn	lleno *adj*; completo *adj*
llawr *g*	el suelo *m*; la tierra *f*; un piso *m*; una planta *f*

ar y llawr / ar lawr	en el suelo
llawr gwaelod	una planta baja
ar y llawr gwaelod	en la planta baja
llawr isaf	una planta baja
llawryf *g*	un laurel *m*
llawysgrifen *b*	una escritura *f*; una letra *f*
lle	donde
lle *g*	un lugar *m*; un sitio *m*
lle chwarae	un parque *m* infantil
lle tân	una chimenea *f*; un hogar *m*
cymryd lle	sustituir v^{C15}
rhoi yn lle	sustituir v^{C15}; reemplazar v^{A1}
mae rhywbeth o'i le	hay algo mal; hay algo que no está bien; algo anda mal
yn lle	en vez de; en lugar de
yn y lle iawn	el sitio adecuado
llecyn *g*	un sitio *m*; un lugar *m*
llecyn gwyrdd	una zona *f* verde
lledr *g*	el cuero *m*; la piel *f*
wedi'i wneud o ledr	de cuero; de piel
llefrith *g*	la leche *f*
llefrith powdwr	la leche en polvo
lleian *b*	una monja *f*; una religiosa *f*
lleiandy *b*	un convento *m*; un monasterio *m*
lleidr *g*	[gwrywaidd] un ladrón *m*; [benywaidd] una ladrona *f*
lleidr pocedi	un ratero *m*
lleihad *g*	una reducción *f*
y **lleill** *ll*	los otros *m pl*; las otras *f pl*
llen *b*	una cortina *f*
llenwi	llenar v^{A1}; [ffurflen] rellenar v^{A1}
llenwch y tanc	[car, ayyb] lleno, por favor
lleol	local *adj*
lleoli	poner v^{C18}; colocar v^{A1}; situar v^{C6}; ubicar v^{A1}
bod wedi'i leoli	estar v^{C10} situado; estar v^{C10} ubicado; encontrarse v^{B1D}; hallarse v^{D}
llesg	débil *adj*; flojo *adj*
llestr *g*	una vasija *f*
llestri *ll*	los platos *m pl*; la vajilla *f*
lletwad *b*	un cazo *m*; un cucharón *m*
llet(ch)with	torpe *adj*; difícil *adj*
llety *g*	un alojamiento *m*; una pensión *f*; un hostal *m*

llety a phob pryd bwyd	la pensión completa
lletya	alojar(se) $v^{AI(D)}$
llethr *b*	une cuesta *f*; una pendiente *f*
lleuad	una luna *b*
llew *g*	un león *m*
llewes *b*	una leona *f*
lliain *g*	una servilleta *f*; un paño *m* [sychu] un trapo *m*
lliain bwrdd	un mantel *m*
lliain *sychu llestri*	un pañito *m*
llif *b*	[torri coed] una sierra *f*
llif *g*	[dŵr] una corriente *f*
llifio	serrar v^{B2}
llinell *b*	una línea *f*; un renglón *m*; una hilera *f*; una fila *f*; un linaje *m*
llinyn *g*	una cuerda *f*; un cordel *m*
llipa	flojo *adj*; débil *adj*
llithro	resbalar v^{AI}; deslizar v^{AI}
lliw *g*	un color *m*
lliw haul	el bronceado *m*
â lliw haul	bronceado *adj*
lliwio	colorear v^{AI}; teñirse v^{B5D}; [gwallt] tintarse v^{D}
llo *g*	un becerro *m*; una becerra *f*; un ternero *m*; una ternera *f*
lloches *b*	un refugio *m*; un asilo *m*
llochesu	refugiarse v^{D}
Lloegr *b*	Inglaterra *f*
llofnod *g*	una firma *f*; un autógrafo *m*
llofruddiaeth *b*	un asesinato *m*
llofft *b*	un dormitorio *m*; una habitación *f*; una alcoba *f*
lan (l)lofft	arriba
llogi	alquilar v^{D}
llong *b*	un barco *m*; un navío *m*; un buque *m*
ar y llong	a bordo
llong ofod	una nave *f* espacial; una astronave *f*
llongwr *g*	un marinero *m*
llon	alegre *adj*; animado *adj*
llongyfarch	felicitar v^{AI}
llongyfarchiadau *ll*	las felicitaciones *f pl*
llongyfarchiadau!	¡enhorabuena!; ¡felicidades!
llonydd	tranquilo *adj*; calmo *adj*; inmóvil *adj*

llonyddwch *g* — une tranquilidad *f*; una calma *f*; una inmovilidad *f*

llosg *g* — una quemadura *f*

llosg haul — una quemadura del sol

llosgi — quemar *v*[A1]

llowcio — engullir *v*[A3]

lluchio — arrojar *v*[A1]; echar *v*[A1]; tirar *v*[A1]; lanzar *v*[A1]

lludw *g* — la ceniza *f*; las cenizas *f pl*

llugoer — tibio *adj*

llun *g* — un cuadro *m*; una imagen *f*; un dibujo *m*; [wedi'i beintio] una pintura *f*; [portread] un retrato *m*; [ffotograff] una foto (grafía) *f*

tynnu llun — [â phensel, paent] dibujar *v*[A1]

tynnu llun(iau) — [â chamera] fotografiar *v*[C11]; hacer *v*[C14] una foto/fotos; tomar *v*[A1] una foto/fotos

llun agos — [ffilm] un primer plano *m*

Llundain — Londres

llunio — construir *v*[A1]; crear *v*[A1]; fabricar *v*[A1]; formar *v*[A1]; elaborar *v*[A1]; diseñar *v*[A1]

lluosog *g* — el plural *m*

lluos(og)i — multiplicar *v*[A1]

llusgo — arrastrar *v*[A1]

llwch *g* — el polvo *f*; la ceniza *f*

llwnc *g* — una garganta *f*

llwy *b* — una cuchara *f*

llwy de — una cucharadita *f*

llwy gawl / bwdin — una cuchara sopera

llwyaid b — una cucharada *f*

llwybr *g* — un sendero *m*; una senda *f*; un camino *m*

llwyd — gris *adj*

llwyddiannus — exitoso *adj*

llwyddiant *g* — un éxito *m*

llwyddo — tener *v*[C24] éxito; lograr *v*[A1]; conseguir *v*[B5]

llwyddo mewn arholiad — aprobar *v*[B1] un examen; pasar *v*[A1] un examen

llwynog *g* — un zorro *m*

llwyr — completo *adj*; total *adj*; integral *adj*

yn llwyr — completamente; totalmente

llwytho — cargar *v*[A1]

llydan	ancho *adj*
llyfn	suave *adj*
llyfr *g*	un libro *m*
llyfr banc	una libreta *f*; una cartilla *f*
llyfr ffôn	una guía (telefónica) *f*; un listín *m*
llyfr nodiadau	una libreta *f*; un bloc *m*; [ysgol] un cuaderno *m*
llyfr siec	un talonario *m*
llyfr ysgrifennu / ysgol	un cuaderno *m*
llyfrgell *b*	una biblioteca *f*
llyfryn *g*	un folleto *f*
llyfryn stampiau	un librito *m* de sellos
llyfu	lamer v^{A2}
llyffant *g*	un sapo *m*
llygad *g/b*	un ojo *m*
cadw llygad ar	cuidar v^{A1}
llygoden *b*	un ratón *m*
llygoden fawr	una rata *f*
llygredig	contaminado *adj*
llygredd *g*	la contaminación *f*; la polución *f*
llygrol	contaminante *adj*
llym	estricto *adj*; severo *adj*
llymaid *g*	una bebida *f*
llyn *g*	un lago *m*
llyncu	tragar v^{A1}
llys *g*	un tribunal *m*; un juzgado *m*; una corte *f*
llysfam *b*	una madrastra *f*
llysfwytäol	vegetariano *adj*
llysgenhadaeth *b*	una embajada *f*
llysiau *ll*	la(s) verdura(s) *f (pl)*; las hortalizas *f pl*; las legumbres *f pl*
llystad *g*	un padrastro *m*
llythyr *g*	una carta *f*
llythyrau / llythyron ll	el correo *m*
llythyren *b*	una letra *f*
llythyru	escribir(se) $v^{A3(D)}$; mantener v^{C24} correspondencia; cartearse v^{D}
llyw *g*	un timón *m*; [car] un volante *m*
llywio	conducir v^{C4}; gobernar v^{B2}; dirigir v^{C12}
llywiwr *g*	un timonel *m*
llywodraeth *b*	un gobierno *m*
llywydd *g*	[gwrywaidd] un presidente *m*; [benywaidd] una presidenta *f*

mab *g*	un hijo *m*
macrell *g*	una caballa *f*
machlud	ponerse *v*[C18D]
machlud g *haul*	una puesta *f* del sol
madarchen *b*	un champiñón *m*; una seta *f*
maddau	perdonar *v*[A1]
mae (yna)	hay
mae e(f)o / hi	él / ella es (o **ser** *v*[C23])
mae'n	es (o **ser** *v*[C23])
maelgi *g*	el rape *m*
maen nhw	ellos / ellas son (o **ser** *v*[C23])
maen nhw'n mynd	ellos / ellas van (o **ir** *v*[C16])
maer *g*	un alcalde *m*
maeres *b*	una alcaldesa *f*
maes *g*	un campo *m*
maes awyr	un aeropuerto *m*
maes carafannau	un camping *m* para caravanas
maes chwarae(on)	un campo *m* deportivo; un parque *m* infantil
maes parcio	un aparcamiento *m*; un parking *m*
maes pebyll	un camping *m*
maes rasio ceffylau	un hipódromo *m*
maestref *b*	una zona *f* residencial en las afueras
maeth *g*	la nutrición *f*
mafon *ll* **duon**	las moras *f pl*
mafonen *b*	una frambuesa *f*
mai	que
Mai *g*	mayo *m*
main	delgado *adj*; fino *adj*; esbelto *adj*; chillón *adj*; [llais] agudo *adj*
mainc *b*	un banco *m*
maint *g*	[esgidiau, menig, ayyb] un número *m*; [dillad] una talla *f*; una medida *f*; [gwrthrych] un tamaño *m*
maleisus	malicioso *adj*
malw(od)en *b*	un caracol *m*; una babosa *f*
mam *b*	una madre *f*; mamá *f*; mami *f*; [AmL] una lamacita *b*
mam-gu *b*	una abuela *f*; [AmL] una mamagrande *f*
mam-yng-nghyfraith *b*	una suegra *f*
man *b*	un lugar *m*; un sitio *m*
yn y fan a'r lle	en el acto; en el mismo sitio; enseguida

yn y man iawn	en el sitio adecuado
ym mhob man	por todas partes
mân	diminuto *adj*; minúsculo *adj*
maneg *b*	un guante *m*
maneg focsio	un guante de boxeo
mango *g*	un mango *m*
mantais *b*	una ventaja *f*
manteisio (ar)	aprovechar v^{A1}; aprovecharse v^{D} de
mantell *b*	una capa *f*
manylyn *g*	un detalle *m*
map *g*	un mapa *m*; un plano *m*
marblen *b*	una canica *f*
marc *g*	una nota *f*; un punto *m*; una marca *f*; una señal *f*
marcio	corregir v^{C7}; marcar v^{A1}; manchar v^{A1}
marchnad *b*	un mercado *m*
marchnad rad	un mercadillo *m*; un rastro *m*
marchog *g*	un jinete *m*; un caballero *m*
marchogaeth *g*	la equitación *f*
marchogaeth	montar v^{A1} a caballo
marmalêd *g*	una mermelada *f* de naranja
marw	morir v^{B8}; fallecer v^{C5}
marw	muerto *adj*
wedi marw	muerto *adj*; difunto *adj*; fallecido *adj*
marwolaeth *b*	la muerte *f*
masiwn *g*	un albañil *m*
masnachwr *g*	una comerciante *m*
masnachwraig *b*	una comerciante *f*
mate [te]	[AmL] el mate *m*
matres *g/b*	un colchón *m*
matsien *b*	una cerilla *f*; [AmL] un fósforo *m*
math *g*	una clase *f*; un tipo *m*; una especie *f*; un género *m*
o'r fath	tal *adj*; semejante *adj*; parecido *adj*; similar *adj*
yr un fath	igual *adj*
gwneud yr un fath	hacer v^{C14} lo mismo
mathemateg *b*	las matemáticas *f pl*; las mates *f pl*
mawr	grande *adj*; mayor *adj*; importante *adj*
yn fawr (iawn)	mucho
mawredd!	¡Dios mío!
Mawrth *g*	marzo *m*

mecaneg *b*	la mecánica *f*
mecanic *g*	[gwrywaidd] un mecánico *m*; [benywaidd] una mecánica *f*
Mecsico	México *m*; Méjico *m*
o Fecsico	mexicano *adj*; mejicano *adj*
medal *b*	una medalla *f*
Medi *g*	septiembre *m*; setiembre *m*
medru	saber v^{C20}; poder v^{B4}
meddal	muelle *adj*; mullido *adj*; dulce *adj*
meddu (ar)	poseer v^{A2}; tener v^{C24}
meddwl	pensar v^{B2}; creer v^{A2}; considerar v^{A1}; opinar v^{A1}; reflexionar v^{A1}; tener v^{C24} la intención; querer v^{B3} decir; significar v^{A1}
meddwl am	pensar v^{B2} en
meddwl *g*	la mente *f*; el espíritu *m*
â'r meddwl ymhell	distraído *adj*; en la luna; pensando en las musarañas
meddwol	alcohólico *adj*
meddyg *g*	[gwrywaidd] un médico *m*; un doctor *m*; [benywaidd] una médica *f*; una doctora *f*
meddyg teulu	[gwrywaidd] un médico de cabecera; [benywaidd] una médica de cabecera
meddygaeth *f*	la medicina *f*
meddygfa *b*	un consultorio *m*
i'r / yn y feddygfa	en el médico
meddyginiaeth *b*	un medicamento *m*
meddygol	médico *adj*
mefusen *b*	una fresa *f*
Mehefin *g*	junio *m*
meic(roffon) *g*	un micro *m*
meicrob *g* / **microb** *g*	un microbio *m*
meipen *b*	un nabo *m*
meirioli	descongelar(se) $v^{A1(D)}$; deshelar(se) $v^{B2(D)}$; derretir(se) $v^{B5(D)}$
meistr *g*	un maestro *m*
meistres *b*	una maestra *f*
meithrin	nutrir v^{A1}; fomentar v^{A1}; promover v^{B4}
mêl *g*	la miel *m*
melfed *g*	el terciopelo *m*
wedi'i wneud o felfed	de terciopelo
melyn	amarillo *adj*

melys	dulce *adj*; azucarado *adj*; agradable *adj*
pethau ll *melys*	los dulces *m pl*
melysion *ll*	los dulces *m pl*; las golosinas *f pl*
mellten *b*	un relámpago *m*; un rayo *m*
menter *b*	una empresa *f*; un riesgo *m*
mentrus	atrevido *adj*; intrépido *adj*; aventurero *adj*; arriesgado *adj*
person g *mentrus*	[gwrywaidd] un arriesgado *m*; un aventurero *m*; [benywaidd] una arriesgada *f*; una aventurera *f*
menyn *g*	la mantequilla *f*; [AmL] la manteca
â menyn arno / arni	untado *adj* con mantequilla
menyw *b*	una mujer *f*; una señora *f*
merch *b*	una hija *f*; una chica *f*; una chavala *f*; una muchacha *f*; una moza *f*
(cyfleusterau) merched	señoras *f pl*
merlota *g*	una excursión *f* en poney; un paseo a *m* caballo
mesur	medir v^{B5}
mesur(iad) *g*	una medida *f*
mesurydd *g* **parcio**	un parquímetro *m*
metr *g*	un metro *m*
methiant *g*	un fracaso *m*
methu	perder v^{B3}; suspender v^{A3}; fallar v^{A1}; fracasar v^{A1}; no poder v^{B4}
methu arholiad	suspender v^{A2} un examen
methu tro	perder v^{B3} la vez; perder v^{B3} el turno
mewn	en
i mewn	dentro; en el interior; adentro
i mewn i	en
i mewn yn fan'na / yn hwnna [ayyb]	allí dentro
tu g *mewn*	el interior *m*; la parte *f* de dentro
tu mewn iddo [ayyb]	dentro; en el interior
mi	yo; mí; me
miaw	miau
migwrn *g*	un tobillo *m*
mil *b*	mil *m*
mil o filiynau	un millardo *m*
milfeddyg *g*	[gwrywaidd] un veterinario *m*; [benywaidd] una veterinaria *f*
miloedd *ll* o	miles de *m pl*
milwr *g*	un soldado *m*

milltir *b*	una milla *f*
min *g*	un filo *m*; un borde *m*; una orilla *f*; un labio *m*
min nos	la tarde *f*; el atardecer *m*; el anochecer *m*
minlliw *g*	un lápiz *m* de labios; una barra *f* de labios
mintys *g*	la hierbabuena *f*; la menta *f*
minws	menos
mis *g*	un mes *m*
Miss	señorita *f*
moch(ynn)aidd	guarro *adj*; sucio *adj*
mochyn *g*	un cerdo *m*
mochyn coed	una piña *f*
mochyn cwta	un cobayo *m*; una cobaya *f*; un conejillo *m* de Indias
model *g*	un / una modelo *m* / *f*
gwneud modelau	el modelismo *m*
modern	moderno *adj*
modfedd *b*	una pulgada *m*
modrwy *b*	un anillo *m*; una sortija *f*; [priodas] una alianza *f*
modryb *b*	una tía *f*
modd *g*	un medio *m*; una manera *f*; una forma *f*
moddion *g*	un medicamento *m*; la medicina *f*
moel	desnudo *adj*; [pen] calvo *adj*; [dim tyfiant] sin vegetación
moeth(usrwydd) *g*	un lujo *m*
moethus	de lujo; lujoso *adj*
mold *g*	un molde *m*
moment *b*	un momento *m*; un instante *m*; un rato *m*
moped *g*	un ciclomotor *m*
mor	tan
mor ... â / ag	tan ... como
môr *g*	un / una mar *m* / *f*; un océano *m*
Môr Iwerydd	el Atlántico *m*
y Môr Tawel	el Pacífico *m*
Môr Udd	el Canal de la Mancha *f*
Môr y Canoldir	el Mediterráneo *m*
mordaith *b*	un crucero *m*

mordwywr *g* / **mordwywraig** *b*	un / una navegante *m* / *f*
morfil *g*	una ballena *f*
morgrugyn *g*	una hormiga *f*
morlo *g*	una foca *f*
Morocaidd	marroquí *adj*
Moroco *b*	Marruecos *m*
o Foroco	marroquí *adj*
moronen *b*	una zanahoria *f*
morthwyl *g*	un martillo *m*
morwr *g*	un marinero *m*
morwrol	náutico *adj*
morwyn *b*	una chica *f*; una muchacha *f*; una virgen *f*; una criada *f*; una asistenta *f*; una moza *f*
mosg *g*	una mezquita *f*
mosgito *g*	un mosquito *m*
moslem *g*	un musulmán *m*
Moslemaidd	musulmán *adj*
motobeic *g*	una moto *f*; una motocicleta *f*
ar gefn motobeic	en moto(cicleta)
motobeiciwr *g* / **motobeicwraig** *b*	un / una motociclista *m* / *f*
Mr.	señor *m*; Sr. *m*
Mrs.	señora *f*; Sra. *f*
mud	mudo *adj*
mudferwi	cocer *v*[C2] a fuego lento; hervir *v*[B7] a fuego lento
mudo *g*	una mudanza *f*
mudo	mudarse *v*[D]; trasladarse *v*[D]
munud *g/b*	un minuto *m*
mur *g*	una pared *f*; un muro *m*; una muralla *f*
mwd *g*	el lodo *m*
mwg *g*	el humo *m*
mwgwd *g*	una máscara *f*
mwnci *g*	un mono *m*
mwstard *g*	la mostaza *f*
mwstas(h) *g*	los bigotes *m pl*
mwswg(l) *g*	el musgo *m*
mwy	más grande *adj*; más
mwy neu lai	más o menos
mwy ... na	más... que
mwy na	[gyda rhifolion] más de

mwyar *ll* **duon**	las moras *f pl*
mwyn	dulce *adj*; suave *adj*; tierno *adj*
yn fwyn	dulcemente; suavemente
mwynha dy hun!	¡pásalo bien!
mwynha dy / mwynhewch eich ymweliad	¡que lo pases bien!
mwynha'r / mwynhewch y bwyd!	¡que aproveche !
mwynhau	disfrutar v^{A1} (de); gustar v^{A1}
Rydw i'n mwynhau...	me gusta...
mwynhau eich hun	pasarlo bien v^{D}; divertirse v^{B7D}
mw(y)nol	mineral *adj*
mwytho	acariciar v^{A1}
myfyriwr *g* / **myfyrwraig** *b*	un / una estudiante *m* / *f*
mygu	ahumar v^{A1}; echar v^{A1} humo
mynach *g*	un monje *m*; un religioso *m*
mynachdy *g*	un monasterio *m*; un convento *m*
mynd	ir v^{C16}; circular v^{A1}
mae e(f)o / hi'n mynd	él / ella va (o **ir** v^{C16})
rydw i'n mynd	yo voy (o **ir** v^{C16})
mynd (i ffwrdd)	irse v^{C16D}; marcharse v^{D}
mynd (ymlaen) i	pasar v^{A1} a
mynd â	llevar v^{A1}
mynd â ... allan / mas	sacar v^{A1}
mynd â ... i ffwrdd	llevarse v^{D}; quitar v^{A1}; apartar v^{A1}; alejar v^{A1}
mynd â ... i lawr	bajar v^{A1}
mynd â ... i lawr eto	volver v^{B4} a bajar
mynd â ... i mewn	hacer v^{C14} entrar; recoger v^{C3}
mynd â ... lan / i fyny	subir v^{A3}
mynd â ... lan / i fyny (yn ôl)	volver v^{B4} a subir
mynd â ... yn ôl	devolver v^{B4}
mynd â'r ci am dro	sacar v^{A1} al perro a pasear; sacar v^{A1} al perro de paseo; pasear v^{A1} al perro
mynd allan / mas	salir v^{C21}
mynd am dro / reid(en)	dar v^{C8} una vuelta; dar v^{C8} un paseo; pasearse v^{D}; ir v^{C16} de paseo
mynd am ddiod	tomar v^{A1} una copa; tomar v^{A1} unas copas; ir v^{C16} de copas
mynd ar daith gyfnewid	hacer v^{C14} un intercambio
mynd ar dân	prender v^{A2} fuego; incendiarse v^{D}
mynd ar [drên]	[AmL] embarcar v^{A1}

	mynd ar ddeiet	ponerse v^{C18D} a régimen; ponerse v^{C18D} a dieta
	mynd ar gefn beic	hacer v^{C14} ciclismo; montar v^{A1} en bicicleta
	mynd ar gefn ceffyl	montar v^{A1} a caballo
	mynd ar [fws ayyb]	subir(se) $v^{A3(D)}$ a
	mynd ar (fwrdd)	embarcar v^{A1}
	mynd ar goll	perderse v^{B3D}; extraviarse v^{D}
	mynd ar nerfau rhywun	poner v^{C18} de los nervios; enfadar v^{A1}; molestar v^{A1}
	mynd ati i	ponerse v^{C18D} a; empezar v^{B2} a; comenzar v^{B2} a
	mynd gyda	acompañar v^{A1}
	mynd i	ir v^{C16} a; asistir v^{A3} a; acudir v^{A3} a
(sydd) yn	*mynd i*	[trên, ayyb] con destino a
	mynd i bysgota	ir v^{C16} de pesca
	mynd i ffwrdd	irse v^{C16D}; marcharse v^{D}; largarse v^{D}
	mynd i gysgu	dormirse v^{B8D}
	mynd i mewn	entrar v^{A1}; pasar v^{A1}
	mynd i lawr	bajar v^{A1}
	mynd i lawr eto	volver v^{B4} a bajar
	mynd i siopa	hacer v^{C14} la compra; ir v^{C16} de compras; ir v^{C16} de tiendas
	mynd i'r gwely	acostarse v^{B1D}; ir v^{C16} a la cama
	mynd lan / i fyny	subir v^{A3}
	mynd wysg y cefn	retroceder v^{A2}; ir v^{C16} hacia atrás
	mynd ymlaen	avanzar v^{A1}; adelantarse v^{D}; ir v^{C16} hacia adelante; pasar v^{A1}
Beth sy'n	*mynd ymlaen yma?*	¿Qué se cuece aquí?
	mynd yn ôl	volver v^{B4}; regresar v^{A1}
	mynd yn ôl (i fyny / lan)	volver v^{B4} a subir
	mynedfa *b*	una entrada *f*; una puerta *f*
	mynediad *g*	un acceso *m*; una entrada *f*; el tránsito *m*
	mynegi	expresar v^{A1}; declarar v^{A1}
	mynegiant *g*	una expresión *f*
	mynwent *b*	un cementerio *m*; un camposanto *m*
	mynydd *g*	una montaña *f*; un monte *m*
	mynydda *g*	el montañismo *m*; el alpinismo *m*; [AmL] el andinismo *m*
	mynyddig	montañoso *adj*
	mynyddwr *g*	un alpinista *m*; un montañero *m*
	mynyddwraig *b*	una alpinista *f*; una montañera *f*

na	no; ni; que
Nadolig *g*	Navidad *f*
Nadolig Llawen	¡Feliz Navidad!; ¡Felices Navidades!; ¡Felices fiestas!; ¡Felices Pascuas!
naddu	[pensil] sacar v^{AI} punta a; afilar v^{AI}
naddwr *g*	un sacapuntas *m*
nai *g*	un sobrino *m*
naid *b*	un salto *m*
naid bolyn	el salto con pértiga
naill ai ... neu	o ... o; sea ... sea
nain *b*	una abuela *f*; [AmL] una mamagrande *f*
natur *b*	la naturaleza *f*
naturiol	natural *adj*
yn naturiol	naturalmente
naw	nueve
naw deg	noventa
un deg naw	diecinueve
nawdd *g*	el patrocinio *m*
nawr	ahora
neb	nadie
nef(oedd) *b*	un cielo *m*
neges *b* **destun**	un mensaje *m* de texto
negesydd *g*	[gwrywaidd] un mensajero *m*; [benywaidd] una mensajera *f*
neidio (dros)	saltar v^{AI} (por encima de)
neidr *b*	una serpiente *f*; una culebra *f*
o'r neilltu	a un lado
neilltuol	especial *adj*
yn neilltuol	especiamente
neis	agradable *adj*; simpático *adj*; amable *adj*
neithiwr	anoche
nenfwd *g*	un techo *m*; [AmL] un plafón *m*
nen-grafwr *g*	un rascacielos *m*
nerf *g*	un nervio *m*
mae'n mynd ar fy nerfau i	eso me pone de los nervios; eso me enfada
nerfol	nervioso *adj*
nerfus	nervioso *adj*; preocupado *adj*; inquieto *adj*
nerth *g*	la fuerza *f*
yn nes ymlaen	luego; más tarde; después

nesaf	próximo *adj*; más cercano *adj*; [wythnos nesaf, ayyb] que viene; [tŷ, ayyb] de al lado
nesaf at	al lado de
neu	o; u [o flaen geiriau'n dechrau ag 'o' neu 'ho']
neuadd	una sala *f*
neuadd breswyl	una residencia *f*
neuadd chwaraeon	un pabellón *m* deportivo; un polideportivo *m*
neuadd y dref	un ayuntamiento *m*
newid *g*	un cambio *m*; [arian] la vuelta *f*
newid	cambiar v^{AI}; [siec] cobrar v^{AI}
newid lle	cambiar de sitio
newydd	nuevo *adj*
newydd sbon	flamante *adj*; completamente nuevo *adj*
bod newydd (wneud ...)	acabar v^{AI} de
mae hi newydd gyrraedd	ella acaba de llegar
newyddbeth *g*	una novedad *f*
newydd-deb *g*	la novedad *f*
newyddiadurwr *g* / **newyddiadurwraig** *b*	un / una periodista *m* / *f*
newyddion *ll*	las noticias *f pl*; los informativos *m pl*; [teledu] el telediario *m*
newyn *g*	el hambre *f*; la hambruna *f*
nhw	ellos; ellas; les; los; las
nhw'u dau / dwy	los dos / las dos; ambos / ambas
ni	nosotros; nosotras; nos
ni chaniateir	está prohibido; prohibido; no se permite
ni(d) ...	no
ni(d) ... byth / erioed	nunca; jamás
ni(d) ... (d)dim	no
ni(d) ... (d)dim byd	nada
ni(d) ... ((d)dim) mwy / mwyach / rhagor	ya no
ni(d) ... ((d)dim) ond	sólo; solamente
ni(d) ... na ... na	no ... ni ... ni
ni(d) ... neb	nadie
ni(d) ... unrhyw beth	nada
Nicaragua	Nicaragua *f*
o Nicaragua	nicaragüense *adj*

nicer *g*	las bragas *f pl*
nid	no
nifer *g/b*	una cantidad *f*; un número *m*
nifer (o)	muchos *m pl adj*; muchas *f pl adj*; varios *m pl adj*; varias *f pl adj*
niferus	numeroso *adj*
nionyn *g*	una cebolla *f*
nith *b*	una sobrina *f*
niwl *g*	la niebla *f*; la neblina *f*
niwlog	neblinoso *adj*
mae'n niwlog	hay niebla; hay neblina
niwsans *g*	[person] un pesado / una pesada *m / f* [peth] un fastidio *m*; una lata *f*; un rollo *m*
nod *g/b*	un objetivo *m*; un propósito *m*; un fin *m*; una finalidad *f*
nodi	apuntar v^{AI}; anotar v^{AI}
nodiadur *g*	una libreta *m*; un bloc *m*; un cuaderno *m*
nodwedd *b*	un rasgo *m*
nodweddiadol	típico *adj*
nodwydd *b*	una aguja *f*
nodyn *g*	una nota *f*
noddi	patrocinar v^{AI}; respaldar v^{AI}
nofel *b*	una novela *f*
nofio	nadar v^{AI}; bañarse v^{D}
nofio *g*	la natación *f*
normal	normal *adj*
Norwy	Noruega *f*
o Norwy	noruego *adj*
Norwyaidd	noruego *adj*
nos *b*	la noche *f*
gyda'r nos	por la tarde; al atardecer; al anochecer
min nos	la tarde *f*; el atardecer *m*; el anochecer *m*
nos da	buenas noches
Nos Galan	Nochevieja *f*
nosol	nocturno *adj*
noson *b*	una tarde *f*; una noche *f*
y noson / noswaith cyn / gynt	la víspera *f*
noswaith *b*	una tarde *f*
noswaith dda	buenas tardes

Noswyl *b* **Nadolig**	Nochebuena *f*
nwdlau *ll*	los fideos *m pl*; los tallarines *m pl*
nwy *g*	el gas *m*
nwyd *g*	la pasión *f*
nwydus	apasionado *adj*
nwyddau *ll*	los bienes *m pl*; los géneros *m pl*; las mercancías *f pl*; los productos *m pl*
nwyol	gaseoso *adj*
nyrs *b*	[gwrywaidd] un enfermero *m*; [benywaidd] una enfermera *f*
nyten *b*	una tuerca *f*
nyth *g*	un nido *m*

o	de; procedente de
(wedi'i wneud) o	de
o ... ymlaen	a partir de; desde
o amgylch	alrededor (de)
o bell	de lejos; desde lejos
o bell ffordd	de muy lejos; desde muy lejos; con mucho
o ble?	¿de donde?
o bryd i'w gilydd	de vez en cuando
o dan	debajo de; bajo
o flaen	delante de
o gwmpas	alrededor (de)
o hyd	continuamente; todavía; aún; siempre
o hyn allan / ymlaen	de ahora en adelante; a partir de ahora
o leiaf	por lo menos; al menos; [AmL] siquiera
o na!	¡Maldita sea!
o'r diwedd	por fin
o'r enw	llamado *adj*; titulado *adj*
ocsigen *g*	el oxígeno *m*
ocsiwn *b*	una subasta *f*
ochr *b*	un lado *m*; [disg] una cara *f*
ar un ochr	a un lado
od	raro *adj*; extraño *adj*
odli	rimar v^{A1}
oddeutu	aproximadamente; alrededor de; unos; unas
oddi tanodd / oddi tano [ayyb]	abajo
oddi wrth	de
oed *g*	una edad *f*; [cyfarfod] una cita *m*
bod yn ... oed	tener v^{C24} ... años
beth / faint yw / ydy dy oed di?	¿Cuántos años tienes?
rydw i'n ddeuddeg oed	tengo doce años
oedi	tardar v^{A1}; demorarse v^{A1D}; entretenerse v^{C24D}
oediad *g*	un retraso *m*
oedran *g*	una edad *f*
oedrannus	viejo *adj*; anciano *adj*
oen *g*	un cordero *m*
oer	frío *adj*
mae'n oer	[tywydd] hace frío
rydw i'n oer	tengo frío

oergell *b*	una nevera *f*; un frigorífico *m*; [AmL] una heladera *f*
oeri	enfriar(se) $v^{A1(D)}$; refrigerar v^{A1}
oes *b*	[cyfnod] una época *f*; [bywyd] una vida *f*
oes	sí
ofn *g*	el miedo *m*
bod ag ofn	tener v^{C24} miedo (de / a); temer v^{A1}
ofnadwy	horrible *adj*; espantoso *adj*; horroroso *adj*; fatal *adj*
ofni	tener v^{C24} miedo (de / a); temer v^{A1}
ofnus	temeroso *adj*
oferôl *gb*	un mono *f*; un peto *m*; una bata *f*; un guardapolvo. *m*
offeiriad *g*	un cura *m*; un sacerdote *m*; un pastor *m*
offer *ll*	el equipo *m*; las herramientas *f pl*
offeren *b*	una misa *f*
offeryn *g*	un instrumento *m*
offerynnau taro	la batería *f*
ogof *b*	una cueva *f*; una caverna *f*; una gruta *f*
ogofa *g*	la espeleología *f*
yn ogystal	también; además
oherwydd	por; a causa de; por causa de; porque; puesto que; ya que
ar ôl	después de; atrasado
bod ar ôl	quedar v^{A1}; [hwyr] estar v^{C10} atrasado
tu ôl	atrás
tu ôl i	detrás de
yn ôl	según; hace
yn ôl (eto)	de vuelta
ôl g *troed*	una huella *f*; una pisada *f*
olaf	último *adj*; final *adj*
yn olaf	por último; para terminar
olew *g*	el aceite *m*
olewydden *b*	un olivo *m*
olif *b*	una aceituna *f*; una oliva *f*
olwyn *b*	una rueda *f*; [llyw car] un volante *m*
omled *g*	una tortilla *f*; [AmL] una torta de huevos *f*
omled plaen	una tortilla francesa *f*
omled tatws	una tortilla de patata *f*; una tortilla española *f*

ond	pero; sino; menos; excepto; salvo
dim ond	sólo; solamente
on'd oes?/on'd wyt ti[ayyb]?	¿no?
onid e?	¿verdad?
opera *b*	una ópera *f*
tŷ opera	un teatro *m* de la opéra
opera sebon	una telenovela *f*; un culebrón *m*
oren *g/b*	una naranja *f*
organ *b*	un órgano *m*
oriau *ll* **brig**	las horas puntas *f pl*
oriawr *b*	un reloj *m*
oriel *b*	una galería *f*
oriel gelfyddyd / ddarluniau	una galeria de arte; un museo *m* (de arte)
os	si
heb os	sin duda
os gweli di'n / os gwelwch chi'n dda	por favor; con permiso
os na(d)	si no
osgoi	evitar v^{A1}; evadir v^{A3}
(does) dim **ots**	no importa; no pasa nada; da igual
(does) dim ots gen i	no me importa un comino; me da igual
dim ots (pa) beth	no importa qué
dim ots pa ...	no importa cuál ...

pa	cuál *adj*
pa mor aml?	¿Cada cuánto tiempo?; ¿con qué frecuencia?
pa rai?	¿cuáles?
pa un? / p'run? / p'un?	¿cuál?
y **Pab** *g*	el papa *m*
pabell *b*	una tienda *f* (de campaña); [AmL] una carpa *f*
pabi *g*	una amapola *f*; una adormidera *f*
pacio	envolver v^{B4}; empaquetar v^{A1}; embalar v^{A1}; [cês] hacer v^{C14} la maleta
padell *b* **ffrio**	una sartén *f*
paent *g*	la pintura *f*
paentiad *g*	la pintura *f*; una mano *f* de pintura
pafin *g*	una acera *f*; [AmL] una vereda *f*
paffio *g*	el boxeo *m*; [AmL] el box *m*
pais *b*	las enaguas *f pl*; una combinación *f*
paith *g*	una pradera *f*; una llanura *f*; [AmL] la pampa *f*
pâl *b*	una pala *f*
palas *g*	un palacio *m*
palmant *g*	una acera *m*; [AmL] una vereda *f*
palmwydden *b*	una palmera *f*
palmwydden goco	un cocotero *m*
pam?	¿por qué?
pam lai	por qué no
pamffled *g*	un folleto *m*
pan	cuando
Panama	Panamá *f*
o Banama	panameño *adj*
pancosen *b*	[AmL] un panqué *m*
pancosen gorn	[AmL] una tortilla *f*
panel *g*	un panel *m*; un tablero *m*
panther *g*	una pantera *f*
papur *g*	el papel *m*
wedi'i wneud o bapur	de papel
dalen b *o bapur*	una hoja *f*
papur lapio	el papel de envolver; [anrheg] el papel de regalo
papur newydd	un periódico *m*
papur toiled	el papel higiénico
papur wal	el papel pintado

papur ysgrifennu	el papel de cartas
pâr *g*	un par *m*
pâr o deits	los pantis *m pl*; las medias *f pl*
pâr priod	los esposos *m pl*
para	durar v^{A1}; continuar v^{A1}; seguir v^{B5}
o **Paraguay**	paraguayo *adj*
parasiwtio *g*	el paracaidismo *m*
paratoi	preparar v^{A1}
parc *g*	un parque *m*
parc carafannau	un camping *m* para carvanas
parc cenedlaethol	un parque nacional
parc difyrion / pleserau	un parque de atracciones; un parque temático
parc natur	una reserva *f* (natural)
parcio	aparcar v^{A1}; estacionar v^{A1}
parcio *g*	[lle] el aparcamiento *m*
parch *g*	el respeto *m*
parchu	respetar v^{A1}
parhad *g*	una continuación *f*; una prolongación *f*
parhaol	continuo *adj*; permanente *adj*; perpetuo *adj*
parhau	seguir v^{B5}; continuar v^{C6}; durar v^{A1}
i'w barhau	continuará
parod	preparado *adj*; listo *adj*
arian parod	el efectivo *m*; el metálico *m*
yn barod	ya
gwneud eich hun yn barod	prepararse v^{D}
parot *g*	un loro *m*; un papagayo *m*
parsel *g*	un paquete *m*
parti *g*	una fiesta *f*; un grupo *m*
parti ysgol	un grupo escolar
partner *g* / **partneres** *b*	una pareja *f*; un compañero *m*; una compañera *f*
pasbort *g*	un pasaporte *m*
y **Pasg** *g*	Semana Santa *f*; Pascua *f*
pasio	pasar v^{A1}
pasio arholiad	aprobar v^{A1} un examen
past *g*	una pasta *f*
past dannedd	una pasta de dientes; una pasta dentífrica
pasta *g*	la pasta *f*; las pastas *f pl*
pastai *b*	una empanada *f*
pastai afalau	una tarta *f* de manzana; un pastel *m* de manzana

patrwm *g*	un dibujo *m*; [gweu] un patrón *m*
pawb	todos; todo el mundo
pawen *b*	una pata *f*; una garra *f*; una zarpa *f*
pecyn *g*	un paquete *m*
pedwar / pedair	cuatro
un deg pedwar / pedair	catorce
pedwar / pedair ar bymtheg	diecinueve
pedwar / pedair ar ddeg	catorce
pedwar deg	cuarenta
pedwerydd / pedwaredd	cuarto *adj*
pefriol	centelleante *adj*; chispeante *adj*
peidio	parar v^{AI} de; dejar v^{AI} de
peidiwch â / ag ...	prohibido ....
peidiwch â sôn	de nada
peilot *g*	un / una piloto *m / f*
peintio *g*	la pintura *f*
wedi'i beintio	pintado *adj*
peintiwr *g*	un pintor *m*
peintwraig *b*	una pintora *f*
peiriannydd *g*	[gwrywaidd] un ingeniero *m*; [benywaidd] una ingeniera *f*
peiriant *g*	una máquina *f*; un aparato *m*
peiriant arian	un cajero *m* automático
peiriant golchi	[dillad] una lavadora *f*; [llestri] un lavavajillas *m*
peiriant torri glaswellt / porfa	un cortacésped *m*
peirianwaith *g*	la mecánica *f*
pêl *b*	una pelota *f*; un balón *m*; una bola *f*
pêl-droed	un balón de fútbol
pêl-droed g	el fútbol *m*
pêl-droed bwrdd	el futbolín *m*
pêl-droed dan do	el fútbol sala
chwaraewr g *pêl-droed*	el futbolista *m*
chwaraewraig f *pêl-droed*	la futbolista *f*
pelen *b*	une pelota *f*; una bola *f*
pêl-fasged g	el baloncesto *m*; el básket *m*
chwaraewr g *pêl-fasged*	un jugador *m* de baloncesto
chwaraewraig b *pêl-fasged*	una jugadora *f* de baloncesto
pêl-foli g	el voleibol *m*
pêl-rwyd g	el baloncesto *m*
pelydryn *g*	un rayo *m*
pell	lejano *adj*

o bell	de lejos
o bell ffordd	de muy lejos
pellter	la distancia *f*
pen *g*	una cabeza *m*; una punta *f*; un extremo *m*; un final *m*
ar ben	encima de; a la cabeza de; en la cima de; en lo más alto de
ar ben hynny	además
ar ei [ayyb] ben ei hun(an)	solo *adj*; solitario *adj*
bod â chur pen / phen tost	tener v^{C24} jaqueca
mae gen i gur pen / ben tost	me duele la cabeza
dod i ben	terminar v^{A1}; acabar v^{A1}
yn y pen draw	a fin de cuentas; al fin y al cabo; a la larga
pen ffelt	un rotulador *m*; [AmL] un plumón *m*
pen pwysleisio	un rotulador *m*
pen ysgrifennu	un bolígrafo *m*; un boli *m*
penbleth *g/b*	la confusión *f*; la perplejidad *f*
pen-blwydd *g*	un cumpleaños *m*; un cumple *m*
pen-blwydd hapus	feliz cumpleaños
pencampwr *g*	un campeón *m*
pencampwraig *b*	una campeona *f*
pencampwriaeth *b*	un campeonato *m*
penchwiban	caprichoso *adj*
pendant	preciso *adj*; definitivo *adj*; cierto *adj*; seguro *adj*; final *adj*; categórico *adj*
yn bendant	por cierto; sin duda; seguro
penderfynu	decidir v^{A3}; decidirse v^{A3D} a
penderfyniad *g*	una decisión *f*
penelin *g/b*	un codo *m*
penfeddw	mareado *adj*
teimlo'n benfeddw	estar v^{C10} mareado
penfeddwdod *g*	el vértigo *m*
pen-glin *g*	una rodilla *f*
penglog *b*	una calavera *f*; un cráneo *m*
pengwin *g*	un pingüino *m*
pennaeth *g*	[gwrywaidd] un jefe *m*; un patrón *m*; un director *m*; [benywaidd] una jefa *f*; una patrona *f*; una directora *f*
pennaf	principal *adj*
yn bennaf	principalmente
pennawd *g*	un título *m*

pennill *g*	una estrofa *f*
pennod	un capítulo *m*
penodi	nombrar v^{A1}
pen-ôl *g*	el trasero *m*; las nalgas *f pl*; el pompis *m*; [slang] el culo *m*
pensil *g*	un lápiz *m*
penstiff	cabezota *adj*; cabezudo *adj*; testarudo *adj*; terco adj
y **Pentecost** *g*	el Pentecostés *m*
pentref *g*	un pueblo *m*; una aldea *f*
pentwr *g*	un montón *m*
penwythnos *g*	un fin *m* de semana
penysgafn	mareado *adj*
teimlo'n benysgafn	estar v^{C10} mareado; sentirse v^{B7D} mareado
penysgafnder *g*	el vértigo *m*
peraroglus	perfumado *adj*
bod yn berchen (ar)	tener v^{C24}; poseer v^{A2}
perchennog *g*	[gwrywaidd] un dueño *m*; un propietario *m*; [gwesty, ayyb] un patrón *m* [benywaidd] una dueña *f*; una propietaria *f*; [gwesty, ayyb] una patrona *f*
peren *b*	una pera *f*
perffaith	perfecto *adj*
perfformiad *g*	una interpretación *f*; una función *f*; una actuación *f*; [drama] una representación *f*
perfformiwr *g*	un artista *m*; un actor *m*; un intérprete *m*
perfformwraig *b*	una artista *f*; una actriz *f*; una intérprete *f*
peri	causar v^{A1}; provocar v^{A1}
perlysiau *ll*	las hierbas *f pl* finas
persawr *g*	un perfume *m*
persli *g*	el perejil *m*
person *g*	una persona *f*; [eglwys] un pastor *m*
personol	personal *adj*
perswadio	persuadir v^{A3}
pert	bonito *adj*; mono *adj*; guapo *adj*; [AmL] lindo *adj*
perth *b*	un seto *m*
perthyn i	pertenecer v^{C5} a; ser v^{C23} miembro/socio/socia de; estar v^{C10} afiliado a; [teulu] ser v^{C23} pariente de

mae hwnna'n perthyn i mi	eso me pertenece; eso es mío
perthynas *g/b*	un pariente *m* / una parienta *f*; una relación *f*; las relaciones *f pl*
perygl *g*	un peligro *m*; un riesgo *m*
peryglus	peligroso *f adj*
Peru	Perú *m*
o Beru	peruano *adj*
peswch / pesychu	toser v^{A2}
petrol *g*	la gasolina *f*; [AmL] la bencina *f*
petrol di-blwm	la gasolina sin plomo
petrol gyda phlwm	la gasolina con plomo
petruso	vacilar v^{A1} en; dudar v^{A1} en
peth *g*	una cosa *f*; un objeto *m*; un chisme *m*
pethma g / *pethne* g	un chisme *m*
piano *g*	un piano *m*
chwarae piano	tocar v^{A1} el piano
fi biau hwnna	eso es mío
pib *b*	una pipa *f*
pibell *b*	un tubo *m*; un caño *m*; una tubería *f*; una cañería *f*
picnic *g*	una comida *f* en el campo; una merienda *f*; un picnic *m*
pig *b*	un pico *m*
pigiad *g*	una inyección *f*; un pinchazo *m*
rhoi pigiad i	pinchar v^{A1}; inyectar v^{A1}
pigo	picar v^{A1}; [dewis] elegir v^{C7}; escoger v^{C3}
pil *g*	la piel *f* [afal, taten]; la cáscara *f*
pili pala *g/b*	una mariposa *f*
pilio	pelar v^{A1}
pilion *ll*	las peladuras *f pl*; las mondaduras *f pl*
pilsen *b*	una píldora *f*
pin *g*	un alfiler *m*
pin cau / dwbl	un imperdible *m*
pinc	rosa *adj* [byth yn newid]
pinsio	pellizcar v^{A1}
pinsiaid *g*	una pizca *f*
pinwydden *b*	un pino *m*
Pisces	Piscis *m pl*
piti *g*	la pena *f*; la lástima *f*
dyna biti	¡qué pena!; ¡qué lástima!
pitw	diminuto *adj*; minúsculo *adj*
piwis	malhumorado *adj*

plac *g*	una placa *f*
plaen	liso *adj*
planed *b*	un planeta *m*
planhigfa *b* **fananas**	[AmL] un bananal *m*
planhigyn *g*	una planta *f*
planhigyn tŷ	una berenjena *f*
plastig	plástico *adj*
plastr *g*	[ar fraich, coes wedi ei thorri] la escayola *f*; [ar glwyf] una tirita *f*; el esparadrapo *m*; el yeso *m*; [AmL] una curita *f*
plasty *g*	una mansión *f*; una casa *f* solariega
plât *g*	un plato *m*
platfform *g*	un andén *m*; una vía *f*
plentyn *g*	[gwrywaidd] un niño *m*; [benywaidd] una niña *f*
plentyndod *g*	una niñez *f*; una infancia *f*
pleser *g*	un placer *m*; un gozo *m*
pleser	[peidiwch â sôn] de nada; ha sido un placer
plesio	gustar v^{A1}; complacer v^{C5} a
plicio	desplumar v^{A1}
plisgyn *g*	una cáscara *f*; [pys] una vaina *f*
plismon *g*	un policía *m*; un guardia civil *m*; [slang] un poli *m*
plismones *b*	una policía *f*; una guardia civil *f*; [slang] una poli *f*
ploryn *g*	un grano *m*; una espinilla *f*
plwg *g*	un enchufe *m*; [trydan] una clavija *f*; [sinc] un tapón *m*
plws	más
plwyf *g*	una parroquia *f*
plygu	doblar v^{A1}; torcer v^{C25}; [pen] bajar v^{A1}; inclinar(se) $v^{A1(D)}$
plymio	tirarse v^{D}; zambullirse v^{A3D}; bucear v^{A1}
plymio *g*	el salto *m* de trampolín; la zambullida *f*
plymio tanfor / tanddwr	el submarinismo *m*; el buceo *m*
pob	cada; todo *m* / toda *f* / todos *m pl* / todas *f pl*
pob lwc / hwyl	¡suerte!; ¡mucha suerte!; ¡ánimo!
pob un	cada (uno)

pobl *b* — la gente *f*; un pueblo *m*
pobl ifainc — los jóvenes *m pl*
poblogaeth *b* — una populación *f*
poblogaidd — popular *adj*
ym mhobman — en todas partes
pobydd *g* — [gwrywaidd] un panadero *m*; [benywaidd] una panadera *f*
poced *b* — un bolsillo *m*
poen *g* — un dolor *m*; [gair plentyn] la pupa *f*
mae gen i boen yn ... — me duele ...
poeni — preocupar(se) $v^{A1(D)}$; molestar v^{A1}; enojar v^{A1}; irritar v^{A1}; [slang] chinchar v^{A1}
paid â phoeni — no te preocupes
poenus — doloroso *adj*; penoso *adj*; pesado *adj*; irritante *adj*; molesto *adj*
poeri — escupir v^{A3}
poeth — caliente *adj*; caluroso *adj*; cálido *adj*
mae'n boeth — [tywydd] hace calor
rydw i'n boeth — tengo calor
poethi — calentar(se) $v^{A1(D)}$
pôl *g* **piniwn** — un sondeo *m*
polyn *g* — un palo *m*; un poste *m*; un asta *f*
pont *b* — un puente *m*
pop *g* — la gaseosa *f*
pop oren — una fanta de naranja *f*; un kas de naranja *f*
popty *g* — un horno *m*; una cocina *f*
yn y popty — en el horno
(popty) meicrodon — un microondas *m*
porc *g* — la carne *f* de cerdo; la carne *f* de puerco
porciwpîn *g* — un puerco *m* espín
porffor — morado *adj*; violeta [byth yn newid] *adj*; purpúreo *adj*
porffor golau — malva [byth yn newid] *adj*; de color lila
porslen *g* — la porcelana *f*
Portiwgal *b* — Portugal *m*
o Bortiwgal — portugués *adj*
Portiwgeaidd — portugués *adj*
portread *g* — un retrato *m*; una descripción *f*; una representación *f*

porth *g*	un portal *m*; [tŷ] un porche *m*; [eglwys] un pórtico *m*
porthladd *g*	un puerto *m*
pos *g*	un rompecabezas *m*; una adivinanza *f*; un acertijo *m*
pos chwilio am eiriau	una sopa *f* de letras
posibilrwydd *g*	una posibilidad *f*
posibl	posible *adj*
y **post** *g*	el correo *m*
post(yn) *g*	un poste *m*; una estaca *f*
poster *g*	un cartel *m*; un póster *m*
postio *v*	echar (al correo)
postio llythyr	echar v^{A1} una carta
postmon *g*	un cartero *m*
postmones *b*	una cartera *f*
pot *g*	una cazuela *f*; una olla *f*; [jam] un tarro *m*; [blodau] una maceta *f*; un tiesto *m*; [te] una tetera *f*; [coffi] una cafetera *f*
potel *b*	una botella *f*
potel ddŵr poeth	una bolsa *f* de agua caliente
potes *g*	un caldo *m*; una sopa *f*; un potaje *m*
praidd *g*	un rebaño *m*
prawf *g*	une prueba *f*; un examen *m*; [aml-ddewis] un test *m*
prawf adnabyddiaeth	un carné *m* de identidad; [yn Sbaen] un DNI *m* (documento Nacional de Identidad)
preifat	privado *adj*; particular *adj*; personal *adj*; secreto *adj*
pren *g*	la madera *f*
wedi'i wneud o bren	de madera
pren mesur	una regla *f*
pres *g*	[metel] el latón *m*; [arian] el dinero *m*; [AmL] la plata *f*
pres poced	la paga *f*
pridd *g*	la tierra *f*
prif	principal *adj*; primero *adj*
prifathro *g*	un director *m*
prifathrawes *b*	una directora *f*
prifddinas *b*	una capital *f*
y **Prif Weinidog** *g*	el primer ministro *m*
prifysgol *b*	una universidad *f*
priffordd *b*	una carretera *f* principal; una autovía *f*

prin	raro *adj*; poco común *adj*; poco frecuente *adj*; escaso *adj*
prin	apenas
prin byth	casi nunca; raramente; rara vez
bod yn brin o	faltar v^{A1}
rydw i'n brin o arian	me falta dinero
prinder *g*	una falta *f*; una carencia *f*
mae prinder ...	falta ...
priod	casado *adj*
pâr g *priod*	los esposos *m pl*
priodas *b*	una boda *f* [seremoni]; un matrimonio
priodi	casar(se) $v^{A1(D)}$
wedi priodi	casado *adj*
priodol	apropiado *adj*; adecuado *adj*; oportuno *adj*; correspondiente *adj*
pris *g*	un precio *m*
prisiau *ll*	la tarifa *f*; los precios *m pl*
problem *b*	una dificultad *f*; un problema *m*
profi	probar v^{B1}; catar v^{A1}; [blasu] degustar v^{A1}
profiad *g*	una experiencia *f*
profiad gwaith	la experiencia laboral
proffesiynol	profesional *adj*
proffwyd *g*	un profeta *m*
proffwydes *b*	una profetisa *f*
proffwydo	profetizar v^{A1}; predecir v^{C9}; vaticinar v^{A1}
prosesydd *g* **geiriau**	un procesador *m* de textos
prosiect / project *g*	un proyecto *m*
protein *g*	la proteína *f*
pryd *g*	[bwyd] una comida *f*
pryd	cuándo
ar hyn o bryd	de momento
mae'n hen bryd ...	¡ya era hora!; ya es hora de...
mewn pryd	a tiempo; con tiempo
mewn union bryd	justo a tiempo
o bryd i'w gilydd	de vez en cuando
(ar) yr un pryd	a la vez; al mismo tiempo
Prydain *b* **Fawr**	Gran Bretaña *f*
Prydeinig	británico *adj*
pryder *g*	la ansiedad *f*
pryderus	ansioso *adj*; preocupado *adj*; inquieto *adj*
prydferth	hermoso *adj*; bello *adj*; precioso *adj*

pryf *g*	un insecto *m*; un bicho *m*
pry(f) copyn	una araña *f*
pry(f) genwair	una lombriz *f*; un gusano *m*
prynhawn *g*	una tarde *f*
prynu	comprar v^{AI}
prysur	ocupado *adj*; activo *adj*; ajetreado *adj*; animado *adj*; [lle] concurrido *adj*
prysurdeb *g*	la actividad *f*
o **Puerto Rico**	[AmL] portorriqueño *adj*; puertorriqueño *adj*
pum, pump	cinco
pum deg	cincuenta
un deg pump	quince
pumed	quinto *adj*
punt *b*	una libra *f*
pupur *g*	[a halen] la pimienta *f*; [llysieuyn] un pimiento *m*
pur	puro *adj*
purfa *b*	una refinería *f*
pwdin *g*	un postre *m*
pŵdl *g*	un / una caniche *m* / *f*
pŵl *g*	el billar *m* americano
pwll *g*	una charca *f*; un estanque *m*
pwll glo	una mina *f* de carbón
pwll nofio	una piscina *f*
pwll nofio awyr agored	una piscina descubierta
pwll nofio dan do	una piscina cubierta
pwmp *g*	una bomba *f*
pwnc *g*	un sujeto *m*; un tema *m*
pwnc ysgol	una asignatura *f*; una materia *f*
pwrpas *g*	un propósito *m*; un objetivo *m*
pwrs *g*	un monedero *m*
pwy	quién; quienes (lluosog)
pwy sy' na?	¿Quién es?
pwy ydy e(f)o?	¿Quién es?
Gwlad *b* **Pwyl**	Polonia *f*
o Wlad Pwyl	polaco *adj*
Pwylaidd	polaco *adj*
pwynt *g*	un punto *m*
does dim pwynt	no merece la pena
pwyntio at	señalar v^{AI}
pwys *g*	[wrth bwyso = 16 owns] una libra *f*; [pwysigrwydd] la importancia *f*

ar bwys	cerca de
dydy e(f)o ddim o bwys	no importa; da igual; no pasa nada
pwysau *g*	[mewn cilos ayyb] un peso *m*; [straen] una presión *f*
pwysedd *g*	la presión *f*
pwysig	importante *adj*
pwysigrwydd *g*	la importancia *f*
pwysleisio	subrayar v^{A1}; recalcar v^{A1}; hacer v^{C14} hincapié en; enfatizar v^{A1}
pwyso	pesar v^{A1}; apoyar(se) $v^{A1(D)}$; presionar v^{A1}
pyjama(s) *g ll*	un pijama *m*; [AmL] un piyama *m*
pymtheg	quince
tua phymtheg	una quincena *f*
pyped *g*	un títere *m*; una marioneta *f*
pysen *b*	[AmL] la arveja *b*; un chícharo *m*
pys *ll*	los guisantes *m pl*
pys gleision	los guisantes de olor
pysgodyn *g*	un pez *m*; un pescado *m*
pysgodyn aur	un pez de colores
pysgota *g*	la pesca *f*
mynd i bysgota	ir v^{C16} de pesca
pysgotwr *g*	un pescador *m*
pysgotwraig *b*	una pescadora *f*
pythefnos *g/b*	quince días *m pl*; una quincena *f*

raced *b*	una raqueta *f*
radio *g/b*	la radio *f*
radis *g*	un rábano *m*
raffl *b*	una rifa *f*; un sorteo *m*
rafftio *g*	el rafting *m*
rai troeon	pocas veces
raliwr *g*	un piloto *m* de rally
raliwraig *b*	una piloto *f* de rally
ras *b*	una carrera *f*
realistig	realista *adj*
record *g/b*	un disco *m*; un récord *m*; [chwaraeon] una marca *f*
recorder *g*	una flauta *f* dulce
recordiad *g*	una grabación *f*
recordio	grabar v^{A1}
recordydd g *fideo*	un vídeo
recordydd g *tâp*	un magnetófono *m*; una grabadora *f*; un casete *m*
reid(en) *b*	un paseo *m*; [parc hamdden, ffair] una atracción *f*
reid ar gefn beic	un paseo / una vuelta *f* en bicicleta; una excursión *f* en bicicleta
reis *g*	el arroz *m*
reit	bastante
reslo *g*	la lucha *f* libre
reslo	luchar v^{A1}
rihyrsal *g*	un ensayo *m*
o **Rio de Janeiro**	[AmL] carioca *adj*
riwler *g*	una regla *f*
robin *g* **goch**	un petirrojo *m*
robot *g*	un robot *m*
roced *b*	un cohete *m*
roedd (yna)	había
roeddwn i	yo era; yo fui (o **ser** v^{C23}); yo estaba; yo estuve (o **estar** v^{C10})
ruban *g*	una cinta *f*
rŵan	ahora
rwber *g*	una goma *f*; el caucho *m*
wedi'i wneud o rwber	de goma *m*
rwm *g*	el ron *m*
Rwsia *b*	Rusia *f*
o Rwsia	ruso *adj*
Rwsiaidd	ruso *adj*

rwyt ti — tú eres (o **ser** *v*[C23]); tú estás (o **estar** *v*[C10])

rydw i — yo soy (o **ser** *v*[C23]); yo estoy (o **estar** *v*[C10])

rydych chi — vosotros sois; vosotras sois; usted es; ustedes son (o **ser** *v*[C23]); vosotros estáis; vosotras estáis; usted está; usted está (o **estar** *v*[C10])

rydyn ni — nosotros somos; nosotras somos (o **ser** *v*[C23]); nosotros estamos; nosotras estamos (o **estar** *v*[C10])

rygbi *g* — el rugby *m*

rysáit *b* — una receta *f*

rhaca *g/b*	un rastrillo *m*
rhacsyn *g*	un trapo *m*
rhad	barato *adj*
yn rhad	barato
rhaeadr *b*	una cascada *f*; un salto *m* de agua; una catarata *f*
rhaff *g*	una cuerda *f*; una soga *f*; una maroma *f*
rhag ofn	por si; por si acaso; por temor a; por miedo a
rhagfarn *b*	un prejuicio *m*
Rhagfyr *g*	diciembre *m*
rhaglen *b*	un programa *m*
rhaglen ddogfen	un documental *m*
rhaglen gyfrifiadur(ol)	un programa de ordenador
rhaglennu	[cyfrifiaduron] programar v^{A1}
rhaglennydd *g*	[gwrywaidd] un programador *m*; un informático *m*; [benywaidd] una programadora *f*; una informática *f*
rhagolygon *ll*	las perspectivas *f pl*; la previsión *f*; [y tywydd] el pronóstico *m*
rhagorol!	¡qué bien!
rhagweld	prever v^{C29}
rhai	algunos *m adj*; algunas *f adj*; ciertos *m adj*; ciertas *f adj*
y rhai	esos / esas; aquellos / aquellas; los que / las que; los cuales; las cuales
y rhai acw	esos / esas; aquellos / aquellas
rhai metrau i ffwrdd	a algunos metros
rhai pobl	algunos; algunas personas
bod rhaid	deber v^{A2}; tener v^{C24} que
bu raid	había que; hubo que (o **haber** v^{C13})
bu raid i mi	tuve que (o **tener** v^{C24}); debía (o **deber** v^{A2})
(mae'n) rhaid ...	hay que…
rhaid ei fod / bod	él / ella tiene que (o **tener** v^{C24}); él / ella debe (o **deber** v^{A2})
rhaid i mi / fy mod	yo tengo que (o **tener** v^{C24}); yo debo (o **deber** v^{A2})
rhaid iddo / iddi	él / ella tiene que (o **tener** v^{C24}); él / ella debe (o **deber** v^{A2})
rhaid iddynt / eu bod	ellos / ellas deben (o **deber** v^{A2}); ellos / ellas tienen que (o **tener** v^{C24})

y **rhain**	éstos / éstas
rhamantus	romántico *adj*
rhan *b*	una parte *f*; [drama] un papel *m*
bod yn rhan o	ser v^{C23} parte de; participar v^{A1} en
cymryd rhan yn / mewn	participar v^{A1} en
o'm rhan i	por mi parte; en lo que a mí se refiere; lo que es a mí
y rhan fwyaf	la mayoría *f*; la mayor parte *f*
rhanbarth *g*	una región *f*
rhannu	compartir v^{A3}; dividir v^{A3}
rhaw *b*	una pala *f*
rhedeg	correr v^{A2}; dirigir v^{C12}; llevar v^{A1}
rhedeg i ffwrdd	huir v^{C15}; escaparse v^{D}; fugarse v^{D}; evadir v^{A3}
rhedwr *g*	un corredor *m*
rhedwraig *b*	una corredora *f*
rheng *b*	una fila *f*; una hilera *f*; un rango *m*
rheng dacsis	una parada *f* de taxis
rheilffordd *b*	un ferrocarril *m*
rheilffordd halio	un funicular *m*
rheinoseros *g*	un rinoceronte *m*
y **rheiny / rheina**	ésos; ésas; aquéllos; aquéllas
rheithgor *g*	un jurado *m*
rhentu	alquilar v^{A1}
rheol *b*	una regla *f*
rheolaidd	regular *adj*; uniforme *adj*
yn rheolaidd	regularmente; con regularidad
rheolau'r ffordd fawr	el código *m* de la circulación
rheoli	gobernar v^{B2}; dirigir v^{C12}; dominar v^{A1}; controlar v^{A1}
rheolwr *g*	un director *m*; un gerente *m*; un patrón *m*
rheolwraig *b*	una directora *f*; una gerente *f*; una patrona *f*
rhes *b*	una fila *f*; una hilera *f*
rhesel *b*	una rejilla *f*
rhesel gotiau	un perchero *m*
rhesin *ll*	las pasas *f pl*; las uvas pasas *f pl*
rhestr *b*	una lista *f*
rhestr brisiau	una tarifa *f*
rhestr siopa	una lista de compras
rheswm *g*	una razón *f*
rhesymegol	lógico *adj*

rhesymol — razonable *adj*; moderado *adj*
rhew *g* — el hielo *m*
rhewgell *b* — un congelador *m*
rhewi — congelar(se) $v^{A1(D)}$; helar(se) $v^{B2(D)}$
rhieni *ll* — los padres *m pl*
rhif *g* — un número *m*
rhif cofrestru — un número de matrícula
rhifol *g* — un número *m*
rhifolion Rhufeinig — los números romanos
rhifyddeg *b* — la aritmética *f*
rhifyn *g* — un número *m*; una entrega *f*
rhisgl *g* — la corteza *f*
rhodfa *b* — una avenida *f*; un paseo *m*; una alameda *f*
rhoi — dar v^{C8}; entregar v^{A1}; poner v^{C18}; meter v^{A2}; colocar v^{A1}; [yn anrheg] regalar v^{A1}
rhoi ... amdanoch — poner v^{C18}
rhoi (i lawr) — dejar v^{A1} (en el suelo); poner v^{C18}; bajar v^{A1}; [ffôn] colgar v^{B1}
rhoi ymlaen — avanzar v^{A1}; adelantar v^{A1}; encender v^{B3}; [golau] poner v^{C18}
rhoi'n ôl — poner v^{C18} otra vez en su sitio; devolver v^{B4}
rholio — ir v^{C16} rodando; rodar v^{B1}; hacer v^{C14} rodar
rhost — asado *adj*
rhosyn *g* — una rosa *f*
rhuban *g* — una cinta *f*
Rhufain — Roma
o Rufain — romano *adj*
Rhufeinig — romano *adj*
rhuthro — darse v^{C8D} prisa; apresurarse v^{D}
rhwbiwr *g* — una goma *f*
rhwng — entre
rhwyd *b* — una red *f*
rhwydwaith *g* — una red *f*
rhwydd — fácil *adj*
rhwyf *b* — un remo *m*; un timón *m*
rhwyfo — remar v^{A1}
rhwygo — romper v^{A2}; rasgar v^{A1}
rhwymiad *g* — una encuadernación *f*

rhwymo atar v^{A1}; sujetar v^{A1}; [clwyf] vendar v^{A1}; [llyfrau] encuadernar v^{A1}

rhwymyn *g* [ar friw] una venda *f*

rhy demasiado

rhybudd *g* una advertencia *f*; un aviso *m*

rhybuddio advertir v^{B7}; avisar v^{A1}

rhydd libre *adj*; suelto *adj*

rhyddid *g* la libertad *f*

rhyfedd extraño *adj*; raro *adj*; curioso *adj*

rhyfeddod *g* el asombro *m*; una maravilla *f*

rhyfeddu asombrarse v^{D}; extrañarse v^{D}

rhyfel *g/b* una guerra *f*

rhyngrwyd *b* el internet *m*

rhythmig rítmico *adj*

rhyw algún *m adj*; alguna *f adj*; algunos / algunas *m / f pl adj*

rhyw ddiwrnod / ddydd un día de éstos

rhywbeth algo

rhywfaint *g* un poco *m*

rhywle (neu'i gilydd) en alguna parte; a alguna parte

rhywle arall en otra parte; a otra parte; en otro sitio

rhywogaeth *b* une especie *f*

rhywun *g* alguien

rhywun arall otra persona

sach *b*	un saco *m*
sach deithio	una mochila *f*; un macuto *m*
sach gysgu	un saco de dormir
Saesneg *b*	[yr iaith] el inglés *m*
Saesneg	inglés *adj*
Saesnes *b*	una inglesa *f*
saeth *b*	una flecha *f*
saethu	tirar v^{A1}; disparar v^{A1}; matar v^{A1} de un tiro; fusilar v^{A1}
saethyddiaeth *b*	el tiro con arco *m*
safle *g*	un lugar *m*; un sitio *m*; una parcela *f*
safle adeiladu	un solar *m*
safon *b*	un estándar *m*; un nivel *m*; una calidad *f*
Sagitariws	Sagitario *m*
saib *g*	un descanso *m*; una pausa *f*
sain *b*	un sonido *m*
effeithiau sain	los efectos *m pl* sonoros
Sais *g*	un inglés *m*
saith	siete
un deg saith	diecisiete
saith deg	setenta
sâl	enfermo *adj*; malito *adj*; malo *adj*
yn sâl	mal
teimlo'n sâl	sentirse v^{B7D} mal; estar v^{C10} mareado; marearse v^{D}; tener v^{C24} nauseas; [taflu i fyny] tener v^{C24} ganas de vomitar
salad *g*	una ensalada *f*
salad ffrwythau	una macedonia *f* de frutas
salw	feo *adj*
salwch *g*	una enfermedad *f*
salwch môr	el mareo *m*
salwch teithio	el mareo *m*
salwch uchder	[AmL] el soroche *m*
salwch y mynyddoedd	[AmL] el soroche *m*
samwn *g*	un salmón *m*
sanau *ll*	[byr] los calcetines *m pl*; [merched] las medias *f pl*
sanctaidd	sagrado *adj*; santo *adj*
San Salvador	San Salvador *m*
o San Salvador	sansalvadoreño *adj*
Santa Clôs *g*	Papá Noel *m*

sardîn *g*	una sardina *f*
sarff *b*	una serpiente *f*
sawl (un)	muchos *adj pl*
sawl	cuántos *adj pl*
sawl gwaith?	¿cuántas veces?
saws *g*	una salsa *f*
saws afalau	una compota *f* de manzana
saws chili	una salsa de ají
saws tomato	una salsa de tomate
Sbaen *b*	España *f*
o Sbaen	español *adj*
Sbaeneg *b*	[yr iaith] el español *m*
Sbaeneg / Sbaenaidd	español *adj*
sbaniel *g*	un spaniel *m*
sbatiwla *b*	una espátula *f*
sbectol *b*	las gafas *f pl*
sbectol haul	las gafas de sol
sbeisys *ll*	las especias *f pl*
sbinaits *g*	las espinacas *f pl*
sboncen *b*	el squash *m*
sbwng *g*	una esponja *f*
sebon *g*	un jabón *m*
sebra *g*	una cebra *f*
croesfan f *sebra*	un paso *m* de peatones; un paso de cebra
sedd *b*	un asiento *m*; una sede *f*; [beic] una silla *f*; [theatr] una localidad *f*
sefwch!	¡levantáos!; Levantaros!; ¡Levántese!; ¡Levántense!
sefydlog	estable *adj*; fijo *adj*; permanente *adj*; establecido *adj*
sefydlu	establecer v^{C5}; fundar v^{A1}
sefyll	estar v^{C10} de pie; estar v^{C10}
yn sefyll	de pie; derecho *adj*
sefyll arholiad	presentarse v^{D} a un examen
sefyllfa *b*	una situación *f*
sefyllian	esperar v^{A1}; holgazanear v^{A1}
segur	vago *adj*; [diog] perezoso *adj*; [di-waith] desocupado *adj*;
sengl	soltero *adj*; [tocyn] de ida; sencillo *adj*; [gwely, ystafell] individual
seiciatrydd *g*	un / una psiquiatra *m / f*
seiclo *g*	el ciclismo *m*

lôn b *seiclo* — un carril *m* de bicicleta; una pista *f* de ciclismo; una senda *f* para ciclistas

seidr *g* — la sidra *m*

seimllyd — grasiento *adj*

seinio — sonar v^{A1}

Seisnig — inglés *adj*

sêl *b* / **sêls** *ll* — las rebajas *f pl*

Seland Newydd *b* — Nueva Zelanda *f*

o Seland Newydd — neozelandés *adj*

seler *b* — un sótano *m*; [gwin] una bodega *f*

selsgi *g* — un perrito *m* caliente; un hot dog *m*

selsigen *b* — un chorizo *m*; una salchicha *f*; [i'w choginio] una longaniza *f*; [fawr, sych, o deip salami] un salchichón *m*; un embutido *m*; una morcilla *f*

serch *g* — el amor *m*

serch hynny — sin embargo; no obstante

serchog / serchus — simpatico *adj*; agradable *adj*; amable *adj*

seremoni *b* — una ceremonia *f*

seren *b* — [pob ystyr] una estrella *f*; [ffilm] un / una protagonista *m/f*

sero *g* — un cero *m*

serth — empinado *adj*; escarpado *adj*

sesiwn *g* — una sesión *f*; [sinema, theatr] una función *f*

set *b* — un juego *m*; una serie *f*; una colección *f*

set deledu — un televisor *m*

set radio — una radio *f*

setlo — arreglar v^{A1}; resolver v^{B4}; calmar v^{A1}; tranquilizar v^{A1}

sgarff *g* — una bufanda *f*; un pañuelo *m*; [tenau] un foulard *m*

sgerbwd *g* — un esqueleto *m*

sgert *b* — una falda *f*; [AmL] una pollera *f*

sgert fini — una minifalda *f*

sgêt *b* — un patín *m*

sgio — hacer v^{C14} esquí; esquiar v^{C11}

sgio *g* — el esquí *m*

sgio dŵr — el esquí náutico

llain b /*llethr* b *sgio* — una pista *f* de esquí

siwt b *sgio*	un traje *m* de esquiar
tref b *wyliau sgio*	una estación *f* de esquí
sglefrio	patinar v^{A1}; hacer v^{C14} patinaje; patinar v^{A1} sobre hielo
sglefrio *g*	el patinaje *m*
sglefrio ffigyrau	el patinaje artístico
sglefrolio	ir v^{C16} en patines de ruedas; hacer v^{C14} patinaje sobre ruedas
sgleinio	pulir v^{A3}; encerar v^{A1}
â sglein arno / arni	pulido *adj*
rhoi sglein ar	pulir v^{A3}; encerar v^{A1}
sglodion *ll*	las patatas *f pl* fritas
sgôr *g*	el resultado *m*; la puntuación *f*
Beth yw'r sgôr?	¿Cómo va el marcador?; ¿Cómo van?
sgorio	marcar v^{A1}
Sgorpio	Escorpion *m*
sgowt *g*	[gwrywaidd] un explorador *m*; [sinema, chwaraeon] un cazatalentos *m*; [benywaidd] una exploradora *f*; [sinema, chwaraeon] una cazatalentos
sgrialu	montar v^{A1} en monopatín
bwrdd g *sgrialu*	un monopatín *m*
sgrîn *b*	una pantalla *f*
sgriwio	atornillar v^{A1}
sgwâr	cuadrado *adj*
sgwâr *g*	un cuadrado *m*; [gwyddbwyll] una casilla *f*; [mewn tref] una plaza *f*
sgwarog	a cuadros
sgwrs *b*	una conversación *f*; una charla *f*; [AmL] una plática *f*
sgwrsio	hablar v^{A1}; charlar v^{A1}; [AmL] platicar v^{A1}
sgŵter *g*	un escúter *m*; una moto *f*; [plentyn] un patinete *m*
siaced *b*	una chaqueta *f*; una americana *f*; [AmL] un saco *m*
siaced achub *bywyd*	un chaleco *m* salvavidas
siafio	afeitarse v^{D}
sialots *ll*	los chalotes *m pl*
siampaen *g*	el champán *m*
siampŵ *g*	un champú *m*
sianel *b*	un canal *m*; [teledu] una cadena *f*

y Sianel b	el Canal de la Mancha *f*
siâp *g*	una forma *f*
siarad	hablar v^{A1}; [AmL] platicar v^{A1}
siaradus	hablador *adj*
siarc *g*	un tiburón *m*; una tintorera *f*
siawns *b*	el azar *m*; la casualidad *f*; una oportunidad *f*; una ocasión *f*
ar siawns	por casualidad
sibrwd	cuchichear v^{A1}; susurrar v^{A1}
sibwn(s) *ll*	las cebolletas *f pl*; los cebollinos *m pl*
sicrhau	asegurar v^{A1}; conseguir v^{B5}
sidan *g*	la seda *f*
wedi'i wneud o sidan	de seda
siec *b*	un cheque *m*
siec deithio	un cheque de viajero
sied *b*	un cobertizo
sifft *b*	[gweithwyr] una tanda *f*; [gwaith] un turno *m*
sifft nos	un turno de noche; una tanda de noche
sigarét *b*	un cigarrillo *m*; un cigarro *m*
siglen *b*	un columpio *m*
siglo	mecer v^{C27}; balancear v^{A1}; columpiar v^{A1}
silff *b*	un estante *m*; una balda *f*; una tabla *f*
sillafu	deletrear v^{A1}
cael ei sillafu	escribirse v^{A3D}
simnai *b*	una chimenea *f*
simpansî *g*	un chimpancé *m*
sinc *b*	un fregadero *m*
sinema *b*	un cine *m*
sioc *g/b*	un shock *m*; un susto *m*; un choque *m*; una sacudida *f*; [trydan] una descarga *f*
siocled *g*	el chocolate *m*
sioe *b*	un espectáculo *m*; una exposición *f*; una función *f*
sioe ffasiwn	un pase *m* de modelos; un desfile *m* de modelos
Siôn Corn *g*	Papá Noel *m*
sionc	ágil *adj*; vivaz *adj*; enérgico *adj*
siop *b*	una tienda *f*; un almacén *m*
dyn g *siop*	un dependiente *m*
dynes g *siop*	una dependienta *f*

siop bapur newydd	una tienda de periódicos
siop bapur ysgrifennu	una papelería *f*
siop bysgod	una pescadería *f*
siop cyw iâr wedi'i rostio	[AmL] una rosticería *f*
siop emau	una joyería *f*
siop fach	[AmL] un expendio *m*
siop faco	un estanco *m*; una tabaquería *f*
siop fara	una panaderia *f*
siop fawr / adrannol	un almacén *m*; [AmL] un emporio *m*
siop fenthyg fideo	una videoteca *f*
siop flodau	una floristería *f*; una tienda de flores
siop fwyd / y groser	una tienda de comestibles; [AmL] una abarrotería *f*; un boliche *m*
siop fferins / felysion	una tienda de chucherías
siop fferyllydd	una farmacia *f*
siop ffrwythau	una frutería *f*
siop gacennau	una pastelería *f*
siop gig	una carnicería *f*
siop gig oer	una chacinería *f*
siop lyfrau	una libreria *f*
siop nwyddau haearn	una ferretería *f*; una quincallería *f*
siop trin gwallt	una peluquería
(mynd i) siopa	hacer v^{C14} las compras; ir v^{C16} de compras; ir v^{C16} de tiendas
siopwr *g*	un tendero *m*; [AmL] un almacenero *m*
siopwraig *b*	una tendera *f*; [AmL] una almacenera *f*
siorts *ll*	los pantalones *m pl* cortos
siorts beicio	los culotes *m pl*; los culottes *m pl*
siorts Bermiwda	las bermudas *f pl*
siriol	alegre *adj*
siswrn *g*	las tijeras *f pl*
siwgr *g*	el azúcar *m*
gyda / efo / â siwgr	azucarado *adj*
siwmper *b*	un jersey *m*; un suéter *m*; [AmL] una chomba *f*; una chompa *f*
siŵr	seguro *adj*; cierto *adj*
siŵr iawn	claro; naturalmente; ¿Cómo no?
siwrnai *b*	un viaje *m*; un trayecto *m*
siwrnai dda i ti / chi!	¡buen viaje!
siwt *b*	un traje *m*
siwt jogio / loncian	un chandal *m*
siwt sgio	un traje de esquí
siwtio	quedar v^{A1} bien a; sentar v^{B2} bien a; convenir v^{C28}; venir v^{C28} bien a

sled *b* — un trineo *m*
sleisen *b* — [bara] una rebanada *f*; [selsig, caws, ham] una loncha *f*; [cig] una tajada *f* ; [cacen] un trozo *m*
sleisen gron — una rodaja *f*
slipan *b* / **sliper** *b* — una zapatilla *f*
slogan *g* — un slogan *m*; un lema *m*
smala — gracioso *adj*
smocio — fumar v^{A1}
smociwr *g* — un fumador *m*
smocwraig *b* — una fumadora *f*
smotiau *ll* — los lunares *m pl*; las manchas *f pl*
â smotiau arno / arni — con lunares
smwddio — planchar v^{A1}
haearn g *smwddio* — una plancha *f*
snwcer *g* — el snooker *m*; el billar *m* inglés
soced *b* **drydan** — una clavija *f*; un enchufe *m*
soddgrwth *g* — un contrabajo *m*
soffa *b* — un sofá *m*
sôn (am) — hablar v^{A1} (de); mencionar v^{A1}
sosban *b* — una cacerola *f*; un cazo *m*
soser *b* — un platillo *m*
stad *b* — una finca *f*; una hacienda *f*
stad dai — una urbanización *f*; una zona *f* residencial
stad ddiwydiannol — un polígono *m* industrial
stadiwm *b* — un estadio *m*
staff *g* — un personal *m*
staff golygyddol — una redacción *f*
stamp *g* — un sello *m*; un timbre *m*
stampio — sellar v^{A1}; marcar v^{A1} con sello; estampar v^{A1}
stecen *b* — un bistec *m*; un filete *m*; [AmL] un bife *m*
stecen farbeciw — un churrasco *m*
steil *g* — un estilo *m*; una moda *f*; [gwallt] un peinado *m*
stêm *g* — el vapor *m*
stemar *b* — un (buque de) vapor
stereo *g* — un equipo *m* estereofónico
sticer *g* — una pegatina *f*; una etiqueta *f*
sticio — pegar v^{A1}
stiff — duro a*dj*; tieso *adj*; rígido *adj*

stiw *g*	un cocido *m*; un estofado *m*; [cig] un guisado *m*; [ffrwythau] una compota *f*
stof *b*	un horno *m*; una cocina *f*
stof bwten	una cocina de butano
stof nwy	una cocina de gas
stôl *b*	un taburete *m*; un escabel *m*
stôl blygu	una silla *f* de tijera
stondin *b*	un puesto *m*
stondinwr *g*	un dueño *m* de un puesto
stondinwraig *b*	una dueña *f* de un puesto
stop *g*	una parada *f*
stopio	parar v^{A1} (de); detener(se) $v^{C24(D)}$; dejar v^{A1} de
stori *b*	una historia *f*; un cuento *m*
stori ddarluniau / mewn darluniau	una fotonovela *f*
stori dditectif	una novela *f* policíaca
stori gyfres	una novela *f* por entregas
storm *b*	una tormenta *f*; una tempestad *f*
streic *b*	una huelga *f*
streicio	ponerse v^{C18D} en huelga
streipen *b*	una raya *f*
streipiog	de rayas; a rayas; rayado *adj*
stribed *g*	una tira *f*
stribed cartŵn	un cómic *m*; un tebeo *m*; una historieta *f*
strôc *b*	[pen] una plumada *f*; [brwsh] una pincelada *f*; [meddygol] un derrame *m* cerebral; una apoplejía *f*
stryd *b*	una calle *f*
stryd fawr	una calle mayor; una calle principal
stryd lydan	una avenida *f*; un paseo *m*
stryd unffordd	una calle de dirección única
stumog *b*	un estómago *m*; una barriga *f*
wedi'i stwffio	relleno *adj*
sudd *g*	el zumo *m*; el jugo *m*
sudd ffrwythau	un zumo de frutas
sudd oren	un zumo de naranja
sugno	chupar v^{A1}
sugnydd *g* **llwch**	un aspirador *m*; una aspiradora *f*
y **Sulgwyn** *g*	el Pentecostés *m*

sut	cómo
sut bynnag	de todas formas; de todas maneras
sut mae?	¿Cómo está(s)?; ¿Qué tal?
sut mae pethau'n mynd?	¿Qué tal?
sut un yw / ydy ...?	¿Cómo es ...?
sut un yw e / ydy e(f)o?	¿Cómo es?
sut wyt ti / ydych chi?	¿Cómo está(s)?; ¿Qué tal?
sut (yd)ych chi?	¿Cómo está(n)?; ¿Cómo estáis?; ¿Qué tal?
sw *g*	un zoo *m*; un jardín *m* zoológico; un parque *m* zoológico
swêd *g*	el ante *m*
Swedaidd	sueco *adj*
Sweden *b*	Suecia *f*
o Sweden	sueco *adj*
swigen *b*	una burbuja *f*; [ar y croen] una ampolla
swigen siarad	[mewn comic / cartŵn] un bocadillo *m*
swil	tímido *adj*; reservado *adj*; huraño *adj*
Swisaidd / Swistirol	suizo *adj*
y **Swistir** *g*	Suiza *f*
o'r Swistir	suizo *adj*
sŵn *g*	un ruido *m*; un sonido *m*; un son *m*
swnio	sonar v^{B1}
swnllyd	ruidoso *adj*
swper *g*	una cena *f*
sws *g/b*	un beso *m*
swsus mawr	[ar ddiwedd llythyr] un beso muy grande; un beso muy fuerte; besos
swydd *b*	un empleo *m*; un puesto *m*; un trabajo *m*; una profesión *f*; [slang] un curre *m*
swyddfa *b*	una oficina *f*; un despacho *m*
swyddfa bost	correos *m*; una oficina de correos
swyddfa docynnau	una taquilla *f*
swyddfa dwristiaeth	una oficina de turismo
swyddfa eiddo coll	una oficina de objetos perdidos
swyddfa gadael bagiau	la consigna *f*
swyddfa gofalwr	una conserjería *f*; una portería *f*
swyddfa heddlu	una comisaría *f*
swyddfa hysbysrwydd	una oficina de información
swyddfa'r prifathro	la oficina del director
swyddfa'r brifathrawes	la oficina de la directora
rhestr swyddi ar gael / gwag	las ofertas *f pl* de trabajo

sych	seco *adj*
sychder *g*	una sequía *f*
syched *g*	la sed *f*
bod â syched / yn sychedig	tener v^{C24} sed
sychu	secar v^{A1}; limpiar v^{A1}
sychwr *g* **gwallt**	un secador *m* de pelo
sydyn	repentino *adj*; súbito *adj*; inesperado *adj*
yn sydyn	de repente; de pronto
sydd	que
sylwebaeth *b*	un comentario *m*; un reportaje *m*
sylweddoli	darse v^{C8D} cuenta
sylwedydd *g*	[gwrywaidd] un observador *m*; [benywaidd] una observadora *f*
sylwi (ar)	notar v^{A1}; fijarse v^{D} en; darse v^{C8D} cuenta
sym *b*	una suma *f*; una adición *f*
symbol *g*	un símbolo *m*
symbylu	inspirar v^{A1}
syml	sencillo *adj*; simple *adj*
symud	mover(se) $v^{B4(D)}$ cambiar v^{A1} de sitio; trasladar(se) v^{D}; [tŷ] mudarse v^{D}
symud ymlaen	avanzar v^{A1}; adelantarse v^{D}
symud ymlaen i	pasar v^{A1} a
symud yn ôl / nôl	hacer v^{C14} retroceder; retroceder v^{A2}; retirarse v^{A1D}; [tŷ] volver v^{B4} a mudarse a
symudiad *g*	un movimiento *m*
syndod *g*	el asombro *m*; la sorpresa *f*
syniad *g*	una idea *f*
synnu	asombrar(se) $v^{A1(D)}$; extrañar(se) $v^{A1(D)}$; sorprender(se) $v^{A2(D)}$
synnwyr *g*	un sentido *m*
synth(eseisydd) *g*	un sintetizador *m*
synthetig	sintético *adj*
Syr *g*	señor *m*
syrcas *b*	un circo *m*
syrffio *g*	el surf *m*
syrffio	hacer v^{C14} el surf;
syrffio'r We	navegar v^{A1} por la red
syrpreis *g*	una sorpresa *f*
syrthio	caer(se) $v^{C1(D)}$
system *b*	un sistema *m*

system awyru/dymheru el aire *m* acondicionado; la climatización *f*

system hi-fi un sistema de alta fidelidad

yn syth directamente

yn syth (bin) en seguida; inmediatamente

yn syth ymlaen todo derecho; todo recto

sythu enderezar(se) $v^{AI(D)}$

ta waeth	de todas formas
tabled *b*	una pastilla *f*; un comprimido *m*
taclus	ordenado *adj*; arreglado *adj*
tacluso	ordenar v^{A1}; arreglar v^{A1}
tacsi *g*	un taxi *m*
Tachwedd *g*	noviembre *m*
tad *g*	un padre *m*; un papá *m*
tad-cu *g*	un abuelo *m*
tad-cu a mam-gu	los abuelos *m pl*
tad-yng-nghyfraith *g*	un suegro *m*
taenu	extender v^{B3}; [menyn] untar v^{A1}
tafarn *g/b*	un bar *m*; una tasca *f*; un pub *m*; una taberna *f*
tafell *b*	una rebanada *f*
taflen *b*	una hoja *f*
taflu	tirar v^{A1}; echar v^{A1}; arrojar v^{A1}; lanzar v^{A1}
taflu i fyny	devolver v^{B4}; vomitar v^{A1}; lanzar v^{A1} al aire; echar v^{A1} al aire
taflu'n ôl	devolver v^{B4}; echar v^{A1} para atrás; rechazar v^{A1}
tafod *g*	una lengua *f*
tafodiaith *b*	un dialecto *m*
tagfa *b* **draffig**	un atasco *m*; un embotellamiento *m*; [AmL] un atorón *m*
taid *g*	un abuelo *m*
taid a nain	los abuelos *m pl*
tail *g*	el estiércol *m*; los excrementos *m pl*
tair / tri	tres
taith *b*	un viaje *m*; un trayecto *m*
taith adre(f) / yn ôl	un regreso *m*; una vuelta *f* (a casa); un retorno *m*
taith gerdded	una caminata *f*; una excursión *f* a pie
taith gyfnewid	un intercambio *m*
mynd ar daith gyfnewid	hacer v^{C14} un intercambio
tal	alto *adj*
tâl *g*	un sueldo *m*; un salario *m*; una paga *f*
talcen *g*	una frente *f*; [tŷ] un hastial *m*
taldra *g*	la estatura *f*; la altura *f*
talentog	dotado *adj*; talentoso *adj*; de talento
taliad *g*	un pago *m*
talu (am)	pagar v^{A1}
man talu	una caja *f*

talu sylw	prestar v^{A1} atención; hacer v^{C14} caso
ers talwm	hace mucho tiempo; antaño; en el año de la nana/pera
tan	hasta
o dan	debajo de; bajo
tân *g*	un fuego *m*; [mawr] un incendio *m*
mynd ar dân	prender v^{A2} fuego
tân gwyllt	los fuegos *m pl* artificiales
tanc *g*	un carro *m*; un depósito *m*; [milwrol] un tanque *m*; [pysgod] un acuario *m*
tanddaear(ol)	subterráneo *adj*
trên g *tanddaearol*	el metro *m*
tanddwr / tanfor	submarino *adj*
tanio	[gwn] disparar v^{A1}; [injan, sigarét] encender v^{B3}
tanlinellu	subrayar v^{A1}
tanysgrifiad *g*	una su(b)scripción *f*; un abono *m*
tap *g*	un grifo *m*
tâp *g*	una cinta *f*; un casette *m*
gwaith **tapestri** *g*	un tapiz *m*; una tapicería *f*
taran *b*	un trueno *m*
taro	golpear v^{A1}; pegar v^{A1}
mae hi wedi taro wyth o'r gloch	han dado las ocho
taro ar	dar v^{C8} con
tarten *b*	una tarta *f*
tarw *g*	un toro *m*
tasg *b*	una tarea *f*
ta-ta	adiós; hasta luego
tatws *ll*	las patatas *f pl*
TAW [Treth ar Werth]	i.v.a.
taw!	¡Chitón!; ¡Chist!
tawedog	callado *adj*; taciturno *adj*; silencioso *adj*
tawel	tranquilo *adj*; silencioso *adj*; callado *adj*; suave *adj*
yn dawel	silenciosamente; tranquilamente; en voz baja
tawelwch *g*	una tranquilidad *f*; una calma *f*; un silencio *m*
Tawrws	Tauro *m*
te *g*	un té *m*
te parti	un té *m*; una merienda *f*
te prynhawn	una merienda *f*

cael te	merendar v^{B2}
te (neu goffi gyda byrbryd)	[AmL] las onces *f pl*
tebot *g*	una tetera *f*
tebyg	parecido *adj*; similar *adj*; semejante *adj*
bod / edrych yn debyg i	parecerse v^{C5D} a
teclyn *g*	un aparato *m*; un utensilio *m*
techneg *b*	una técnica *f*
technoleg *b*	la tecnología *f*
tedi bêr *g*	un osito *m* (de peluche)
teg	justo *adj*; bonito *adj*; bueno *adj*
tegan *g*	un juguete *m*
tegan meddal	un juguete de peluche
tegell *g*	un hervidor *m*
tei *g*	una corbata *f*
tei bô	una pajarita *f*
teiar *g*	un neumático *m*; [AmL] una llanta *f*
teigr *g*	un tigre *m*
teimlad *g*	un sentimiento *m*
teimlo	sentir(se) $v^{B7(D)}$
teip *g*	un tipo *m*; una clase *f*; un género *m*
teipio	escribir v^{A3} a máquina
teirieithog	trilingüe *adj*
teisen *b*	un pastel *m*; una tarta *f*; una torta *f*
teitl *g*	un título *m*
yn dwyn y teitl	titulado *adj*
teithio	viajar v^{A1}
sach b *deithio*	una mochila *f*; un macuto *m*
teithiwr *g*	un viajero *m;* [llong] un pasajero *m*
teithlyfr *g*	una guía *f*
teithwraig *b*	una viajera *f*; [llong] una pasajera *f*
teledu *g*	la tele(visión) *f*
teits *ll*	las mallas *f pl*
telisgop *g*	un telescopio *m*
telyn *b*	un arpa *f*
temtasiwn *g/b*	una tentación *f*
tenau	delgado *adj*
teneuo	adelgazar v^{A1}
tennis *g*	el tenis *m*
tennis bwrdd	el tenis de mesa; el ping-pong *m*; el pimpón *m*
tennyn *g*	una traílla *f*

cadw ar dennyn	llevar v^{AI} con traílla
teras *g*	una terraza *f*
terfynol	final *adj*; definitivo *adj*; terminante *adj*
terfysg *g*	un disturbio *m*; un motín *m*; una sublevación *f*
terfysgaeth *b*	el terrorismo *m*
terfysgwr *g*	un terrorista *m*
terfysgwraig *b*	una terrorista *f*
testun *g*	un sujeto *m*; un texto *m*
neges b *destun*	un mensaje *m* de texto
teulu *g*	una familia *f*
gyda'r / fel teulu	en familia
tew	gordo *adj*; grueso *adj*
tewch!	¡chitón!; ¡Chist!
tewch / peidiwch â dweud!	¡No me digas!
teyrnas *b*	un reino *m*
y Deyrnas Unedig / Gyfunol	El Reino Unido
teyrnasiad *g*	un reinado *m*
ti / di	tú; te; ti; [AmL] vos
dweud 'ti' wrth	tutear v^{AI}
ticed *g/b*	un billete *m*; un boleto *m*
ticio	marcar v^{AI}
til *g*	una caja *f*
tîm *g*	un equipo *m*; una selección *f*; [AmL] un elenco *m*
tip *g*	una propina *f*
tipyn *g*	un poco; mucho
tipyn go lew o	mucho *adj*
tir *g*	la tierra *f*; un terreno *m*
tirlun *g*	un paisaje *m*
tisian	estornudar v^{AI}
tiwb *g*	un tubo *m*
tiwlip *g*	un tulipán *m*
tlawd	pobre *adj*
tlodi *g*	la pobreza *f*
tlodion *ll*	los pobres *m pl*
tlws *g*	un trofeo *m*
tlws	bonito *adj*
to *g*	un tejado *m*
toc	pronto
tocio	cortar v^{AI}
tocyn *g*	un billete *m*; un boleto *m*; [theatr] una localidad *f*

tocyn dwyffordd	un billete de ida y vuelta
tocyn tymor	un abono *m*
tocyn unffordd	un billete de ida; un billete sencillo
tocynnwr *g*	un revisor *m*
tocynwraig *b*	una revisora *f*
toddi	fundir(se) $v^{A3(D)}$; derretir(se) $v^{B5(D)}$
toes *g*	una masa *f*; una pasta *f*
toiled *g*	el servicio *m*; el baño *m*; el wáter *m*; un retrete *m*
toiledau *ll*	los aseos *m pl*
toll *b*	un peaje *m*
tom *b*	el estiércol *m*; los excrementos *m pl*
tomato *g*	un tomate *m*
ton *b*	una ola *f*
tonnog	ondulado *adj*
topyn *g*	una tapa *f*; un tapón *m*
torf *b*	una multitud *f*; una muchedumbre *f*; el público *m*; los espectadores *m pl*
torheulo *g*	los baños *m pl* de sol
torheulo	tomar v^{A1} el sol
toriad *g*	una rotura *f*; una ruptura *f*; [car] una avería *f* ; [lleihad] una reducción *f*
toriad yn y cyflenwad trydan	un apagón *m*
torri	romper v^{A2}; cortar v^{A1}
wedi torri	roto *adj*; cortado *adj*
wedi'i dorri	roto *adj*; cortado *adj*
torri allan	cortar v^{A1}; eliminar v^{A1}; borrar v^{A1}
torri i lawr	averiarse v^{D}
wedi torri i lawr	averiado *adj*
torri i mewn	[tŷ, adeilad] entrar v^{A1} a robar en
torth *b*	una barra *f*; un pan *m*
tost *g*	[darn o fara] una tostada *f*
tost	[sâl] enfermo *adj*; malito *adj*; malo *adj*
teimlo'n dost	sentirse v^{B7D} mal; estar v^{C10} mareado; marearse v^{D}
trac *g*	una pista *f*; un camino *m*; un sendero *m*; una vía *f*
tractor *g*	un tractor *m*
tracwisg *b*	un chandal *m*
traeth *g*	una playa *f*
trafnidiaeth *b*	el tráfico *m*
trafod	hablar v^{A1} de; discutir v^{A3}

trafodaeth *b*	una discussion *f*; un debate *m*
trafferthus	fastidioso *adj*; latoso *adj*; molesto *adj*; difícil *adj*
traffig *g*	el tráfico *m*; el tránsito *m*
tagfa b *draffig*	un atasco *m*; un embotellamiento *m*
traffordd *b*	una autopista *f*
tragwyddol	eterno *adj*; perpetuo *adj*
trallod *g*	una angustia *f*; una aflicción *f*
tram *g*	un tranvía *m*
tramor	extranjero *adj*
(mewn gwlad) dramor	en el extranjero
i wlad dramor	al extranjero
tramorwr *g*	un extranjero *m*
tramorwraig *b*	una extranjera *f*
tramwyad	un tránsito *m*
trawiadol	llamativo *adj*; impresionante *adj*; impactante *adj*
ar draws	a través; [croesair] horizontal
trawstaith	un tránsito *m*
tref *b*	un pueblo *m*; una ciudad *f*
tref wyliau sgio	una estación *f* de esquí
trefn *b*	un orden *m*
cael trefn ar	arreglar v^{AI}; ordenar v^{AI}
yn nhrefn yr wyddor	en / por orden alfabético
trefnu	organizar v^{AI}; arreglar v^{AI}
trefnus	ordenado *adj*; arreglado *adj*
trefnydd *g*	[gwrywaidd] un organizador *m*; [benywaidd] una organizadora *f*
trempyn *g*	[gwrywaidd] un vagabundo *m*; [benywaidd] una vagabunda *f*
trên *g*	un tren *m*
ar y trên	en tren
trên cyflym	TALGO
trên tanddaearol	un metro *m*; [AmL] un subterráneo *m*
treth *b*	un impuesto *m*
Treth ar Werth	i.v.a.
treuliau *ll*	los gastos *m pl*
treulio	[amser] pasar v^{AI}; [dillad, ayyb] desgastarse v^{D}
tri / tair	tres
tri / tair ar ddeg	trece
un deg tri / tair	trece
tri deg	treinta

trigain	sesenta
trigolion *ll*	los habitantes *m pl*
trin	tratar v^{A1}
trio	tratar v^{A1} (de); intentar v^{A1}
trip *g*	una excursión *f*; una salida *f*; un paseo *m*
trist	triste *adj*
tro *g*	un paseo *m*; una vuelta *f*; una caminata *f*; un excursión *f*; [adeg] una vez *f*
mynd am dro	dar v^{C8} un paseo; dar v^{C8} una vuelta; hacer v^{C14} una excursión; pasearse v^{D}
mynd â'r ci am dro	pasear v^{A1} al perro; sacar v^{A1} al perro de paseo
tro ar gefn beic	un paseo en bicicleta; una vuelta en bicicleta
tro yn y ffordd	una curva *f*
am y tro	por el momento; por lo pronto
wnaiff hynny mo'r tro	así no está bien
fe wnaiff y tro	está bien
eich tro chi i ddweud gair!	¡Usted tiene la palabra!
dy dro di (yw e / ydy o)	te toca a ti
pob un yn ei dro	por turnos
un tro roedd ...	[dechrau stori] érase una vez ...
trobwll *g*	un remolino *m*
trochi	sumergir v^{C12}; ensuciar v^{A1}; manchar v^{A1}; mojar v^{A1}
troed *b*	un pie *m*; [anifail] una pata *f*
troedio	pisar v^{A1}
troellog	sinuoso *adj*; con curvas; [grisiau] de caracol
trofa *b*	una curva *f*
troi	girar v^{A1}; torcer v^{C25}; [te, ayyb] remover v^{B4}
troi (drosodd)	volver(se) $v^{B4(D)}$; volcar(se) $v^{B1(D)}$
troi i ffwrdd	apagar v^{A1}; [golau, ayyb] quitar v^{A1}
troi ymlaen	encender v^{B3}; [golau, ayyb] poner v^{C18}; [AmL] prender v
troi yn	hacerse v^{C14D}; volverse v^{B4D}; ponerse v^{C18D}; convertirse v^{B7D} en
troli *g*	un carrito *m*
trombôn *g*	un trombón *m*
trôns *ll*	los calzoncillos *m pl*; un slip *m*

tros	por encima de
trosedd *g/b*	un crimen *m*
troseddwr *g*	un criminal *m*; un reo *m*
troseddwraig *b*	una criminal *f;* una reo *f*
trosglwyddo	trasladar v^{A1}; transmitir v^{A3}; pasar v^{A1}
troswisg *b*	un overol *m*; un mono *m*; una bata *f*; un guardapolvo *m*
trowsus *g*	un pantalón *m*; los pantalones *m pl*
trowynt *g*	un tornado *m*; un torbellino *m*
truan	pobre *adj*; pobrecito *m*; pobrecillo *m*; pobrecita *f*; pobrecilla *f*
truenus	desdichado *adj*; desgraciado *adj*; miserable *adj*; lamentable *adj*
trwchus	grueso *adj*; espeso *adj*; denso *adj*
trwm	pesado *adj*; [cwsg] profundo *adj*
trwmped / trymped *g*	una trompeta *f*
trwnc *g*	una trompa *f*
trwsg(w)l	torpe *adj*
trwsiadus	elegante *adj*
trwsio	reparar v^{A1}; arreglar v^{A1}
i'w drwsio	no funciona; estropeado *adj*; descompuesto *adj*
trwy	por; a través de
trwydded *b*	un permiso *m*; una licencia *f*
trwydded yrru	un carnet *m* (de conducir); un permiso de conducir
trwyn *g*	una nariz *f*
trybini *g*	la desgracia *f*; los apuros *m pl*
trychfil *g*	un insecto *m*; un bicho *m*
trychineb *g/b*	una catástrofe *f*; un desastre *m*
trychinebus	catastrófico *adj*; desastroso *adj*
trydan *g*	la electricidad *f*
trydanol	eléctrico *adj*
offer trydanol	[yn y cartref] los electrodomésticos *m pl*
trydanydd *g*	un / una electricista *m / f*
trydydd / trydedd	tercero *adj*
y Trydydd Byd	el Tercer Mundo *m*
tryncs *ll*	un traje *m* de baño; un bañador *m*; [AmL] una malla *f* de baño
trysor *g*	un tesoro *m*
trywel *g*	un desplantador *m*; una paleta *f*
trywsus *g*	un pantalón *m*; los pantalones *m pl*

trywsus byr / bach / cwta	los pantalones cortos; un pantalón short
trywydd *g*	una pista *f*
Tsieina *b*	China *f*
o *Tsieina*	chino *adj*
Tsieineaidd	chino *adj*
tu *g*	un lado *m*; un costado *m*
tu allan	el exterior *m*; la parte *f* exterior
tu allan	fuera; afuera
tu blaen	la parte *f* de delante; la parte *f* delantera; la fachada *f*; el principio *m*; la punta *f*; [darn arian] la cara *f*
tu chwith	un revés *m*; un dorso *m*; [darn arian] un reverso *m*
tu chwith allan	al revés; del revés
tu hwnt (i)	más allá de
tu mewn	el interior *m*; la parte *f* de dentro
tu mewn	dentro (de); adentro; en el interior
tu ôl	detrás; atrás
tu ôl i	detrás de
tua	alrededor de; aproximadamente; más o menos; hacia
tuag at	hacia
tuag yn ôl	hacia atrás
tudalen *g/b*	una página *f*
tudalen broblemau	[cylchgrawn, ayyb] un consultorio *m* sentimental
tun *g*	una lata *f*; un bote *m*; [metel] la hojalata *f*
tun cacen	un molde *m* para pastel; una caja *f* de pastel
tusw *g*	un ramo *m*
twlc *g* **moch(yn)**	una pocilga *f*; una porquería *f*
twll *g*	un agujero *m*; [golf] un hoyo *m*; [mewn teiar] un pinchazo *m*
twll yn y wal	[mewn banc] un cajero *m* automático
twnnel *g*	un túnel *m*
twp	estúpido *adj*; idiota *adj*; imbécil *adj*; tonto *adj*; bobo *adj*
bod yn dwp	hacer *v*[C14] el tonto
gwneud pethau twp	hacer *v*[C14] tonterías
twp(s)en *b*	una tonta *f;* una idiota *f;* una imbécil *f*
twp(s)yn *g*	un tonto *m*; un idiota *m*; un imbécil *m*

twr *g*	un montón *m*
tŵr *g*	una torre *f*
Twrcaidd / Tyrcaidd	turco *adj*
twrci *g*	[aderyn] un pavo *m*
Twrci *b*	Turquía *f*
o Dwrci	turco *adj*
twrch *g* **daear**	un topo *f*
twrist *g*	un / una turista *m / f*
twristaidd	turístico *adj*
twristiaeth *b*	el turismo *m*
twristiaid *ll*	los turistas *m pl*; [yn yr haf] los veraneantes *m pl*
twrn *g*	un turno *m*; una vez *f*
colli / methu twrn	perder v^{B3} el turno; perder v^{B3} la vez
twrnamaint *g*	un torneo *m*
twyllo	engañar v^{A1}; estafar v^{A1}; timar v^{A1}; hacer v^{C14} trampas
twym	caliente *adj*; cálido *adj*; caluroso *adj*
mae'n dwym	[tywydd] hace calor
rydw i'n dwym	tengo calor
twymo	calentar(se) $v^{B2(D)}$
twymyn *b*	una fiebre *f*
tŷ *g*	una casa *f*
tŷ bwyta	un restaurante *m*
i dŷ (rhywun)	a casa de
i'm tŷ i	a mi casa
yn nhŷ (rhywun)	en casa de
yn fy nhŷ i	en mi casa
tyb *b*	una opinión *f*
yn fy nhyb i	en mi opinion; a mi juicio
tybaco *g*	el tabaco *m*
tybed	me pregunto; a ver
meddwl tybed ...	preguntarse v^{D}
tyfiant *g*	un crecimiento *m*; un aumento *m*
tyfu	crecer v^{C5}; aumentar v^{A1}; cultivar v^{A1}
tynged *b*	el destino *m*
tyllu	agujerear v^{A1}; perforar v^{A1}; [tocyn] picar v^{A1}
tylluan *b*	un buho *m*; una lechuza *f*; un mochuelo *m*
tymer *b*	un humor *m*; el genio *m*
colli tymer	enfadarse v^{D}; perder v^{B3} los estribos
mewn tymer ddrwg	enfadado *adj*
tymheredd *g*	una temperatura *f*

tymor *g*	una temporada *f*; [ysgol] un trimestre *m*
tyn	justo *adj*; apretado *adj*; ajustado *adj*; [dillad] estrecho *adj*
tynhau	apretar v^{B2}
tynnu	tirar v^{A1} de; sacar v^{A1}; arrancar v^{A1}; arrastrar v^{A1}; [dillad] quitar v^{A1}; [AmL] jalar v^{A1}
tynnu allan	sacar v^{A1}; arrancar v^{A1}
tynnu coes	tomar v^{A1} el pelo a; mofarse de v^{D}
tynnu i ffwrdd	quitar v^{A1}; arrancar v^{A1}
tynnu llun	[ar bapur] dibujar v^{A1}; [ffotograff] hacer v^{C14} una foto; fotografiar v^{C11}
tyrfa *b*	una multitud *f*; una muchedumbre *f*
tystysgrif *b*	un certificado *m*; un título *m*
tywallt	servir v^{B5}; verter v^{B3}; echar v^{A1}; derramar v^{A1}
tywel *g*	una toalla *f*
tywod *g*	la arena *f*
tywydd *g*	el tiempo *m*
mae'n dywydd drwg	hace mal tiempo; hace malo
dyma / am dywydd ofnadwy!	¡qué tiempo de perros!
tywyll	oscuro *adj*; [croen, gwallt] moreno; [lle] sombrío *adj*
tywynnu	brillar v^{A1}
tywysog *g*	un príncipe
tywysogaeth *b*	un principado *m*
tywysoges *b*	una princesa *f*
tywysydd *g*	[gwrywaidd] un guía *m*; [benywaidd] una guía *f*

theatr *b*	un teatro *m*
thermomedr *g*	un termómetro *m*
thermos *b*	un termo *m*
thermostat *g*	un termostato *m*

U

uchaf	más alto *adj*; superior *adj*
uchder *g*	una altitud *f*; una altura *f*
uchel	alto *adj*; elevado *adj*
(siarad) yn uchel / â llais uchel	en voz alta
uchod	arriba; más arriba
uffern *b*	un infierno *m*
ugain	veinte
un	[gwrywaidd] uno; [o flaen enw gwrywaidd] un; [benywaidd] una; [unig] único *adj*
x euro yr un	x euros cada uno
pob un	cada uno; cada una
un deg un	once
yr un	mismo
yr un	el que; la que
un ar bymtheg	dieciséis
un deg saith	diecisiete
mae'n un o'r gloch	es la una
yr un fath	igual *adj*; parecido *adj*
gwneud yr un fath	hacer *v*[C14] lo mismo
ar yr un pryd	a la vez; al mismo tiempo
un ar ddeg	once
undeb *g*	una unión *f*
yr Undeb Ewropeaidd	la Unión Europea
undeb llafur	un sindicato *m*
yr Undeb Sofietaidd	la Unión Soviética (1922–1989)
undod *g*	una unidad *f*
undonog	monótono *adj*
uned *b*	una unidad *f*
unig	solo *adj*; solitario *adj*; aislado *adj*; único *adj*
yn unig	sólo; solamente
unig blentyn g	[gwrywaidd] un hijo *m* uníco; [benywaidd] una hija *f* única

unig fab g	un hijo *m* uníco
unig ferch b	una hija *f* única
unigryw	único *adj*; excepcional *adj*
union	exacto *adj*; preciso *adj*
ar ei union	directamente
yn union	exactamente
union(gyrchol)	directo *adj*
yn union(gyrchol)	directamente
unioni	enderezar(se) *v*[AI(D)]
unol	unido *adj*
yr Unol Daleithiau ll	los Estados Unidos *m pl*
unrhyw ...	cualquier
unrhyw beth	cualquier cosa
unwaith	una vez *f*
ar unwaith	ahora mismo; en seguida; inmediatamente
urddas *b*	la dignidad *f*
urddasol	digno *adj*; solemne *adj*
Uruguay	Uruguay *m*
o Uruguay	uruguayo *adj*
ust!	¡chitón!; Chist!
utgorn *g*	una trompeta *f*
uwch	más alto / elevado *adj*; superior *adj*
uwchben	arriba; encima (de); sobre
uwchdaflunydd *g*	un retroproyector *m*
uwchfarchnad *b*	un supermercado *m*
uwchlaw	arriba; encima (de); sobre

V

Venezuela	Venezuela
o Venezuela	venezolano *adj*

	waffl *b*	un gofre *m*
	wal *b*	una pared *f*; un muro *m*; una muralla *f*
	waled *b*	una cartera *m*
	Walkman *g*	un walkman *m*
	wats(h) *b*	un reloj *m*
y	**We** *b*	el web *m*
	wedyn	después; luego
	weithiau	a veces; pocas veces
	wel	pues; bueno
	wel!	¡bueno!
	wel! wel!	¡vaya!
	wel...	bueno, pues...
	wela'i di / chi (cyn hir)	hasta luego; hasta ahora; hasta la vista
	wela'i di / chi yfory	hasta mañana
	whiw!	¡uf!; ¡Vaya!
	wig *b*	una peluca *f*
	winwnsyn *g*	una cebolla *f*
	wrth	cerca de; al lado de
	wrth fy modd, dy fodd ayyb	encantado *adj*
	wrth gwrs	claro; naturalmente; por supuesto; cómo no
	wrth ymyl	al lado de
	wrthi yn	a mitad de
	ŵy *g*	un huevo *m*
	wylo	llorar *v*[A1]
	wyneb *g*	una cara *m*; un rostro *m*; una superficie *f*
(â'i)	*wyneb i waered*	al revés; patas arriba
yn	**wynebu**	de cara a; frente a
	ŵyr *g*	un nieto *m*
	wyres *b*	una nieta *f*
	wyrion ll *a wyresau* ll	los nietos *m pl*
	wyth	ocho
	wyth deg	ochenta
un deg	*wyth*	dieciocho
	wythnos *b*	una semana *f*
yr	*wythnos / bob wythnos*	por semana; a la semana

y / yr el; la; los; las
y... pues
y? ¿eh?
ŷch *g* un buey *m*
ych-a-fi! ¡Qué asco!
ychwanegol más; de más; de sobra; adicional *adj*
ychwanegu añadir v^{A3}; agregar v^{A1}
ychydig *g* un poco *m* (de)
ychydig fetrau i ffwrdd a algunos metros
ŷd *g* el trigo *m*
ydw [ayyb] sí
yfed beber v^{A2}
yfory mañana
ynganu pronunciar v^{A1}
ynghylch con respecto a; con relación a
ynglŷn â sobre; acerca de; con respecto a; con relación a
yma aquí
y(r) ... yma este; esta; estos; estas
ymadael salir v^{C21}; irse v^{C16D}; marcharse v^{D}; partir v^{A3}
ymadawiad *g* una partida *f*; una salida *f*
ymaelodi hacerse v^{C14D} miembro / socio / socia de
ymarfer entrenar v^{A1}; practicar v^{A1}; [drama, ayyb] ensayar v^{A1}
ymarfer g *aerobig* el aerobic *m*
ymarfer g *corff* la educación *f* física
ymarfer(iad) *g* un ejercicio *m*
ymarferol práctico *adj*
ymateb reaccionar v^{A1}; responder v^{A2}; contestar v^{A1}
ymateb *g* una reacción *f*; una contestación *f*; una respuesta *f*
ymbarél *g* un paraguas *m*
ymbarél haul una sombrilla *f*; un parasol *m*
ymchwil *b* la investigación *f*; las investigaciones *f pl*
ymddangos aparecer v^{C5}; parecer v^{C5}
ymddangos yn tener v^{C24} un aspecto; tener v^{C24} aire; tener v^{C24} pinta
ymddangosiad *g* un aspecto *m*; una aparición *f*
ymddiddori (mewn, yn) interesarse v^{A1D} (por)

ymddiried (yn)	confiar v^{C11} en; fiarse v^{C11D} de
ymddiriedaeth *b*	la confianza *f*
ymddwyn	portarse v^{D}; comportarse v^{D}
ymddygiad *g*	un comportamiento *m*; una conducta *f*
ymdopi	arreglárse v^{D}; desenvolverse v^{B4D}; apañarse v^{D}
ymdrech *b*	un esfuerzo *m*
ymdrochi	bañarse v^{D}
ymennydd *g*	un cerebro *m*; un seso *m*
ymenyddol	intelectual *adj*
ymgartrefu	instalarse v^{D}; establecerse v^{C5D}
ymgeisydd *g*	[gwrywaidd] [etholiad, arholiad] un candidato *m*; [swydd] un aspirante *m*; un solicitante *m* [benywaidd] [etholiad, arholiad] una candidata *f*; [swydd] una aspirante *f*; una solicitante *f*
ymgom *g/b*	una conversación *f*; una charla *f*
ymgomio	hablar v^{A1}; charlar v^{A1}
ymgynghori â	consultar v^{A1}
ymhell	lejos
ymhen	en; dentro de
ymhlith	entre
ymholiadau *ll*	las investigaciones *f pl*
ymlaciol	relajante *adj*
wedi ymlacio	relajado *adj*
wedi ymlâdd	agotado *adj*; hecho polvo *adj*; molido *adj*; muerto *adj*
ymlaen [golau e.e.]	[AmL] prendido
ymlaen llaw	de antemano; con antelación
mynd ymlaen	avanzar v^{A1}; adelantarse v^{D}
rhoi ymlaen	avanzar v^{A1}; encender v^{B3}; poner v^{C18}
ymlid	perseguir v^{B7}
ymolchi	lavarse v^{D}
cyfleusterau ll *ymolchi*	los sanitarios *m pl*
bag g *ymolchi*	un neceser *m*
ymosod (ar)	atacar v^{A1}
ymosodol	agresivo *adj*
ymroi i	meterse v^{A2D} de lleno en; dedicarse v^{D} a
ymryson *g*	un concurso *m;* una competición *f*; una lucha *f*; un combate *m*
ymsythu	enderezarse v^{D}; ponerse v^{C18D} derecho

ymuno (â) afiliarse v^{D} a; ingresar v^{A1} en; hacerse v^{C14D} socio /miembro de; unirse v^{A3D} a

ymweld â visitar v^{A1}

ymweliad *g* una visita *f*

ymwelwyr *ll* una visita *f*; uno / una visitante *m* / *f*; los turistas *m pl*

ymwelydd *g* un invitado / una invitada *m* / *f*; un / una turista *m* / *f*

ymwneud â tratar v^{A1} de; concernir v^{B7}

ymyl *g* un borde *m*

yn ymyl cerca de

ymysg entre

yn en; dentro de

yn union en punto

yna allí; ahí; allá; luego; después

y(r) ... yna ese / esa / esos / esas ...; aquel / aquella / aquellos / aquellas

ynni *g* una energía *f*

yno allí; ahí; allá

ynte? ¿eh?; ¿no?; ¿verdad?

ynys *b* una isla *f*

Ynys Cyprus Chipre *f*

Ynysoedd ll *Balearig* las Islas *f pl* Baleares

ysbienddrych *g* los gemelos *m pl*; los prismáticos *m pl*; el telescopio *m*

ysbïo *g* el espionaje *m*

ysbïwr *g* un espía *m*

ysbïwraig *f* una espía *f*

ysblander *g* un esplendor *m*

ysbryd *g* un espíritu *m*; un fantasma *m*

ysbrydoli inspirar v^{A1}

ysbyty *g* un hospital *m*

ysgafn ligero *adj*

ysgaru divorciar(se) $v^{A1(D)}$

ysgol *b* una escuela *f*; [dringo] una escalera *f* de mano

bachgen ysgol un alumno *m*; un colegial *m*

merch ysgol una alumna *f; una colegiala f*

... **ysgol** [yn gysylltiedig â'r ysgol] escolar *adj*

ysgol breswyl un internado *m*

ysgol feithrin un parvulario *m*; una escuela *f* infantil; [AmL] un jardín *m* de niños; un jardín *m* infantil

ysgol gyfun	un instituto *m*
ysgol gynradd	una escuela *f* primaria
ysgol nos	una escuela *f* nocturna
ysgol uwchradd	una escuela *f* secundaria; un instituto *m*
ysgolfeistr *g*	un maestro *m*; un profesor *m*
ysgolfeistres *b*	una maestra *f*; una profesora *f*
ysgraffinio	arañar v^{A1}; rascar v^{A1}; rasguñar v^{A1}
ysgrifen *b*	una escritura *f*
ysgrifennu	escribir v^{A3}
ysgrifennu at	escribir v^{A3} a; mantener v^{C24} correspondencia con
cael ei ysgrifennu	escribirse v^{A3D}
ysgrifennydd *g*	un secretario *m*
ysgrifenyddes *b*	una secretaria *f*
ysgubell *b*	una escoba *f*
ysgubo	barrer v^{A2}
ysgubor *b*	un granero *m*
(y)sgwn i	me pregunto; a ver
ysgwyd	agitar v^{A1}; sacudir v^{A3}; zarandear v^{A1}; temblar v^{B2}; afectar v^{A1}
ysgwyd llaw	estrechar(se) $v^{A1(D)}$ la mano
ysgwydd *b*	un hombro *m*
(yr) **ysgyfaint** *ll*	los pulmones *m pl*
ysgyfarnog *f*	una liebre *f*
ysgytiad *g*	una sacudida *f*; una conmoción *f*; un choque *m*
ysgytwol	chocante *adj*
ysmala	divertido *adj*; gracioso *adj*; chistoso *adj*
ysmygu	fumar v^{A1}
ysmygwr *g*	un fumador *m*
ysmygwraig *b*	una fumadora *f*
ystafell *b*	una habitación *f*; un cuarto *m*
ystafell aros	una sala *f* de espera
ystafell athrawon	una sala *f* de profesores
ystafell chwaraeon	una sala *f* de juegos
ystafell do / yn y to	un desván *m*
ystafell ddosbarth	un aula *f*; una clase *f*
ystafell fwyta	un comedor *m*
ystafell fyw	un salón *m*; una sala *f* de estar; un living *m*
ystafell gotiau	un guardarropa *m*; un ropero *m*
ystafell gysgu	[i nifer] un dormitorio *m*

ystafell newid un vestuario *m*

ystafell wely una habitación *f*; un dormitorio *m*;

ystafell wisgo un probador *m*

ystafell ymolchi un cuarto *m* de baño

ystlum *g* un murciélago *m*

yn ystod durante

ystyfnig obstinado *adj*; testarudo *adj*; terco *adj*; cabezota *adj*

ystyr *g* un sentido *m*; un significado *m*

ystyr hynny yw / ydy eso quiere decir; eso significa

ystyried considerar v^{AI}; reflexionar v^{AI}

Tablau Berfau

Tablau Berfau – Los verbos españoles

1: Y Presennol:

A: Berfau Rheolaidd:

	A[1]: **Berfau –ar:**	A[2]: **Berfau –er:**	A[3]: **Berfau –ir:**
	habl**ar** (*siarad*)	com**er** (*bwyta*)	viv**ir** (*byw*)
yo	habl**o**	com**o**	viv**o**
tú	habl**as**	com**es**	viv**es**
él/ella/usted	habl**a**	com**e**	viv**e**
nosotros	habl**amos**	com**emos**	viv**imos**
vosotros	habl**áis**	com**éis**	viv**ís**
ellos/ellas/ustedes	habl**an**	com**en**	viv**en**

B: Berfau gyda llafariad sy'n newid:

	B[1]:* **Berfau –ar, o - ue:**	B[2]: **Berfau –ar, e- ie:**	B[3]: **Berfau –er, e - ie:**
	c**o**ntar (*dweud*)	c**e**rrar (*cau*)	ent**e**nder (*deall*)
yo	c**ue**nto	c**ie**rro	ent**ie**ndo
tú	c**ue**ntas	c**ie**rras	ent**ie**ndes
él/ella/usted	c**ue**nta	c**ie**rra	ent**ie**nde
nosotros	c**o**ntamos	c**e**rramos	ent**e**ndemos
vosotros	c**o**ntáis	c**e**rráis	ent**e**ndéis
ellos/ellas/ustedes	c**ue**ntan	c**ie**rran	ent**ie**nden

* Mae **jugar** hefyd yn dilyn y patrwm hwn er nad oes **o** yn y bôn.

	B^4: Berfau –er, o - ue:	**B^5: Berfau –ir, e- - i:**	**B^6: Oler o-ue:**
	v**o**lver (*dychwelyd*)	p**e**dir (*gofyn*)	**o**ler (*arogli*)
yo	v**ue**lvo	p**i**do	h**ue**lo
tú	v**ue**lves	p**i**des	h**ue**les
él/ella/usted	v**ue**lve	p**i**de	h**ue**le
nosotros	v**o**lvemos	p**e**dimos	**o**lemos
vosotros	v**o**lvéis	p**e**dís	**o**léis
ellos/ellas/ustedes	v**ue**lven	p**i**den	h**ue**len

	B^7: Berfau –ir, e - ie:	**B^8: Berfau –ir, o- - ue:**
	s**e**ntir (*teimlo*)	m**o**rir (*marw*)
yo	s**ie**nto	m**ue**ro
tú	s**ie**ntes	m**ue**res
él/ella/usted	s**ie**nte	m**ue**re
nosotros	s**e**ntimos	m**o**rimos
vosotros	s**e**ntís	m**o**rís
ellos/ellas/ustedes	s**ie**nten	m**ue**ren

C: Berfau Afreolaidd:

	C^1	**C^2**	**C^3**
	caer (*cwympo*)	cocer (*coginio*)	coger (*cymryd*)
yo	caigo	cuezo	cojo
tú	caes	cueces	coges
él/ella/usted	cae	cuece	coge
nosotros	caemos	cocemos	cogemos
vosotros	caéis	cocéis	cogéis
ellos/ellas/ustedes	caen	cuecen	cogen

	C[4]	C[5]	C[6]
	conducir (*gyrru*)	conocer (*adnabod*)	continuar (*parhau*)
yo	conduzco	conozco	continúo
tú	conduces	conoces	continúas
él/ella/usted	conduce	conoce	continúa
nosotros	conducimos	conocemos	continuamos
vosotros	conducís	conocéis	continuáis
ellos/ellas/ustedes	conducen	conocen	continúan

	C[7]	C[8]	C[9]
	corregir (*cywiro*)	dar (*rhoi*)	decir (*dweud*)
yo	corrijo	doy	digo
tú	corriges	das	dices
él/ella/usted	corrige	da	dice
nosotros	corregimos	damos	decimos
vosotros	corregís	dais	decís
ellos/ellas/ustedes	corrigen	dan	dicen

	C[10]	C[11]	C[12]
	estar (*bod*)	fiar (*ymddiried*)	fingir (*esgus*)
yo	estoy	fío	finjo
tú	estás	fías	finges
él/ella/usted	está	fía	finge
nosotros	estamos	fiamos	fingimos
vosotros	estáis	fiáis	fingís
ellos/ellas/ustedes	están	fían	fingen

	C13	C14	C15
	haber (*bod wedi*)	hacer (*gwneud*)	huir (*ffoi*)
yo	he	hago	huyo
tú	has	haces	huyes
él/ella/usted	ha	hace	huye
nosotros	hemos	hacemos	huimos
vosotros	habéis	hacéis	huís
ellos/ellas/ustedes	han	hacen	huyen

	C16	C17	C18
	ir (*mynd*)	oir (*clywed*)	poner (*rhoi*)
yo	voy	oigo	pongo
tú	vas	oyes	pones
él/ella/usted	va	oye	pone
nosotros	vamos	oímos	ponemos
vosotros	vais	oís	ponéis
ellos/ellas/ustedes	van	oyen	ponen

	C19	C20	C21
	reir (*chwerthin*)	saber (*gwybod*)	salir (*mynd allan*)
yo	río	sé	salgo
tú	ríes	sabes	sales
él/ella/usted	ríe	sabe	sale
nosotros	reímos	sabemos	salimos
vosotros	reís	sabéis	salís
ellos/ellas/ustedes	ríen	saben	salen

	C[22]	C[23]	C[24]
	seguir (*dilyn*)	ser (*bod*)	tener (*cael*)
yo	sigo	soy	tengo
tú	sigues	eres	tienes
él/ella/usted	sigue	es	tiene
nosotros	seguimos	somos	tenemos
vosotros	seguís	sois	tenéis
ellos/ellas/ustedes	siguen	son	tienen

	C[25]	C[26]	C[27]
	torcer (*troi*)	traer (*dod â*)	vencer (*curo*)
yo	tuerzo	traigo	venzo
tú	tuerces	traes	vences
él/ella/usted	tuerce	trae	vence
nosotros	torcemos	traemos	vencemos
vosotros	torcéis	traéis	vencéis
ellos/ellas/ustedes	tuercen	traen	vencen

	C[28]	C[29]
	venir (*dod*)	ver (*gweld*)
yo	vengo	veo
tú	vienes	ves
él/ella/usted	viene	ve
nosotros	venimos	vemos
vosotros	venís	veis
ellos/ellas/ustedes	vienen	ven

D: Berfau Atblygol:

Lavarse:

yo: **me** lavo
tú: **te** lavas
él/ella/usted: **se** lava
nosotros: **nos** lavamos
vosotros: **os** laváis
ellos/ellas/ustedes **se** lavan

2: Y Perffaith

	Berfau –ar:	**Berfau –er:**	**Berfau –ir:**
	habl**ar**	com**er**	viv**ir**
yo	he habl**ado**	he com**ido**	he viv**ido**
tú	has habl**ado**	has com**ido**	has viv**ido**
él/ella/usted	ha habl**ado**	ha com**ido**	ha viv**ido**
nosotros	hemos habl**ado**	hemos com**ido**	hemos viv**ido**
vosotros	habéis habl**ado**	habéis com**ido**	habéis viv**ido**
ellos/ellas/ustedes	han habl**ado**	han com**ido**	han viv**ido**

Afreolaidd:

abrir: yo he abierto
cubrir: yo he cubierto
descubrir: yo he descubierto
decir: yo he dicho
escribir: yo he escrito
hacer: yo he hecho
poner: yo he puesto
ver: yo he visto
volver: yo he vuelto

3: Y Gorffennol: El Pretérito indefinido:

	Berfau –ar:	**Berfau –er:**	**Berfau –ir:**
	habl**ar**	com**er**	viv**ir**
yo	habl**é**	com**í**	viv**í**
tú	habl**aste**	com**iste**	viv**iste**
él/ella/usted	habl**ó**	com**ió**	viv**ió**
nosotros	habl**amos**	com**imos**	viv**imos**
vosotros	habl**asteis**	com**isteis**	viv**isteis**
ellos/ellas/ustedes	habl**aron**	com**ieron**	viv**ieron**

	jugar	**lanzar**	**tocar**
yo	jugué	lancé	toqué
tú	jugaste	lanzaste	tocaste
él/ella/usted	jugó	lanzó	tocó
nosotros	jugamos	lanzamos	tocamos
vosotros	jugasteis	lanzasteis	tocasteis
ellos/ellas/ustedes	jugaron	lanzaron	tocaron

Yn debyg i Jugar: llegar, pagar, tragar, juzgar
Yn debyg i Lanzar: empezar., comenzar, cruzar
Yn debyg i Tocar: picar

	ir *a* ser	**poner**	**dar**
yo	fui	pus**e**	di
tú	fuiste	pus**iste**	diste
él/ella/usted	fue	pus**o**	dio
nosotros	fuimos	pus**imos**	dimos
vosotros	fuisteis	pus**isteis**	disteis
ellos/ellas/ustedes	fueron	pus**ieron**	dieron

Berfau afreolaidd eraill gyda'r un diweddebau â Poner:

decir: yo dije
hacer: yo hice
saber: yo supe
poder: yo pude

estar: yo estuve
tener: yo tuve
querer: yo quise

	dormir	pedir	traer
yo	dormí	pedí	traje
tú	dormiste	pediste	trajiste
él/ella/usted	d**u**rmió	p**i**dió	trajo
nosotros	dormimos	pedimos	trajimos
vosotros	dormiste	pediste	trajisteis
ellos/ellas/ustedes	d**u**rmieron	p**i**dieron	trajeron

Berfau gyda'r un diweddebau â traer:

conducir: yo conduje
seducir: yo seduje
producir: yo produje
reducir: yo reduje

	leer	oir
yo	leí	oí
tú	leíste	oíste
él/ella/usted	leyó	oyó
nosotros	leímos	oímos
vosotros	leísteis	oísteis
ellos/ellas/ustedes	leyeron	oyeron

4. Yr Amherffaith

	Berfau –ar:	Berfau –er:	Berfau –ir:
	habl**ar**	com**er**	viv**ir**
yo	habl**aba**	com**ía**	viv**ía**
tú	habl**abas**	com**ías**	viv**ías**
él/ella/usted	habl**aba**	com**ía**	viv**ía**
nosotros	habl**ábamos**	com**íamos**	viv**íamos**
vosotros	habl**abais**	com**íais**	viv**íais**
ellos/ellas/ustedes	habl**aban**	com**ían**	viv**ían**

Berfau Afreolaidd:

	ser	**ir**
yo	era	iba
tú	eras	ibas
él/ella/usted	era	iba
nosotros	éramos	íbamos
vosotros	erais	ibais
ellos/ellas/ustedes	eran	iban

5. Y Dyfodol:

	habl**ar**
yo	hablar**é**
tú	hablar**ás**
él/ella/usted	hablar**á**
nosotros	hablar**emos**
vosotros	hablar**éis**
ellos/ellas/ustedes	hablar**án**

Berfau Afreolaidd:

decir: yo diré
poder: yo podré
querer: yo querré
tener: yo tendré

hacer: yo haré
poner: yo pondré
saber: yo sabré
venir: yo vendré